ŚWIAT DYSKU

TERRY PRATCHETT

MUZYKA DUSZY

Przełożył
Piotr W. Cholewa

Prószyński i S-ka

Tytuł oryginału
SOUL MUSIC

Copyright © Terry and Lyn Pratchett 1994
First published by Victor Gollancz Ltd,
an imprint of the Orion Publishing Group Ltd, London

Projekt graficzny serii
Zombie **S**putnik **C**orporation

Ilustracja na okładce
Josh Kirby/via Thomas Schlück GmbH

Redakcja
Łucja Grudzińska

Redakcja techniczna
Anna Nieporęcka

Korekta
Jadwiga Przeczek

Łamanie
Grażyna Janecka

ISBN 978-83-7469-334-9

Fantastyka

Wydawca
Prószyński i S-ka SA
02-651 Warszawa, ul. Garażowa 7
www.proszynski.pl

Druk i oprawa
Drukarnia Naukowo-Techniczna
Oddział Polskiej Agencji Prasowej SA
03-828 Warszawa, ul. Mińska 65

891. 85   4725090.

ŚWIAT DYSKU

Terry Pratchett

MUZYKA DUSZY

WITHDRAWN
FROM
STOCK

Tego samego autora polecamy:

KOLOR MAGII
★

BLASK FANTASTYCZNY
★

RÓWNOUMAGICZNIENIE
★

MORT
★

CZARODZICIELSTWO
★

ERYK
★

TRZY WIEDŹMY
★

PIRAMIDY
★

STRAŻ! STRAŻ!
★

RUCHOME OBRAZKI
★

NAUKA ŚWIATA DYSKU I i II
★

KOSIARZ
★

WYPRAWA CZAROWNIC
★

POMNIEJSZE BÓSTWA
★

PANOWIE I DAMY
★

ZBROJNI

MUZYKA DUSZY
★

CIEKAWE CZASY
★

MASKARADA
★

OSTATNI BOHATER
★

ZADZIWIAJĄCY MAURYCY
I JEGO UCZONE SZCZURY
★

NA GLINIANYCH NOGACH
★

WIEDŹMIKOŁAJ
★

WOLNI CIUTLUDZIE
★

BOGOWIE, HONOR,
ANKH-MORPORK
★

KAPELUSZ PEŁEN NIEBA
★

KOT W STANIE CZYSTYM
★

OSTATNI KONTYNENT
★

CARPE JUGULUM
★

PIĄTY ELEFANT
★

HISTORIA

Jest to opowieść o pamięci. I to należy zapamiętać...

...że Śmierć świata Dysku, dla tylko sobie znanych powodów, ocalił kiedyś małą dziewczynkę i zabrał ją do swego domu pomiędzy wymiarami. Pozwolił jej dorosnąć do wieku szesnastu lat, bo wierzył, że z większymi dziećmi łatwiej jest sobie radzić niż z małymi. Co pokazuje, że można być nieśmiertelną antropomorficzną personifikacją i wciąż niczego nie rozumieć...

...że później zatrudnił ucznia zwanego Mortimer, a w skrócie Mort. Mort i Ysabell natychmiast poczuli do siebie głęboką niechęć, a każdy wie, do czego to prowadzi na dłuższą metę. Jako zastępca Mrocznego Kosiarza, Mort okazał się wyjątkowym nieudacznikiem. Stał się przyczyną problemów, które wywołały rozchwianie Rzeczywistości i walkę między nim a Śmiercią, którą Mort przegrał...

...i że, dla tylko sobie znanych powodów, Śmierć oszczędził go i wraz z Ysabell odesłał na świat.

Nikt nie wie, dlaczego Śmierć zaczął przejawiać osobiste zainteresowanie istotami ludzkimi, z którym pracował już od tak dawna. Prawdopodobnie chodzi tu o zwykłą ciekawość. Nawet najskuteczniejszy szczurołap prędzej czy później zaczyna się interesować szczurami. Może obserwować, jak szczury żyją i umierają, rejestrować wszelkie szczegóły szczurzej egzystencji – choć sam nigdy pewnie nie zrozumie, jak to jest, kiedy się biegnie przez labirynt.

Jeśli jednak prawdą jest, że sam akt obserwacji zmienia obiekt, który jest obserwowany*, tym bardziej prawdą jest, że zmienia obserwatora.

Mort i Ysabell pobrali się.

Mieli dziecko.

Jest to także opowieść o seksie, prochach i muzyce z wykrokiem.

No...

...jedno na trzy to całkiem niezły wynik.

Co prawda to zaledwie trzydzieści trzy procent, ale mogłoby być gorzej.

* Z powodu kwantów.

G dzie zakończyć?
Ciemna, burzliwa noc. Kareta, już bez koni, przebija rachityczny, bezużyteczny płotek, i koziołkując, spada do wąwozu. Nie zaczepia nawet o wystającą skałę i uderza w wyschnięte koryto rzeki daleko w dole. Rozpada się na kawałki.

Panna Butts nerwowo przerzucała papiery.
Oto praca dziewczynki, lat sześć.
Co robiliśmy na wakacjach: Na wakacjach robiłam to, że byłam u dziadka on ma wielkiego białego Kunia i ogród co jest całkiem Czarny. Zjedliśmy jajko i frytki.

Potem zapala się oliwa w lampach przy karecie i następuje eksplozja. Z ognia wytacza się – ponieważ pewne konwencje obowiązują nawet w tragedii – płonące koło.

9

I następna kartka, rysunek siedmioletniej dziewczynki. Cały w czerni. Panna Butts pociąga nosem. Nie chodzi o to, że dziewczę miało tylko jedną kredkę. Powszechnie wiadomo, że Quirmska Pensja dla Młodych Panien dysponuje dość kosztownymi kredkami we wszystkich kolorach.

A kiedy ostatni fragment dopala się z trzaskiem, jest tylko cisza.
I patrzący.
Który odwraca się i mówi do kogoś ukrytego w ciemności:
TAK. MOGŁEM COŚ ZROBIĆ.
Po czym odjeżdża.

Panna Butts znowu przerzuciła kartki. Czuła się nieco rozkojarzona i nerwowa – uczucie wspólne wszystkim, którzy mieli do czynienia z tym dziewczęciem. Papier zwykle poprawiał jej humor. Był pewniejszy.

Potem nastąpiła sprawa tego... wypadku.

Panna Butts przekazywała już wcześniej tego typu złe wieści. To ryzyko, z jakim należy się liczyć, kiedy prowadzi się dużą szkołę z internatem. Rodzice wielu dziewcząt wyjeżdżali za granicę w tych czy innych interesach, a owe interesy często były takiego rodzaju, że szansie wysokich zysków towarzyszyła szansa spotkania z niesympatycznymi ludźmi.

Panna Butts wiedziała, jak załatwiać takie sprawy. Rozmowa była bolesna, ale biegła swoim torem. Następował szok i łzy, ale w końcu wszystko się kończyło. Ludzie potrafili sobie z tym radzić. Istniał rodzaj scenariusza, wbudowany w ludzki umysł. Życie płynęło dalej.

Ale to dziecko po prostu siedziało nieruchomo. Właśnie tą jej... grzecznością śmiertelnie przeraziła się panna Butts. Nie była złą kobietą, choć przez całe życie stopniowo wysuszaną nad piecem edukacji; była jednak osobą odpowiedzialną i przestrzegającą tego, co właściwe. Sądziła, że wie, jak powinna przebiegać taka rozmowa, więc niejasno ją irytowało, że nie przebiega.

– Hm... Gdybyś chciała zostać sama i popłakać... – podpowiedziała, starając się pchnąć tę kwestię na właściwe tory.

– Czy to pomoże? – spytała Susan.

Na pewno mnie by pomogło, pomyślała panna Butts...

W tej sytuacji wykrztusiła tylko:

– Zastanawiam się, czy aby na pewno dokładnie zrozumiałaś, co powiedziałam.

Dziecko spojrzało na sufit, jakby rozwiązywało trudny problem algebraiczny.

– Spodziewam się, że zrozumiem.

Jakby już wcześniej wiedziała i jakoś zdążyła się z tym pogodzić. Panna Butts poprosiła nauczycielki, żeby uważnie obserwowały Susan. Oświadczyły, że będzie to trudne, ponieważ...

A teraz ktoś delikatnie zastukał w drzwi gabinetu – jak gdyby tak naprawdę wolał pozostać niedosłyszany. Panna Butts powróciła do chwili obecnej.

– Proszę wejść.

Drzwi się otworzyły.

Susan nigdy nie robiła najmniejszego hałasu. Nauczycielki wspominały o tym. To niesamowite, mówiły. Zawsze znajdowała się przed człowiekiem, kiedy najmniej się tego spodziewał.

– Ach, to ty, Susan. – Wymuszony uśmieszek przemknął po twarzy panny Butts niby nerwowy tik po tarczy zmartwionego, popsutego zegara. – Usiądź, proszę.

– Oczywiście, panno Butts.

Panna Butts przerzuciła papiery.

– Susan...

– Tak, panno Butts?

– Przykro mi to mówić, ale zdaje się, że znów byłaś nieobecna na lekcjach.

– Nie rozumiem, panno Butts.

Dyrektorka pochyliła głowę. Budziło to w niej niejasną irytację na samą siebie, ale... było w tym dziecku coś, co nie dawało się kochać. Naukowo doskonała z przedmiotów, które lubiła, trzeba przyznać... ale na tym koniec. Była doskonała tak, jak diament jest doskonały: same ostre krawędzie i chłód.

– Czy znowu... to robiłaś? – spytała. – Obiecałaś, że skończysz z tym niemądrym zachowaniem.

– Panno Butts...

– Znowu... znowu stawałaś się niewidzialna, tak?

Susan zarumieniła się. Podobnie, choć mniej różowo, zarumieniła się panna Butts. Przecież to niepoważne, myślała. To wbrew rozsądkowi. To... No nie...

Odwróciła głowę i zamknęła oczy.

– Tak, panno Butts? – odezwała się Susan na moment wcześniej, niż panna Butts zdążyła powiedzieć „Susan...".

Panna Butts zadrżała. To kolejna sprawa, o której wspominały nauczycielki: czasami Susan odpowiadała na pytania, zanim ktoś zdążył je zadać.

Uspokoiła się z wysiłkiem.

– Nadal tam siedzisz, prawda?

– Oczywiście, panno Butts.

Niepoważne...

To żadna niewidzialność, tłumaczyła sobie. Ona po prostu przestaje się rzucać w oczy. Ona... Kto...

Skupiła się. Napisała do siebie notatkę – właśnie na taką okazję. Karteczka była przypięta do teczki.

Przeczytała:

Rozmawiasz z Susan Sto Helit. Nie zapominaj o tym.

– Susan... – spróbowała.

– Tak, panno Butts?

Kiedy panna Butts się koncentrowała, widziała Susan siedzącą tuż przed nią. Z pewnym wysiłkiem słyszała jej głos. Musiała tylko zwalczyć uporczywą skłonność do wiary, że jest w gabinecie sama.

– Niestety, panna Cumber i panna Greggs skarżyły się na ciebie – oznajmiła.

– Zawsze jestem w klasie, panno Butts.

– Domyślam się, że jesteś. Panna Traitor i panna Stamp zapewniają, że widzą cię przez cały czas. – W pokoju nauczycielskim wybuchła nawet kłótnia z tego powodu. – To dlatego, że lubisz logikę i matematykę, a nie lubisz języków i historii?

Panna Butts skupiła uwagę. Dziecko w żaden sposób nie mogło wyjść z gabinetu. Jeśli naprawdę wytężyła słuch, wychwytywała sugestię głosu mówiącego: „Nie wiem, panno Butts".

– Susan, to naprawdę irytujące, kiedy tak...

12

Przerwała. Rozejrzała się po gabinecie, a potem zerknęła na karteczkę przypiętą do dokumentów na biurku. Zdawało się, że ją czyta, zrobiła zdziwioną minę, a następnie zmięła notatkę i rzuciła ją do kosza. Sięgnęła po pióro i – popatrzywszy przez chwilę w przestrzeń – zajęła się rachunkami swojej pensji.

Susan odczekała grzecznie jeszcze chwilę, a potem wstała i wyszła cichutko.

Pewne rzeczy muszą się wydarzyć przed innymi. Bogowie grają losami ludzi. Ale najpierw muszą ustawić wszystkie pionki na planszy i po całej swojej siedzibie poszukać kostek. Deszcz padał w niewielkiej, górzystej krainie Llamedos. W Llamedos zawsze padał deszcz. Deszcz był głównym towarem eksportowym tego kraju. Mieli tam nawet kopalnie deszczu.

Bard Imp siedział pod choiną – bardziej z przyzwyczajenia niż w nadziei, że naprawdę znajdzie osłonę. Woda ściekała między igłami i tworzyła strumyki na gałęziach, więc drzewo działało raczej jak koncentrator deszczu. Od czasu do czasu całe deszczowe bryły rozpryskiwały mu się na głowie.

Miał osiemnaście lat, wybitny talent i – w tej chwili – pewne problemy z własnym życiem.

Stroił harfę, swoją cudowną nową harfę, i patrzył na deszcz. Łzy spływały mu po twarzy, mieszały się z kroplami.

Bogowie lubią takich ludzi.

Mówi się, że kogo bogowie chcą zniszczyć, temu najpierw odbierają rozum. W rzeczywistości temu, kogo chcą zniszczyć, bogowie wręczają odpowiednik krótkiej laski z syczącym lontem i napisem „Acme Dynamite Company" na boku. Tak jest ciekawiej i trwa o wiele krócej.

Susan wlokła się korytarzem pachnącym środkami dezynfekcyjnymi. Nie przejmowała się specjalnie, co sobie pomyśli panna Butts. Na ogół nie martwiła się tym, co myślą inni. Nie miała pojęcia, czemu ludzie zapominają o niej, kiedy tylko zechce, ale potem zdawali się zbyt zakłopotani, by poruszać ten temat.

Czasami niektóre nauczycielki miały problemy z dostrzeżeniem jej. I dobrze. Zwykle zabierała do klasy książkę i czytała spokojnie, gdy wokół niej Podstawowe Artykuły Eksportowe Klatchu przytrafiały się innym.

Z pewnością była to piękna harfa. Bardzo rzadko twórcy udaje się stworzyć dzieło tak idealne, że trudno sobie wyobrazić jakąkolwiek poprawkę. Przy harfie twórca nie trudził się ornamentami. Byłyby niemal świętokradztwem.

Była też nowa, co w Llamedos zdarzało się rzadko. Większość harf była stara. Co nie znaczy, że się zużywały. Czasem potrzebowały nowej ramy, szyjki czy strun – ale sama harfa trwała. Starzy bardowie twierdzili, że z wiekiem stają się coraz lepsze, choć starcy często wypowiadają takie tezy, nie dbając o codzienne obserwacje.

Imp szarpnął strunę. Nuta zawisła w powietrzu i rozpłynęła się z wolna. Harfa była nowiutka, błyszcząca, a mimo to dźwięk miała jak dzwon. To wręcz niewyobrażalne, czym może się stać za tysiąc lat.

Ojciec Impa stwierdził, że to śmieć, że przyszłość ryje się w kamieniu, nie w nutach. I tak rozpoczęła się kłótnia.

Potem powiedział jeszcze kilka słów, Imp powiedział kilka słów, a świat stał się nagle miejscem całkiem nowym i nieprzyjaznym, gdyż słów nie da się już cofnąć.

Imp rzekł:

– Na niczym się nie znasz! Jesteś głupim staruchem! Ale ja poświęcę swoje życie muzyce! Pewnego dnia, już niedługo, wszyscy będą mówili, że jestem największym muzykiem na świecie!

Głupie słowa. Tak jakby dowolny bard przejmował się czyjąkolwiek opinią – z wyjątkiem opinii innych bardów, którzy przez całe życie uczyli się, jak słuchać muzyki.

Zostały jednak wypowiedziane. Jeśli słowa wypowiada się z należytą pasją, a bogowie akurat się nudzą, bywa, że cały wszechświat przeformowuje się wokół owych słów. Słowa zawsze miały moc odmieniania świata.

Trzeba uważać, kiedy wypowiada się życzenie. Nigdy nie wiadomo, kto może słuchać.

Albo co, skoro już o tym mowa.

Ponieważ zdarza się, że coś dryfuje akurat wśród wszechświatów, a kilka słów wypowiedzianych przez niewłaściwą osobę w odpowiedniej chwili może sprawić, że zmieni nieco kurs...

Daleko od tego miejsca, w gwarnej metropolii Ankh-Morpork iskry zawirowały przez chwilę w ślepym poza tym murze, a potem...

...był tam sklep. Stary sklep z instrumentami muzycznymi. Nikt nie zauważył jego przybycia. A kiedy już się pojawił, stał w tym miejscu od zawsze.

Śmierć siedział wpatrzony w pustkę, opierając brodę na dłoni.

Albert zbliżył się bardzo ostrożnie.

W chwilach zadumy – a to była właśnie jedna z nich – Śmierć często zdumiewał się, dlaczego jego sługa zawsze kroczy tą samą ścieżką po podłodze.

BO PRZECIEŻ, myślał, ROZWAŻMY SAM ROZMIAR POKOJU...

...który rozciągał się w nieskończoność, a przynajmniej tak blisko nieskończoności, że różnica nie jest istotna. W rzeczywistości miał około mili. To sporo jak na pokój, podczas gdy nieskończoności właściwie nie widać.

Śmierć trochę się zirytował, kiedy już stworzył dom. Czas i przestrzeń to kategorie, którymi się manipuluje, a nie takie, którym należy być posłusznym. Okazało się, że był nieco rozrzutny przy wymiarach pomieszczeń, i zapomniał, żeby uczynić zewnętrze większym od wnętrza. Podobnie było z ogrodem. Kiedy zaczął się trochę bardziej interesować tymi sprawami, uświadomił sobie, jaką rolę przypisują ludzie kolorowi w takich koncepcjach jak – dla przykładu – róże. Śmierć stworzył je czarne. Lubił czerń. Pasowała prawie do wszystkiego. A prędzej czy później pasowała już do wszystkiego bez wyjątku.

Ludzkie istoty, które poznał – a poznał kilka – reagowały na niemożliwe rozmiary pomieszczeń w sposób niezwykły: po prostu je ignorowały.

15

Weźmy takiego Alberta. Otworzyły się wielkie drzwi, Albert przestąpił próg, ostrożnie balansując spodeczkiem i filiżanką...

...a po chwili był w głębi pokoju, na skraju stosunkowo małego kwadratu dywanu otaczającego biurko Śmierci. Śmierć przestał się zastanawiać, jak sługa pokonuje przestrzeń od drzwi do dywanu, kiedy przyszło mu do głowy, że dla Alberta nie ma tam żadnej przestrzeni...

– Przyniosłem herbatę rumiankową, panie – oznajmił Albert.

HM?

– Panie...

PRZEPRASZAM. ZAMYŚLIŁEM SIĘ. CO TAKIEGO POWIEDZIAŁEŚ?

– Herbata rumiankowa.

MYŚLAŁEM, ŻE TO RODZAJ MYDŁA.

– Można dodawać rumianku do mydła albo to herbaty, panie – wyjaśnił Albert. Był zmartwiony. Zawsze się martwił, kiedy Śmierć zaczynał rozmyślać o sprawach. W dodatku myślał o nich niewłaściwie.

BARDZO UŻYTECZNY. OCZYSZCZA OD ŚRODKA I Z WIERZCHU.

Śmierć wsparł brodę dłońmi i znów się zadumał.

– Panie... – odezwał się po chwili Albert.

HM?

– Wystygnie, jeśli jej nie wypijesz.

ALBERCIE...

– Tak, panie?

ZASTANAWIAŁEM SIĘ...

– Tak?

O CO W TYM WSZYSTKIM CHODZI? TAK NAPRAWDĘ? KIEDY SIĘ PORZĄDNIE ZASTANOWIĆ?

– Och, tego... Trudno powiedzieć, panie.

NIE CHCIAŁEM TEGO ROBIĆ, ALBERCIE. WIESZ PRZECIEŻ. TERAZ ROZUMIEM, CO MIAŁA NA MYŚLI. NIE TYLKO Z TYMI KOLANAMI.

– Kto, panie?

Odpowiedzi nie było.

Albert obejrzał się jeszcze, kiedy dotarł do drzwi. Śmierć znów wpatrywał się w przestrzeń. Nikt nie potrafił tak się wpatrywać jak on.

Nie być widzianą nie stanowiło problemu. Niepokój budziły raczej zjawiska, które wciąż widywała.

To sny. To przecież sny, oczywiście. Susan znała nowoczesne teorie mówiące, że sny to tylko obrazy odrzucane przez mózg katalogujący wydarzenia dnia. Czułaby się jednak pewniej, gdyby wydarzenia dnia kiedykolwiek obejmowały latające białe konie, ogromne mroczne pokoje i dużo czaszek.

Ale to przecież sny. Widywała też inne rzeczy. Na przykład nigdy nikomu nie wspomniała o dziwacznej kobiecie w sypialni, tej nocy, kiedy Rebeka Snell włożyła pod poduszkę ząb, który jej wypadł. Susan patrzyła, jak kobieta wchodzi przez otwarte okno i staje przy łóżku. Przypominała trochę pasterkę i wcale nie budziła lęku, mimo że przechodziła przez meble. Zabrzęczała sakiewka. Rankiem ząb zniknął, a Rebeka była bogatsza o 50-pensową monetę.

Susan nie cierpiała takich historii. Wiedziała, że ludzie psychicznie niestabilni opowiadają dzieciom o Wróżce Zębuszce, ale to jeszcze nie powód, żeby istniała. Coś takiego sugerowało mętne rozumowanie. Nie lubiła mętnego rozumowania, które zresztą w reżimie panny Butts uważano za poważne wykroczenie.

Poza tym nie był to szczególnie okrutny reżim. Panna Eulalia Butts wraz ze swoją koleżanką, panną Delcross, oparły placówkę edukacyjną na zdumiewającym pomyśle, że skoro dziewczęta i tak nie mają nic do roboty, dopóki ktoś ich nie poślubi, równie dobrze mogą się zająć nauką.

Na Dysku działało mnóstwo szkół, ale prowadziły je albo rozmaite Kościoły, albo gildie. Panna Butts nie akceptowała Kościołów z przyczyn logicznych; ubolewała też, że wartość kształcenia dziewcząt uznają jedyne Gildie Złodziei i Szwaczek. Świat tymczasem jest wielki i niebezpieczny; każdemu dziewczęciu przyda się pod suknią dawka solidnej znajomości geometrii i astronomii. Panna Butts bowiem szczerze wierzyła, że nie istnieją zasadnicze różnice między chłopcami a dziewczętami.

Przynajmniej żadne godne wspomnienia.

A w każdym razie nie takie, o jakich wspomniałaby panna Butts.

Wierzyła zatem w zachęcanie powierzonych jej opiece dorastających dziewcząt do logicznego myślenia i zdrowej ciekawości. Działanie takie mądrość każe porównywać do polowania na aligatory w tekturowej łódce, w porze deszczów.

Kiedy na przykład prowadziła pogadankę – z drżącym z emocji, ostrym podbródkiem – na temat zagrożeń czekających poza miastem, trzysta zdrowych, badawczych umysłów uznawało, że 1) trzeba je poznać przy najbliższej okazji. Logiczne myślenie zaś kazało pytać: 2) skąd właściwie panna Butts wie o tych zagrożeniach. A wysokie, zakończone kolcami mury wokół terenów pensji wydawały się całkiem łatwe dla kogoś ze świeżym umysłem wypełnionym trygonometrią i ciałem wyćwiczonym przez zdrową szermierkę, gimnastykę oraz zimne kąpiele. W opisach panny Butts niebezpieczeństwa wydawały się naprawdę ciekawe.

W każdym razie zdarzył się ów incydent z nocnym gościem. Po jakimś czasie Susan uznała, że wszystko to jej się wydawało. Było to jedyne logiczne wytłumaczenie, a z nimi radziła sobie doskonale.

Jak to mówią, każdy czegoś szuka.

Imp szukał miejsca, do którego mógłby wyruszyć.

Wóz drabiniasty, który podwiózł go przez ostatni kawałek, oddalał się z turkotem przez pola.

Imp spojrzał na drogowskaz. Jedno ramię wskazywało drogę do Quirmu, drugie do Ankh-Morpork. Słyszał dosyć, by wiedzieć, że Ankh-Morpork to wielkie miasto, ale zbudowane na iłach, a zatem niezbyt interesujące dla druidów z jego rodziny. Miał przy sobie trzy ankhmorporskie dolary i trochę drobnych. Prawdopodobnie w Ankh-Morpork nie była to duża suma.

O Quirmie nie wiedział nic oprócz tego, że leży na wybrzeżu. Droga do Quirmu nie wyglądała na często uczęszczaną, na drodze do Ankh-Morpork wyryte były głębokie koleiny.

Rozsądek podpowiadał, żeby wyruszyć do Quirmu i zakosztować miejskiego życia, dowiedzieć się czegoś o ludziach z miasta. Dopiero potem można podążyć do Ankh-Morpork, podobno największego miasta na świecie. Rozsądek podpowiadał, żeby znaleźć w Quirmie jakąś pracę i odłożyć trochę pieniędzy. Rozsądek mówił, żeby najpierw nauczyć się chodzić, nim człowiek spróbuje biegać.

Zdrowy rozsądek długo tłumaczył mu to wszystko, więc Imp pewnym krokiem pomaszerował w stronę Ankh-Morpork.

Jeśli chodzi o wygląd, Susan zawsze kojarzyła się innym z dmuchawcem tuż przed żdmuchnięciem. Dziewczęta z pensji ubierały się w luźne, wełniane granatowe sukienki sięgające od szyi do wysokości tuż powyżej kostek – praktyczne, zdrowe i mniej więcej tak atrakcyjne jak deska. Talia znajdowała się w okolicach kolan. Susan zaczynała jednak z wolna wypełniać swoje szkolne ubranie, zgodnie z pradawnymi zasadami, o jakich z wahaniem i niewyraźnie napomykała panna Delcross na lekcjach biologii i higieny. Dziewczęta opuszczały jej zajęcia z niejasnym wrażeniem, że powinny poślubić (Susan wyszła z wrażeniem, że tekturowy szkielet wiszący w kącie na haku wygląda jakoś znajomo).

To jej włosy sprawiały, że ludzie przystawali i oglądali się za nią. Były całkiem białe, z wyjątkiem jednego czarnego pasemka. Regulamin pensji nakazywał splatać je w dwa warkocze, miały jednak nienaturalną słonność do rozplatania się i powracania do preferowanej formy, na podobieństwo węży Meduzy*.

Miała też znamię... jeśli to było znamię. Ukazywało się tylko wtedy, gdy się rumieniła. Trzy słabe, blade linie pojawiały się wtedy na policzku i wyglądała, jakby ktoś uderzył ją w twarz. Kiedy się złościła – a złościła się często z powodu bezdennej głupoty świata – linie lśniły.

W teorii trwała teraz wokół niej lekcja literatury. Susan nie znosiła literatury. Wolała poczytać dobrą książkę. W tej chwili miała na stoliku otwartą *Logikę i paradoks* Wolda, i czytała ją, podpierając brodę na dłoniach.

Jednym uchem nasłuchiwała, czym się zajmuje reszta klasy. Chodziło o wiersz na temat żonkili. Najwyraźniej poeta bardzo je lubił.

Susan przyjmowała to ze spokojem. Żyli w wolnym kraju. Ludzie mogli uwielbiać żonkile, jeśli mieli na to ochotę. Nie powinni jednak – w bardzo stanowczej i przemyślanej opinii Susan – zużywać więcej niż jedną stronę, by to powiedzieć.

Jakoś radziła sobie z edukacją. Jednak uważała, że szkoła stale próbuje jej przeszkadzać.

Wokół niej wizja poety była rozbierana na części z użyciem przypadkowych narzędzi.

---

* Rzadko ktokolwiek zastanawia się, gdzie Meduza miała węże. Owłosienie pod pachami staje się kwestią o wiele bardziej kłopotliwą, kiedy próbuje kąsać rozpylacz dezodorantu.

Kuchnia miała te same gargantuiczne wymiary co reszta domu. Cała armia kucharzy mogłaby się w niej zgubić. Dalsze ściany ginęły w cieniach, a rura od pieca, podtrzymywana w sporych odstępach czarnymi od sadzy łańcuchami i kawałkami brudnego sznura, znikała w mroku jakieś ćwierć mili nad podłogą. W każdym razie tak to wyglądało w oczach obcego przybysza.

Albert spędzał tu czas na niewielkim wykafelkowanym obszarze, dość dużym, by pomieścić kredens, stół i piec. I fotel na biegunach.

– Kiedy człowiek pyta: „O co w tym wszystkim chodzi, tak naprawdę, kiedy się porządnie zastanowić?", to nie jest z nim dobrze – stwierdził, skręcając papierosa. – Ale nie wiem, co to znaczy, kiedy on to mówi. Znowu ma te swoje humory.

Jedyna poza nim osoba w pomieszczeniu kiwnęła głową. Miała pełne usta.

– Cała ta sprawa z jego córką – mówił Albert. – Znaczy... córka? A potem usłyszał o terminatorach. Nie dał sobie spokoju, dopóki nie wyjechał i nie przyjął kogoś do terminu. Ha! Same kłopoty z tego wyszły. Ty zresztą też, jeśli się zastanowić... ty też jesteś jego kaprysem. Bez urazy – dodał szybko, świadom, z kim rozmawia. – Ty się udałeś. Robisz dobrą robotę.

Kolejne skinięcie.

– Zawsze coś pokręci. Na tym polega problem. Jak wtedy, kiedy usłyszał o Nocy Strzeżenia Wiedźm. Pamiętasz? Musieliśmy wszystko załatwić: dębowe drzewko w donicy, papierowe kiełbaski, wieprzowa kolacja, on w papierowym kapelusiku pytający CZY TO WESOŁE? Zrobiłem dla niego taką małą ozdobę na biurko, a on podarował mi cegłę.

Papieros był fachowo skręcony. Tylko ekspert potrafi zrobić skręta tak cienkiego, a przy tym tak wilgotnego.

– Bardzo porządna cegła, muszę przyznać. Mam ją gdzieś jeszcze.

PIP, odpowiedział Śmierć Szczurów.

– Trafiłeś w sedno. Nigdy nie rozumie, o co dokładnie chodzi. Widzisz, on nie może się z pewnymi rzeczami pogodzić. Nie potrafi o niczym zapomnieć.

Albert ssał mokrego skręta, aż łzy ciekły mu z oczu.

– „O co w tym wszystkim chodzi, tak naprawdę, kiedy się porządnie zastanowić?" – Westchnął ciężko. – Coś podobnego...

Zerknął na kuchenny zegar – ze specyficznego ludzkiego przyzwyczajenia. Zegar nigdy nie chodził, od dnia kiedy Albert go kupił.

– O tej porze zwykle się już zjawia – stwierdził. – Lepiej przygotuję mu tacę. Nie mam pojęcia, co go zatrzymało.

Święty mąż siedział pod świętym drzewem ze skrzyżowanymi nogami, opierając dłonie na kolanach. Oczy miał zamknięte, by lepiej skoncentrować się na Nieskończonym, a ubrany był jedynie w przepaskę biodrową, by okazać pogardę dla spraw przydyskowych.

Przed nim stała drewniana miseczka.

Po dłuższej chwili zdał sobie sprawę, że jest obserwowany. Otworzył jedno oko.

Kilka stóp przed nim siedziała niewyraźna postać. Później był pewien, że to postać... kogoś. Nic pamiętał dokładnie jej wyglądu, ale musiała jakiś mieć. Była mniej więcej... taka wysoka, i tak jakby... zdecydowanie...

PRZEPRASZAM.

– Tak, mój synu? – Zmarszczył czoło. – Jesteś płci męskiej, prawda? – dodał.

TRUDNO BYŁO CIĘ ODSZUKAĆ. ALE W SZUKANIU JESTEM DOBRY.

– Tak?

SŁYSZAŁEM, ŻE WIESZ WSZYSTKO.

Święty mąż otworzył drugie oko.

– Sekret egzystencji polega na zrzuceniu dyskowych więzów, stronieniu od chimery wartości materialnych i na szukaniu jedności z Nieskończonym – oznajmił. – I trzymaj swoje złodziejskie ręce z daleka od mojej żebraczej miseczki.

Widok proszącego budził w nim niepokój.

WIDZIAŁEM NIESKOŃCZONE, wyznał przybysz. NIC SPECJALNEGO.

Święty mąż rozejrzał się nerwowo.

– Nie gadaj głupstw – mruknął. – Nie możesz zobaczyć Nieskończonego. Bo jest nieskończone.

WIDZIAŁEM.

– No dobrze. A jak wyglądało?

JEST NIEBIESKIE.

Święty mąż poruszył się niespokojnie. Nie tak to powinno przebiegać. Szybkie objawienie Nieskończonego i znaczące skinienie w stronę żebraczej miseczki – tak powinno.

– Jest czarne – wymamrotał.

NIE, upierał się obcy. NIE, KIEDY OGLĄDA SIĘ JE OD ZEWNĄTRZ. NOCNE NIEBO JEST CZARNE. ALE TO TYLKO PRZESTRZEŃ. ZA TO NIESKOŃCZONOŚĆ JEST NIEBIESKA.

– I pewnie jeszcze wiesz, jaki dźwięk wydaje jedna klaszcząca dłoń? – zapytał złośliwie święty mąż.

TAK. „KLA". DRUGA DŁOŃ ROBI „ASK".

– Aha, tu się mylisz – ucieszył się święty mąż, wracając na pewniejszy grunt. Machnął chudą ręką. – Widzisz?

TO NIE BYŁO KLAŚNIĘCIE, TYLKO MACHANIE.

– To było klaśnięcie. Tyle że nie użyłem obu rąk. A właściwie jaki odcień niebieskiego?

TYLKO MACHNĄŁEŚ. MOIM ZDANIEM TO NIEZBYT FILOZOFICZNE. JAK KACZE JAJO.

Święty mąż spojrzał w dół zbocza. Zbliżało się kilku ludzi. Mieli kwiaty we włosach i nieśli coś, co z daleka wyglądało całkiem jak miseczka ryżu.

ALBO MOŻE EAU-DE-NIL.

– Posłuchaj mnie, synu – rzekł pospiesznie święty mąż. – Czego ty właściwie chcesz? Nie mam całego dnia.

OWSZEM, MASZ. MOŻESZ MI WIERZYĆ.

– Czego chcesz?

DLACZEGO RZECZY MUSZĄ BYĆ TAKIE, JAKIE SĄ?

– No...

NIE WIESZ TEGO, PRAWDA?

– Nie dokładnie. To wszystko powinno być tajemnicą, rozumiesz.

Obcy patrzył przez dłuższy czas, wzbudzając w świętym mężu uczucie, że jego czaszka stała się nagle przezroczysta.

W TAKIM RAZIE ZADAM CI ŁATWIEJSZE PYTANIE. JAK ZAPOMINAJĄ ISTOTY LUDZKIE?

– Co zapominają?

COKOLWIEK. WSZYSTKO.

– To... no wiesz... zdarza się odruchowo. – Potencjalni akolici minęli zakręt na górskiej ścieżce. Święty mąż szybko sięgnął po żebraczą miseczkę. – Wyobraź sobie, że ta miseczka to twoja pamięć. – Zakołysał nią. – Może pomieścić tyle i nie więcej. Rozumiesz? Nowe rzeczy się zjawiają, stare muszą się przelać.

NIE. JA PAMIĘTAM WSZYSTKO. KLAMKI W DRZWIACH. GRĘ ŚWIATŁA WE WŁOSACH. ŚMIECH. KROKI. WSZYSTKIE DROBNE SZCZEGÓŁY. JAKBY TO BYŁO LEDWIE WCZORAJ. JAKBY ZDARZYŁO SIĘ LEDWIE JUTRO. WSZYSTKO. ROZUMIESZ?

Święty mąż podrapał się po swej lśniącej łysinie.

– Tradycyjnie – rzekł – wśród sposobów zapominania wymienia się wstąpienie do Klatchiańskiej Legii Cudzoziemskiej, napicie się wody z jakiejś magicznej rzeki, nikt nie wie, którędy płynie, oraz pochłanianie dużych ilości alkoholu.

ACH TAK...

– Jednak alkohol niszczy ciało i zatruwa duszę.

BRZMI OBIECUJĄCO.

– Mistrzu...

Święty mąż obejrzał się z irytacją. Przybyli akolici.

– Chwileczkę. Rozmawiam z...

Obcy zniknął.

– Mistrzu, pokonaliśmy wiele mil po... – zaczął akolita.

– Zamknij się na moment, dobrze?

Święty mąż podniósł rękę, ułożył dłoń pionowo i machnął nią kilka razy. Wymruczał coś pod nosem.

Akolici wymienili spojrzenia. Nie tego się spodziewali. W końcu ich przywódca znalazł w sobie drobinę odwagi.

– Mistrzu...

Święty mąż odwrócił się i przyłożył mu w ucho. Dźwięk, jaki zabrzmiał, był wyraźnie słyszalny: klask!

– Aha... Złapałem! – ucieszył się święty mąż. – A teraz, co mogę dla was...

Urwał, gdy mózg nadążył wreszcie za uszami.

– Co miał na myśli, mówiąc: ludzkie istoty?

Śmierć przeszedł w zadumie po zboczu do miejsca, gdzie wielki biały koń spokojnie obserwował okolicę.
IDŹ SOBIE, powiedział.
Koń spojrzał na niego nieufnie. Był o wiele bardziej inteligentny od większości koni, choć nie jest to trudne do osiągnięcia. Zdawał się świadomy, że nie wszystko jest w porządku z jego panem.
TO MOŻE CHWILĘ POTRWAĆ, uprzedził Śmierć.
I ruszył przed siebie.

W Ankh-Morpork nie padał deszcz. Impa bardzo to zaskoczyło.
Zaskoczyło go również, jak szybko skończyły się pieniądze. Jak dotąd stracił trzy dolary i dwadzieścia siedem pensów.

Stracił, ponieważ wrzucił je do miski, jaką ustawił przed sobą, kiedy grał – tak jak myśliwy wystawia wabiki, żeby ściągnąć kaczki. Kiedy spojrzał po chwili, już ich nie było.

Ludzie przybywali do Ankh-Morpork, by zdobyć fortunę. Niestety, inni ludzie też chcieli ją zdobyć.

W dodatku tutejsi mieszkańcy nie chcieli chyba słuchać bardów, nawet takich, którzy zdobyli nagrodę jemioły i harfę stulecia na wielkim Eisteddfod w Llamedos.

Imp znalazł sobie miejsce na jednym z głównych placów, nastroił harfę i zagrał. Nikt nie zwracał na niego uwagi, najwyżej po to, żeby odepchnąć go z drogi albo też – najwyraźniej – żeby okraść jego miskę. W końcu, kiedy właśnie zaczął wątpić, czy przybywając tutaj, podjął słuszną decyzję, nadeszło dwóch strażników. Przez chwilę przyglądali się Impowi.

– To jest harfa. To coś, na czym on gra, Nobby – stwierdził jeden z nich.

– Cymbał.

– Nie, przecież cymbał... – Gruby strażnik spojrzał gniewnie. – Całe życie czekałeś, żeby mnie tak nazwać, co, Nobby? Założę się, że urodziłeś się z nadzieją, że ktoś powie coś o instrumentach, a ty nazwiesz go cymbałem i będziesz udawał, że to tylko dyskusja! Wstydź się!

Imp przestał grać. W tych okolicznościach było to niemożliwe.

– To harfa, naturalllnie – zapewnił. – Wygrałem ją...

– A, jesteś z Llamedos, co? – domyślił się gruby strażnik. – Poznałem po akcencie. Bardzo muzykalni ludzie żyją w tym Llamedos.

– Dla mnie brzmi to jak bulgot ze żwirem – odparł chudszy, identyfikowany jako Nobby. – Masz licencję, kolego?

– Llicencję? – zdziwił się Imp.

– Bardzo pilnują licencji ci z Gildii Muzykantów – oświadczył Nobby. – Przyłapią cię na graniu muzyki bez licencji, to biorą twój instrument i wpychają...

– No, no – przerwał mu gruby strażnik. – Nie strasz chłopaka.

– Powiem tyle: nie jest to przyjemne, nawet jak grasz na flecie piccolo.

– Alle przecież muzyka powinna być za darmo, jak powietrze i niebo – przekonywał Imp.

– W tym mieście nie jest. To tylko dobra rada, kolego.

– Nigdy nie słyszałem o Gillldii Muzykantów.

– Jest przy ulicy Blaszanej Pokrywki – poinformował Nobby. – Chcesz być muzykantem, musisz wstąpić do gildii.

Imp został wychowany w poszanowaniu dla prawa. Llamedosanie byli wyjątkowo praworządni.

– Pójdę tam natychmiast – obiecał.

Strażnicy spoglądali za nim.

– Ma na sobie nocną koszulę – zauważył kapral Nobbs.

– To szata barda, Nobby – wyjaśnił sierżant Colon. – Bardzo bardyjscy ludzie żyją w tym Llamedos.

– Ile pan mu daje, sierżancie?

Colon pokiwał ręką tam i z powrotem, gestem człowieka, który wie, o czym mówi.

– Dwa, najwyżej trzy dni.

Wyminęli gmach Niewidocznego Uniwersytetu i ruszyli Tyłami, zakurzoną uliczką, gdzie prawie nie było ruchu. Dlatego właśnie stała się popularna wśród strażników – jako miejsce, gdzie można przyczaić się, zapalić i badać głębie myśli.

– Zna pan łososie, sierżancie? – zapytał Nobby.

– To ryba, której jestem świadomy. Owszem.

– Wie pan, że teraz sprzedają ją w plasterkach, zapakowaną w puszki...

– Tak dano mi do zrozumienia, w istocie.

– Właśnie... Jak to się dzieje, że wszystkie puszki są tej samej wielkości? Przecież łosoś jest cieńszy na obu końcach.

– Ciekawe spostrzeżenie, Nobby. Myślę...

Colon urwał nagle, wpatrzony w coś po drugiej stronie ulicy. Kapral Nobbs podążył wzrokiem za jego spojrzeniem.

– Ten sklep... – powiedział sierżant Colon. – Ten sklep, o tam... Czy był tam też wczoraj?

Nobby popatrzył na łuszczącą się farbę, niewielkie okno wystawowe z szybą obrośniętą brudem i krzywe drzwi.

– Jasne – stwierdził. – Zawsze tam był. Jest tam już od lat.

Colon przeszedł przez ulicę i spróbował zetrzeć brud z szyby. Wewnątrz, w mroku, rysowały się niewyraźnie ciemne kształty.

– Zgadza się, pewnie – wymamrotał. – Ale czy był tu już od lat... wczoraj?

– Dobrze się pan czuje, sierżancie?

– Chodźmy stąd, Nobby. – Sierżant ruszył tak szybko, jak tylko potrafił.

– Dokąd, sierżancie?

– Dokądkolwiek, byle nie tutaj.

Pośród ciemnych stosów towaru coś wyczuło ich odejście.

Imp podziwiał już budynki różnych gildii: majestatyczny fronton Gildii Skrytobójców, wspaniałe kolumny Gildii Złodziei, dymiący, ale jednak imponujący dół w miejscu, gdzie jeszcze dzień wcześniej stała Gildia Alchemików. Kiedy wreszcie znalazł Gildię Muzykantów, przeżył rozczarowanie. Nie był to nawet budynek, tylko kilka ciasnych pokoików nad warsztatem golibrody.

Usiadł w pomalowanej na brązowo poczekalni i czekał. Przed sobą na ścianie widział tabliczkę: „Dla własnej wygody i komfortu NIE BĘDZIESZ PALIŁ". Imp nigdy w życiu nie palił. W Llamedos było zbyt wilgotno, by cokolwiek mogło się palić. Ale teraz nagle ogarnęła go chęć, by spróbować.

Oprócz niego w poczekalni siedział troll i krasnolud. Nie czuł się swobodnie w ich towarzystwie. Stale mu się przyglądali.

Wreszcie odezwał się krasnolud:

– Nie jesteś elfi, co?

26

– Ja? Nie!

– Wyglądasz trochę elfio z tymi włosami.

– Wcallle nie ellfi, skąd! Słowo!

– Skąd ty? – zainteresował się troll.

– Llamedos – wyjaśnił Imp.

Przymknął oczy. Wiedział, co krasnoludy i trolle tradycyjnie robią z ludźmi podejrzanymi o bycie elfami. Gildia Muzykantów mogłaby się od nich uczyć.

– Co tam czymasz? – spytał troll. Miał przed oczami dwa duże kwadraty ciemnego szkła podtrzymywane drucianymi ramkami zaczepionymi o uszy.

– To moja harfa, rozumiesz.

– Na tym grasz?

– Tak.

– To jesteś druidem?

– Nie!

Troll milczał przez chwilę, zbierając myśli.

– Wyglądasz jak druid w tej koszuli.

Krasnolud po drugiej stronie Impa zachichotał.

Trolle nie lubiły też druidów. Były gatunkiem, który spędza sporo czasu w nieruchomych, podobnych do głazów pozach. Uważały, że mają powód do niechęci wobec innego gatunku, który przeciąga te głazy na belkach o sześćdziesiąt mil dalej i ustawia w kręgi, zakopując po kolana w ziemi.

– W Llamedos wszyscy się tak ubierają, rozumiesz – wyjaśnił Imp. – Allle ja jestem bardem! Nie druidem! Nie znoszę kamullców.

– Łoj... – rzucił cicho krasnolud.

Powoli i znacząco troll zmierzył Impa wzrokiem. Po czym rzekł bez śladu jakiejś szczególnej groźby w głosie:

– Ty dawno w mieście?

– Dopiero co przybyłem – odparł Imp. Nie dobiegnę nawet do drzwi, myślał. Zaraz rozgniecie mnie na miazgę.

– Dam ci bezpłatną radę o czymś, co lepiej wiedzieć. To bezpłatna rada, której udzielam ci gratis za darmo. W tym mieście „kamulec" to słowo na trolla. Brzydkie słowo, używane przez głupich ludzi. Nazwiesz trolla kamulcem, to lepiej szykuj się do poszukania własnej głowy. A już szczególnie kiedy wyglądasz trochę elfio z tymi uszami. To przyjacielska rada, bo jesteś bardem i robisz muzykę, jak ja.

– Jasne! Dziękuję! Tak! – Imp aż osłabł z ulgi.

Złapał harfę i zagrał kilka nut. To nieco rozluźniło atmosferę, ponieważ wszyscy wiedzą, że elfy nigdy nie potrafiły grać muzyki.

– Lias Chalkantyt – przedstawił się troll, wyciągając przed siebie coś masywnego z palcami.

– Imp y Celyn – odparł Imp. – Nic wspólllnego z przesuwaniem głazów. W żaden sposób.

Mniejsza, bardziej szorstka dłoń pojawiła się przed Impem z drugiej strony. Wzrok barda powędrował wzdłuż umocowanego do niej ramienia. Właściciel dłoni i ramienia, krasnolud, był niski, nawet jak na krasnoluda. Na kolanach trzymał wielki róg z brązu.

– Buog Buogsson – powiedział. – Grasz tylko na harfie?

– Na wszystkim, co ma struny. Ale harfa to królowa instrumentów, rozumiesz.

– Ja mogę wydmuchać wszystko – zapewnił Buog.

– Naprawdę? – Imp szukał nerwowo jakiegoś uprzejmego komentarza. – Musisz być bardzo popullarny.

Troll podniósł duży skórzany worek.

– Na tym ja gram – oświadczył.

Na podłogę wytoczyło się kilka sporych okrągłych kamieni. Lias podniósł jeden i pstryknął go palcem. Zabrzmiało: bam.

– Muzyka z kamieni? – zdziwił się Imp. – Jak ją nazywacie?

– Nazywamy *Ggroohuaga*, co oznacza muzykę z kamieni.

Kamienie były różnej wielkości, starannie dostrojone tu i tam przez nieduże nacięcia i wyryte linie. Imp wybrał mniejszy i puknął palcem. Uzyskał: bop. Inny, jeszcze mniejszy, zabrzmiał jak: bing.

– Co z nimi robisz? – zainteresował się.

– Walę jednym o drugi.

– A potem co?

– Jak to „a potem co"?

– Co robisz, kiedy już wallniesz jednym o drugi?

– Walę jednym o drugi jeszcze raz – wyjaśnił Lias, urodzony perkusista.

Drzwi gabinetu otworzyły się i do poczekalni zajrzał mężczyzna ze spiczastym nosem.

– Jesteście razem? – burknął.

Rzeczywiście istnieje rzeka, z której kropla wody – zgodnie z legendą – pozbawia człowieka pamięci. Wielu uznawało, że chodzi tu o rzekę Ankh, której wodę można pić, a nawet kroić i przeżuwać. Jeden łyk z Ankh prawdopodobnie pozbawiłby człowieka pamięci, a przynajmniej spowodował, że działyby się z nim takie rzeczy, których pod żadnym pozorem nie chciałby pamiętać.

W rzeczywistości była też inna rzeka, zdolna tego dokonać. Jest w tym, oczywiście, pewien haczyk. Nikt nie wie, którędy ona płynie, gdyż ci, co do niej docierają, są zwykle raczej spragnieni.

Śmierć postanowił zbadać inne możliwości.

– Siedemdziesiąt pięć dolllarów? – przeraził się Imp. – Tyllko za to, żeby grać muzykę?

– To dwadzieścia pięć dolarów opłaty rejestracyjnej, zaliczka na dwadzieścia procent dochodów i piętnaście dolarów dobrowolnej obowiązkowej rocznej składki na fundusz emerytalny – wyjaśnił pan Clete, sekretarz Gildii Muzykantów.

– Ale my nie mamy takiej sumy!

Pan Clete wzruszył ramionami, dając do zrozumienia, że choć świat w samej rzeczy ma wiele problemów, ten akurat nie należy do jego osobistych.

– Alle może zapłacimy, kiedy już zarobimy trochę – zaproponował słabym głosem Imp. – Gdybyśmy dostalli, no wie pan, tydzień czy dwa...

– Nie możemy pozwolić, żebyście grali gdziekolwiek, jeśli nie jesteście członkami gildii – oświadczył pan Clete.

– Ale nie możemy zostać członkami gildii, jeśli nigdzie nie zagramy – zauważył Buog.

– Zgadza się – przyznał uprzejmie pan Clete. – Hat, hat, hat!

Był to dziwny śmiech, całkiem wyprany z wesołości i jakby ptasi. Pasował do swego właściciela, który przypominał to, co można otrzymać, jeśli wyekstrahuje się materiał genetyczny z owada zatopionego w bursztynie, a potem ubierze się efekt w garnitur.

Lord Vetinari popierał rozwój gildii. Były niczym wielkie koła zębate, które napędzały mechanizm dobrze wyregulowanego miasta. Kropla oliwy tutaj... lub kij wsunięty tam, oczywiście... i ogólnie rzecz biorąc, wszystko działało.

Zrodziły też – tak jak kompost rodzi robaki – pana Clete'a. Nie był on, według klasycznych definicji, złym człowiekiem – tak samo jak roznoszący zarazę szczur nie jest, z obiektywnego punktu widzenia, złym zwierzęciem.

Pan Clete ciężko pracował dla dobra swych bliźnich. Temu poświęcił swoje życie. Wiele jest bowiem na świecie zajęć, które wykonać trzeba, a których ludzie wykonywać nie chcą. Wdzięczni są więc panu Clete'owi, że to on je wykonuje. Pisanie protokołów, na przykład. Pilnowanie, by lista członków zawsze była aktualna. Rejestracja. Organizacja.

Ciężko pracował dla Gildii Złodziei, choć nie był złodziejem, przynajmniej w zwykłym sensie tego słowa. Potem zwolniło się wyższe stanowisko w Gildii Błaznów, choć pan Clete nie był błaznem. I wreszcie fotel sekretarza w Gildii Muzykantów.

Formalnie rzecz biorąc, powinien być muzykantem. Kupił więc grzebień i papier. Ponieważ do owego dnia gildią kierowali prawdziwi muzycy, lista członków pochodziła sprzed lat i mało kto w ostatnim czasie opłacał składki. A że w dodatku organizacja winna była kilka tysięcy dolarów karnych odsetek trollowi Chryzoprazowi, pan Clete nie musiał nawet stawać do przesłuchania.

Kiedy otworzył pierwszą z zaniedbanych ksiąg i spojrzał na zdezorganizowany chaos, ogarnęło go uczucie głębokie i cudowne. Od tej chwili nigdy nie oglądał się za siebie. Za to bardzo często spoglądał z góry. I chociaż gildia miała swojego prezesa i radę, miała też pana Clete'a, który robił notatki, pilnował, żeby wszystko przebiegało bez wstrząsów, i dyskretnie uśmiechał się do siebie. Dziwnym, ale pewnym faktem jest, że kiedy lud zrzuca jarzmo tyranów i chce sam sobą rządzić, jak grzyb po deszczu pojawia się pan Clete.

Hat, hat, hat. Pan Clete śmiał się z częstością odwrotnie proporcjonalną do humoru konkretnej sytuacji.

– Przecież to bzdura!

– Witajcie w cudownym świecie ekonomii gildii – rzekł pan Clete. – Hat, hat, hat.

– A co by się stało, gdybyśmy zagrallli, nie nalleżąc do gilldii? – zapytał Imp. – Konfiskujecie instrumenty?

– Na początek – wyjaśnił sekretarz. – A potem tak jakby zwracamy je z powrotem. Hat, hat, hat. Przy okazji... Jakiś elfi z wyglądu się wydajesz.

– Siedemdziesiąt pięć dolllarów to rozbój – uznał Imp, gdy wlekli się po mrocznych ulicach.
– Gorzej niż rozbój – stwierdził Buog. – Słyszałem, że Gildia Złodziei bierze tylko procent od dochodów.
– A dają za to pełne członkostwo gildii i w ogóle – burknął Lias.
– Nawet emeryturę. I jeszcze co roku robią wycieczkę na cały dzień do Quirmu, z piknikiem.
– Muzyka powinna być za darmo – oświadczył Imp.
– To co teraz zrobimy? – dopytywał się Lias.
– Macie jakieś pieniądze? – zapytał Buog.
– Mam dolara – odparł Lias.
– Mam parę pensów – dodał Imp.
– W takim razie zjemy coś porządnego – postanowił Buog. – To już tutaj. – Wskazał szyld.
– Jama Świdry? – zdziwił się Lias. – Świdro? Brzmi to krasnoludzio. Wermincelli i różne takie?
– Teraz podaje też dania trolli – uspokoił go Buog. – Postanowił zapomnieć o różnicach etnicznych dla sprawy zarabiania większych pieniędzy. Pięć odmian węgla, siedem typów koksu i popiołu, skały osadowe aż ślinka cieknie. Spodoba ci się.
– A chlleb krasnollludów? – spytał Imp.
– Lubisz chleb krasnoludów? – zdziwił się Buog.
– Uwielllbiam.
– Znaczy, prawdziwy chleb krasnoludów? Jesteś pewien?
– Tak. Jest smaczny i chrupiący, rozumiesz.
Buog wzruszył ramionami.
– To załatwia sprawę – rzekł. – Ktoś, kto lubi chleb krasnoludów, nie może być ani trochę elfi.
Lokal był prawie pusty. Krasnolud w sięgającym po pachy fartuchu obserwował ich zza kontuaru.
– Podajecie smażonego szczura? – upewnił się Buog.
– Najlepsze smażone szczury w mieście – zapewnił Świdro.

– Dobrze. Proszę cztery smażone szczury.

– I kawałek chlleba krasnollludów – wtrącił Imp.

– I trochę koksu – dodał Lias.

– Znaczy, szczurze łebki czy szczurze łapki?

– Nie. Cztery smażone szczury.

– I koks.

– Polać te szczury keczupem?

– Nie.

– Jesteś pewien?

– Bez keczupu.

– I koks.

– I dwa jajka na twardo – dorzucił Imp.

Pozostali spojrzeli na niego ze zdziwieniem.

– No co? Lllubię jajka na twardo.

– I koks.

– Siedemdziesiąt pięć dolarów – westchnął Buog, kiedy już usiedli. – Ile to jest: trzy razy siedemdziesiąt pięć dolarów?

– Mnóstwo dolarów – odparł Lias.

– Więcej niż dwieście dolllarów – uzupełnił Imp.

– Nie wydaje mi się, żebym w życiu widział dwieście dolarów – stwierdził Buog. – Przynajmniej nie na jawie.

– Zarobimy pieniądze? – zapytał Lias.

– Nie możemy zarabiać pieniędzy jako muzykanci – przypomniał Imp. – Takie jest prawo gilldii. Jeślli cię złapią, zabiorą ci instrument i wepchną w... – Urwał. – Powiedzmy tyllko, że nie jest to przyjemne dlla grającego na fllecie piccolllo – powtórzył z pamięci.

– Przypuszczam, że i trębaczowi nie jest miło – mruknął Buog, posypując swego szczura pieprzem.

– Nie mogę teraz wrócić do domu – wyznał Imp. – Powiedziałem... W każdym razie jeszcze nie mogę. A nawet gdybym mógł, musiałbym wznosić monolllity, jak moi bracia. Tyllko kamienne kręgi ich interesują.

– Gdybym ja teraz wrócił do domu – westchnął Lias – waliłbym maczugą druidów.

Obaj, bardzo ostrożnie, odsunęli się nieco dalej od siebie.

– W takim razie zagramy gdzieś, gdzie nie znajdzie nas Gildia Muzykantów – postanowił Buog. – Znajdziemy jakiś klub... A jeszcze lepiej elegancki pałac na prywatne występy.

– Ja już mam pałę. Prywatną. Jest w niej gwóźdź.

– Tego... to może jednak klub. Nocny.

– Gwóźdź siedzi w niej przez całą noc, bez przerwy.

– Tak się składa – kontynuował Buog, porzucając ten wątek dyskusji – że są w tym mieście liczne lokale, które nie lubią płacić stawek gildii. Moglibyśmy przygotować parę numerów i bez żadnego kłopotu zarobić trochę forsy.

– My? Wszyscy razem? – zdziwił się Imp.

– Pewno.

– Przecież gramy krasnollludzią muzykę, llludzką muzykę i trollllową muzykę. Nie jestem pewien, czy do siebie pasują. Znaczy, krasnollludy słuchają krasnolludziej muzyki, lludzie słuchają llludzkiej, a trolllle trollllowej. Co będzie, jak je wszystkie pomieszamy? Wyjdzie coś strasznego.

– Między nami nie jest strasznie – zauważył Lias. Wstał i wziął z lady solniczkę.

– Jesteśmy muzykami – przypomniał mu Buod. – Z normalnymi ludźmi jest inaczej.

– Zgadza się – przyznał troll.

Usiadł.

Coś trzasnęło.

Lias wstał.

– Łoj – powiedział.

Imp wyciągnął rękę. Powoli i bardzo delikatnie podniósł z ławy resztki swojej harfy.

– Łoj – powtórzył Lias.

Struna zwinęła się z cichym brzękiem.

Czuli się, jakby patrzyli na śmierć kociaka.

– Zdobyłem ją na Eisteddfod – szepnął Imp.

– Dałoby się ją posklejać? – zapytał po chwili Buog.

Imp pokręcił głową.

– W Llamedos nie został już nikt, kto by to potrafił, rozumiesz.

– Tak, ale na ulicy Chytrych Rzemieślników...

– Naprawdę przepraszam. Znaczy się, naprawdę bardzo. Nie wiem, skąd się tam znalazła.

– To nie twoja wina.

Imp bezskutecznie próbował złożyć razem parę kawałków. Ale wiedział, że nie można naprawić instrumentu muzycznego. Pamiętał, że starzy bardowie o tym mówili. Instrument ma duszę. Wszystkie instrumenty mają swoje dusze. Kiedy się łamią, dusze uciekają gdzieś, odfruwają jak ptaki. To, co posklada się z powrotem, to już tylko przedmiot, zwykła konstrukcja z drewna i strun. Może grać, może nawet zmylić przypadkowego słuchacza, ale... Równie dobrze można zepchnąć kogoś z urwiska, potem pozszywać i spodziewać się, że ożyje.

– Hm... W takim razie może kupimy ci nową? – zaproponował Buog. – Jest taki... taki mały sklepik muzyczny na Tyłach.

Urwał. Oczywiście, że jest mały sklepik muzyczny na Tyłach. Zawsze tam był.

– Na Tyłach – powtórzył dla pewności. – Muszą tam mieć harfy. Na Tyłach. Tak. Jest tam od lat.

– Nie takie – odparł Imp. – Zanim rzemieśllnik w ogóllle dotknie drewna, musi dwa tygodnie siedzieć owinięty bawolllą skórą w grocie za wodospadem.

– Czemu?

– Nie wiem. To tradycja. Musi oczyścić umysł z wszellkich niepotrzebnych myślli.

– Ale na pewno mają tam inne rzeczy – uznał Buog. – Coś znajdziemy. Nie możesz być muzykiem bez instrumentu.

– Nie mam pieniędzy – przypomniał Imp.

Buog klepnął go po ramieniu.

– To nieważne! – zawołał. – Masz za to przyjaciół. Pomożemy ci. Przynajmniej tyle możemy zrobić.

– Allle wszystko wydalliśmy na jedzenie. Nie mamy więcej.

– To negatywne myślenie.

– No tak. Allle naprawdę nie mamy, rozumiesz.

– Coś wymyślę – obiecał Buog. – Jestem krasnoludem. Znamy się na pieniądzach. Znanie się na pieniądzach to właściwie moje drugie imię.

– Masz długie drugie imię.

 Zapadał już mrok, kiedy dotarli do sklepu znajdującego się dokładnie naprzeciwko wysokich murów Niewidocznego Uniwersytetu. Wyglądał na taki muzyczny skład, który działa też jako lombard – gdyż każdy muzyk miewa w życiu chwile, kiedy musi zastawić swój instrument, jeśli chce jeść i spać pod dachem.

– Kupowałeś tu kiedyś? – zapytał Lias.

– Nie... w każdym razie nic sobie nie przypominam – odparł Buog.

– Zamknięty – stwierdził Lias.

Buog zastukał. Po chwili drzwi uchyliły się odrobinę, akurat tyle, by odsłonić wąski pasek twarzy starej kobiety.

– Chcemy kupić jakiś instrument, proszę pani – powiedział Imp.

Jedno oko zmierzyło go wzrokiem od stóp do głów.

– Człowiek jesteś?

– Tak, proszę pani.

– No to dobrze.

Sklep oświetlało kilka świec. Staruszka wróciła na bezpieczną pozycję za ladą, skąd obserwowała ich czujnie, wypatrując najmniejszych oznak chęci zamordowania jej w łóżku.

Cała trójka spacerowała ostrożnie między instrumentami. Wydawało się, że sklep przez wieki magazynował swój towar z nieodebranych zastawów. Muzykom często brakuje pieniędzy – to zresztą jedna z definicji muzyka. Były tu rogi bojowe. Były lutnie. I były bębny.

– To śmieci – mruknął pod nosem Imp.

Buog zdmuchnął kurz z rogu sygnałowego, przytknął go do ust i uzyskał dźwięk przypominający ducha odsmażonej fasoli.

– Chyba jest tam w środku zdechła mysz – stwierdził, zaglądając w głębię instrumentu.

– Był całkiem dobry, dopóki w niego nie dmuchnąłeś – burknęła staruszka.

W drugim kącie sklepu runęła nagle lawina talerzy.

– Przepraszam! – zawołał Lias.

Buog otworzył pokrywę instrumentu całkiem Impowi nieznanego. Odsłonił rząd klawiszy i przebiegł po nich krótkimi palcami, uzyskując serię smutnych, metalicznych nut.

– Co to? – szepnął Imp.

– Wirginał.

– Przyda się nam?

– Raczej nie.

Imp wyprostował się. Miał wrażenie, że ktoś mu się przygląda. Staruszka patrzyła na nich bez przerwy, ale to było coś innego...
– To na nic. Niczego tu nie ma – oświadczył głośno.
– Hej, co to było? – spytał nagle Buog.
– Powiedziałem, że nie...
– Coś usłyszałem.
– Co?
– A teraz znowu.
Za nimi rozległy się trzaski i stuki – to Lias uwolnił kontrabas spośród kłębowiska stojaków nutowych, a teraz próbował dmuchać w węższy koniec.
– Coś tak zabawnie dźwięczało, kiedy mówiłeś – wyjaśnił Buog.
– Powiedz coś.
Imp zawahał się, jak zwykle ludzie, którzy używają języka przez całe życie i nagle mają „coś powiedzieć".
– Imp... – spróbował.
Usłyszeli: UUM-Uum-um.
– To dochodzi...
UUAA-Uaa-ua.
Buog odsunął na bok stos prastarych nut. Za nimi ukrywał się muzyczny cmentarz, w tym bęben bez skóry, lancrańskie dudy bez piszczałek i pojedynczy marakas, być może do wykorzystania przez tancerkę flamenco zen.
I jeszcze coś.
Wyciągnął to. Przypominało mniej więcej gitarę wyrzeźbioną tępym kamiennym dłutem z kawałka starego drewna. Chociaż krasnoludy w zasadzie nie grywają na instrumentach strunowych, Buog potrafił rozpoznać gitarę. Powinna przypominać kształtem kobietę, ale tylko wtedy, gdy kobieta nie ma nóg, za to ma długą szyję i zbyt wiele uszu.
– Imp...
– Tak?
Uauauaum. Dźwięk miał ostre, naglące brzmienie.
Do gitary umocowano dwanaście strun, ale pudło wykonano z litego drewna, wcale nie wydrążonego – służyło właściwie tylko jako forma przytrzymująca struny.
– Rezonuje do twojego głosu.
– Jak to...

Uam-ua.

Buog przycisnął dłonią struny i skinął na dwóch pozostałych, by podeszli.

– Jesteśmy tuż obok uniwersytetu – szepnął. – Magia się przesącza. To powszechnie znany fakt. A może jakiś mag ją zastawił. Ale darowanemu szczurowi się w zęby nie zagląda. Umiesz grać na gitarze?

Imp zbladł.

– Znaczy... muzykę llludową?

Wziął instrument. Muzyki ludowej w Llamedos nie aprobowano i rygorystycznie zniechęcano do jej uprawiania. Uważano, że jeśli ktoś podglądał młode panny pewnego majowego ranka, miał prawo podjąć wszelkie kroki, jakie uznał za stosowne, jednak nie powinien oczekiwać, że ktoś o tym napisze. Gitary nie cieszyły się uznaniem jako, no cóż... za łatwe.

Imp trącił strunę; wydała dźwięk niepodobny do żadnego, jaki dotąd słyszał. Były w nim rezonanse i niezwykłe echa, które zdawały się biegać i kryć między instrumentalnymi ruinami, odbijać się i wzbudzać kolejne harmoniki. Budziły dreszcze. Ale nie można być choćby i najgorszym muzykiem na świecie bez jakiegoś instrumentu...

– Dobrze – rzekł Buog.

Zwrócił się do staruszki.

– Chyba pani nie nazwie tego instrumentem muzycznym, co? – zapytał. – Wystarczy spojrzeć. Połowy w ogóle tu nie ma.

– Buog, nie wydaje mi się... – zaczął Imp. Struny zadrżały pod jego dłonią.

Starucha spojrzała na gitarę.

– Dziesięć dolarów – oznajmiła.

– Dziesięć dolarów? Dziesięć? – oburzył się Buog. – Nie jest warta nawet dwóch!

– Właśnie dziesięć – powtórzyła kobieta. Rozpromieniła się, jednak dość złośliwie, jakby czekała już na bitwę, w której wszystkie środki są dozwolone.

– Jest stara – zauważył Buog.

– Antyczna.

– Wsłuchaj się tylko w dźwięk. Do niczego.

– Aksamitny. Dzisiaj nie ma już takich rzemieślników.

– Dzięki temu, że zyskali doświadczenie.

Imp raz jeszcze przyjrzał się gitarze. Struny wibrowały same. Lśniły błękitem i były odrobinę zamglone, jakby nigdy do końca nie przestawały drżeć.

Przysunął je do ust i szepnął:

– Imp.

Struny zabuczały.

Dopiero teraz zauważył ślad kredy, niemal całkiem wytarty. Nic więcej – jedno pociągnięcie kredą...

Buog nabierał rozpędu. Podobno krasnoludy są najtwardszymi negocjatorami finansowymi, ustępując żyłką do interesów i tupetem jedynie zasuszonym staruszkom. Imp próbował zrozumieć, co się dzieje.

– No to zgoda – rzekł w końcu Buog. – Dobiliśmy targu.

– Dobiliśmy – zgodziła się staruszka. – Tylko nie spluwaj w dłonie, zanim je sobie podamy, bo to niehigieniczne.

Buog odwrócił się do Impa.

– Myślę, że całkiem nieźle to załatwiłem – rzekł.

– Buog, posłuchaj... To bardzo...

– Masz dwanaście dolarów?

– Co?

– Prawdziwa okazja, moim zdaniem.

Coś zahuczało z tyłu. Pojawił się Lias, tocząc przed sobą bardzo duży bęben. Pod pachą niósł dwa miedziane talerze.

– Przecież mówiłem, że nie mam pieniędzy – szepnął Imp.

– Tak, ale... każdy mówi, że nie ma pieniędzy. To rozsądne. Nie możesz przecież łazić po mieście i opowiadać, że masz pieniądze. Chcesz powiedzieć, że naprawdę nie masz pieniędzy?

– Nie mam!

– Nawet dwunastu dolarów?

– Nie!

Lias rzucił na ladę bęben, talerze i stos nut.

– Ile za wszystko? – zapytał.

– Piętnaście dolarów.

Lias westchnął i wyprostował się. Przez chwilę stał nieruchomo, wpatrzony w przestrzeń, po czym uderzył się w szczękę. Sięgnął palcem do ust i wyjął...

Imp wytrzeszczył oczy.

– Zaraz, niech popatrzę... – powiedział Buog. Wyrwał przedmiot z palców Liasa i zbadał starannie. – Niech mnie! Co najmniej pięćdziesiąt karatów!

– Tego nie wezmę – oświadczyła staruszka. – Było w gębie trolla!

– Ale je pani jajka, prawda? Zresztą wszyscy wiedzą, że trollowe zęby to czystej wody diamenty.

Staruszka wzięła ząb i obejrzała go przy świecy.

– Gdybym go wziął do jubilerów z ulicy Żadnejtakiej, powiedzieliby, że jest wart dwieście dolarów – zapewnił Buog.

– A ja ci mówię, że tutaj jest wart piętnaście dolarów – oświadczyła staruszka.

Diament zniknął w magiczny sposób wśród jej odzieży. Rzuciła im jasny, wesoły uśmiech.

– Dlaczego nie możemy go jej zwyczajnie odebrać? – zapytał Buog, kiedy już wyszli.

– Bo jest biedną, bezbronną starą kobietą – odparł Imp.

– Otóż to! O to właśnie mi chodzi!

Krasnolud spojrzał na Liasa.

– Masz usta pełne takich kamieni?

– No.

– Bo wiesz, jestem winien swojemu gospodarzowi za dwa miesiące i...

– Nawet o tym nie myśl – rzekł spokojnie troll.

Drzwi za nimi zatrzasnęły się z hukiem.

– Nie ma co się martwić – uznał Buog. – Jutro znajdę dla nas jakąś salę. Znam wszystkich w tym mieście. Nas trzech... to już grupa.

– Nie ćwiczyliśmy razem – przypomniał Imp.

– Poćwiczymy w czasie występu. Witaj w świecie zawodowych muzyków.

Susan niewiele wiedziała o historii. Temat ten zawsze wydawał jej się wręcz niezwykle nudny. Ci sami nużący ludzie raz za razem robili te same głupie rzeczy. Gdzie w tym sens? Jeden król właściwie niczym się nie różnił od drugiego.

Klasa uczyła się właśnie o jakiejś rebelii, w której chłopi chcieli przestać być chłopami, a ponieważ szlachta zwyciężyła, przestali być chłopami naprawdę szybko. Gdyby zadali sobie nieco trudu, nauczyli się czytać i zdobyli parę historycznych książek, dowiedzieliby się o wątpliwych zaletach kos i wideł używanych w walce przeciwko kuszom i mieczom.

Susan słuchała przez chwilę bez zainteresowania, aż wreszcie ogarnęła ją nuda. Wtedy wyjęła książkę i pozwoliła sobie zniknąć z pola uwagi świata.

PIP!

Zerknęła w bok.

Na podłodze obok jej stolika stała na podłodze mała figurka. Wyglądała zupełnie jak szczurzy szkielet w czarnej szacie i z bardzo małą kosą w ręku.

Susan wróciła do lektury. Takie rzeczy nie istniały – była tego zupełnie pewna.

PIP!

Znowu spojrzała w dół. Zjawa nadal tam była. Wczoraj na kolację dostały tosty z serem. Człowiek – przynajmniej w książkach – mógł się spodziewać różnych rzeczy po późnym posiłku tego rodzaju.

– Nie istniejesz – oświadczyła. – Jesteś tylko kawałkiem sera.

PIP?

Kiedy stworzenie było pewne, że zwróciło na siebie jej uwagę, wyjęło maleńką klepsydrę na srebrnym łańcuszku i wskazało ją z naciskiem.

Wbrew wszelkim racjonalnym przekonaniom, Susan schyliła się i wyciągnęła rękę. Stworzenie wspięło się na jej dłoń – łapki kłuły, jakby były ze szpilek. Spojrzało wyczekująco.

Susan podniosła je do poziomu oczu. No dobrze, może to i jest odprysk jej wyobraźni. Tym bardziej nie powinna tego lekceważyć.

– Nie zamierzasz chyba powiedzieć czegoś w rodzaju „Na moje łapki i wąsiki!", prawda? – spytała cicho. – Jeśli spróbujesz, wrzucę cię do wygódki.

Szczur pokręcił czaszką.

– Jesteś prawdziwy?

PIP. PIPIPIP...

– Przestań. Nie rozumiem – tłumaczyła cierpliwie Susan. – Nie znam szczurzego. Z języków współczesnych uczymy się jedynie klatchiańskiego, a i tak umiem powiedzieć tylko „Wielbłąd mojej ciotki wpadł do mirażu". A skoro już jesteś wyobrażony, mógłbyś spróbować wyglądać trochę bardziej... miło.

Szkielet, nawet mały szkielet, nie jest obiektem naturalnie miłym, choćby miał otwarte oblicze i szeroki uśmiech. Ale skądś pojawiło się wrażenie... nie, uświadomiła sobie nagle, to raczej wspomnienia nie wiadomo skąd podpowiadały jej, że ten tutaj jest nie tylko prawdziwy, ale po jej stronie. To było niezwykłe uczucie. Jej strona zwykle składała się tylko z niej.

Były szczur przyjrzał się Susan uważnie, po czym płynnym ruchem wsunął sobie maleńką kosę w zęby, zeskoczył z dłoni dziewczynki, wylądował na podłodze i pobiegł między stolikami.

– Właściwie to nawet nie masz łapek i wąsików – zauważyła Susan. – W każdym razie takich porządnych.

Szkieletowy szczur przeszedł przez ścianę.

Susan wróciła do książki i z całym uporem przeczytała o Paradoksie Podzielności Noksesa, który wykazał niemożność spadnięcia z belki.

Zaczęli próby jeszcze tej nocy w obsesyjnie uporządkowanej kwaterze Buoga. Znajdowała się za garbarnią przy Drodze Fedry i była prawdopodobnie bezpieczna od niepożądanych uszu Gildii Muzykantów. Była też świeżo wymalowana i dobrze wyszorowana. Mały pokoik aż lśnił. W domach krasnoludów nigdy nie ma karaluchów, szczurów ani innych szkodników. Przynajmniej dopóki właściciel jest w stanie utrzymać patelnię.

Buog z Impem usiedli i patrzyli, jak troll Lias uderza w kamienie.

– Co myślicie? – spytał, kiedy skończył.

– To już wszystko? – zapytał po chwili Imp.

– Przecież to kamienie – wyjaśnił cierpliwie troll. – Tyle można z nimi zrobić. Bop, bop, bop.

– Hm... Mogę spróbować? – odezwał się Buog.

Usiadł przed rozstawionymi kamieniami i przyglądał im się przez jakiś czas. Potem przestawił kilka, wyjął ze skrzynki dwa młotki i stuknął na próbę w jeden kamień.

– Zobaczmy...

41

Bambam-bamBAM.

Zabrzęczały struny leżącej obok Impa gitary.

– „Bez koszuli" – rzekł Buog.

– Co?

– To taka muzyczna bzdurka – wyjaśnił krasnolud. – Jak „Golenie i strzyżenie, dwa pensy".

– Słucham?

Bam-bam-a-bbambam bamBAM.

– Golenie i szczyżenie za dwa pensy to okazja – zauważył Lias.

Imp przyglądał się kamieniom z uwagą. Perkusji też w LLamedos nie ceniono. Bardowie uważali, że każdy potrafi walnąć patykiem w kamień albo wydrążony pień. To żadna muzyka. Poza tym... (tutaj zniżali głosy) jest nazbyt... zwierzęca.

Gitara brzęczała. Zdawało się, że podejmuje rytm.

Impa ogarnęło nagle przemożne uczucie, że wiele da się zrobić z perkusją.

– Mogę ja? – zapytał.

Wziął młotki. Z gitary dobiegła najcichsza melodia.

Czterdzieści pięć sekund później odłożył młotki. Echa umilkły.

– Dlaczego na koniec uderzyłeś mnie w hełm? – poskarżył się Buog.

– Przepraszam. Chyba mnie poniosło. Myśllałem, że jesteś tallerzem.

– To bardzo... niezwykłe – przyznał troll.

– Muzyka jest... w kamieniach – powiedział Imp. – Trzeba ją tylllko wypuścić. We wszystkim jest muzyka, jeślli się wie, jak ją znallleźć.

– Mogę spróbować tego riffu? – spytał Lias. Wziął młotki i znowu wsunął się za kamienie.

A-bam-bop-a-re-bop-a-bim-bam-bum.

– Co z nimi zrobiłeś? – zdumiał się. – Brzmią... dziko.

– Dla mnie brzmią całkiem dobrze – zapewnił Buog. – Brzmią nawet o wiele lepiej.

Imp zasnął wciśnięty między małe łóżko Buoga i ciało Liasa. Po chwili zachrapał.

Obok niego struny brzęczały cicho do rytmu. Ukołysany ich prawie niesłyszalnym dźwiękiem, całkiem zapomniał o harfie.

Susan obudziła się. Coś szarpało ją za ucho. Otworzyła oczy.

PIP?

– Och, nieeee...

Usiadła. Pozostałe dziewczęta spały. Okno było otwarte, gdyż szkoła zachęcała do korzystania ze świeżego powietrza – było dostępne w dużych ilościach i za darmo.

Szkielet szczura wskoczył na parapet, po czym – kiedy upewnił się, że Susan patrzy – zanurkował w mrok.

Według Susan, świat zaproponował jej dwie możliwości. Mogła położyć się znowu do łóżka, albo mogła podążyć za szczurem.

Co byłoby głupim posunięciem. Ckliwe bohaterki książek tak właśnie postępowały – i trafiały do jakiegoś idiotycznego świata z goblinami i gadającymi zwierzakami o słabych umysłach. A były to takie smętne, płaczliwe dziewczęta. Zawsze pozwalały, żeby wszystko im się przydarzało; nie próbowały niczego zmieniać. Chodziły tylko w kółko i powtarzały: „Ojej, wielkie nieba!", kiedy było jasne, że każdy rozsądny człowiek szybko potrafiłby zorganizować całą krainę.

Właściwie, kiedy myślała w ten sposób, taka podróż wydawała się kusząca. Na świecie było za dużo mętnego myślenia. Zawsze sobie powtarzała, że zadaniem ludzi podobnych do Susan – jeśli było więcej takich jak ona – jest uporządkowanie tego.

Włożyła szlafrok i przeczołgała się przez parapet. Trzymała go do ostatniej chwili, nim zeskoczyła na kwietnik.

Szczur był już tylko maleńką figurką śmigającą po zalanym światłem księżyca trawniku. Podążyła za nim aż do stajni, gdzie zniknął wśród cieni.

Stała więc nieruchomo i czekała. Było jej trochę zimno i czuła się bardziej niż trochę jak idiotka. Szczur wrócił po chwili, ciągnąc za sobą coś większego od siebie. To coś wyglądało jak kłębek szmat. Szczur obszedł kłębek dookoła i kopnął solidnie.

– Dobrze już, dobrze! – Kłębek otworzył jedno oko, które rozejrzało się nerwowo, aż skupiło wzrok na Susan. – Ostrzegam – powiedział. – Nie wypowiadam słowa na N.

– Słucham? – zdziwiła się Susan.

Kłębek przetoczył się, stanął prosto i wyciągnął na boki dwa poszarpane skrzydła. Szczur przestał go kopać.

43

– Jestem krukiem, zgadza się? – powiedział kruk. – Jednym z nielicznych ptaków, które potrafią mówić. Ludzie reagują zawsze tak samo: o, jesteś krukiem, no dalej, powiedz to słowo na N... Gdybym dostawał pensa za każdym razem, kiedy...

PIP.

– No dobra, dobra... – Kruk nastroszył pióra. – To tutaj jest Śmiercią Szczurów. Zauważyłaś pewnie kosę i kaptur, co? Śmierć Szczurów. Ważna persona w szczurzym świecie.

Śmierć Szczurów skłonił się z godnością.

– Zwykle sporo czasu spędza pod stodołami i wszędzie, gdzie ludzie wystawiają talerze otrąb wymieszane ze strychniną – wyjaśnił kruk. – Niezwykle sumienny.

PIP.

– Ale czego to... czego on chce ode mnie? – zapytała Susan.

– Nie jestem szczurem.

– Niezwykle bystre spostrzeżenie. Posłuchaj, nie prosiłem się o tę robotę. Spałem sobie na swojej czaszce, aż nagle ten tu złapał mnie za nogę. Jako kruk, o czym już wspomniałem, jestem ptakiem naturalnie okultystycznym...

– Przepraszam – przerwała mu Susan. – Wiem, że to wszystko jest elementem snu, więc chcę być pewna, że dobrze zrozumiałam. Powiedziałeś, że spałeś na swojej czaszce?

– Och, nie na mojej osobistej czaszce – wyjaśnił kruk. – Należała do kogoś innego.

– Do kogo?

Kruk zaczął obracać oczami. Ani razu nie udało mu się doprowadzić do tego, by oba patrzyły w jednym kierunku. Susan z wysiłkiem powstrzymywała się, by nie podążać wzrokiem za ich spojrzeniami.

– Skąd mogę wiedzieć? Przecież nie mają etykietek. To po prostu czaszka. Słuchaj no... Pracuję u tego maga, jasne? W mieście. Siedzę przez cały dzień na tej czaszce i robię „kra" na ludzi.

– Dlaczego?

– Dlatego że kruk siedzący na czaszce i robiący „kra" jest w równej mierze elementem magowego *modus operandi*, jak grube, cieknące woskiem świece i stary wypchany aligator wiszący pod sufitem. Czy ty na niczym się nie znasz? Myślałem, że każdy to wie, kto wie cokolwiek o czymkolwiek. Porządny mag mógłby równie dobrze nie mieć bulgoczącej zielonej mazi w butelkach, co zrezygnować z kruka siedzącego na czaszce i robiącego „kra"...

PIP!

– Słuchaj no, ludzi trzeba trochę podprowadzić – wyjaśnił ze znużeniem kruk. Jedno oko znowu spojrzało na Susan. – Ten tutaj nie docenia subtelności. Szczury nie dyskutują po śmierci o kwestiach natury filozoficznej. W każdym razie jestem w okolicy jedyną znaną mu osobą, która umie mówić...

– Ludzie umieją mówić – wtrąciła Susan.

– W samej rzeczy – zgodził się kruk. – Ale zasadniczą cechą ludzi, kluczowym rozróżnieniem, można by powiedzieć, jest to, że rzadko bywają budzeni w środku nocy przez szkielet szczura, który potrzebuje tłumacza. Zresztą ludzie go nie widzą.

– Ja go widzę.

– Aha. Sądzę, że trafiłaś tą sentencją w sedno, jądro, ośrodek całej sprawy. W sam szpik, można powiedzieć.

– Posłuchaj mnie uważnie. Chcę, żebyś wiedział, że nie wierzę w to wszystko. Nie wierzę w śmierć szczurów w czarnym płaszczu z kapturem, noszącego kosę.

– Przecież stoi przed tobą.

– To jeszcze nie powód, żeby w niego wierzyć.

– Widzę, że naprawdę odebrałaś odpowiednie wykształcenie – stwierdził kruk kwaśnym tonem.

Susan spojrzała w dół, na Śmierć Szczurów. W jego oczodołach dostrzegła błękitne lśnienie.

PIP.

– Chodzi o to – przetłumaczył kruk – że on znowu zniknął.

– Kto?

– Twój... dziadek.

– Dziadek Lezek? Jak mógł zniknąć? Przecież nie żyje!

– Twój... no wiesz... Twój drugi dziadek.

– Nie mam dru...

Obrazy uniosły się z błota na dnie jej pamięci. Jakiś koń... i pokój pełen szeptów. I jeszcze wanna, która do czegoś chyba pasowała. Pola pszenicy zjawiły się także.

– Tak to właśnie wygląda, kiedy ludzie próbują edukować swoje dzieci – stwierdził kruk. – Zamiast mówić im o różnych rzeczach.

– Myślałam, że mój drugi dziadek... też nie żyje.

PIP.

– Szczur mówi, że powinnaś z nim pójść. To bardzo ważne.

Wizja panny Butts pojawiła się w myślach Susan niczym Walkiria. To przecież bzdury...

– O nie – rzekła. – Musiała już minąć północ. A jutro mamy egzamin z geografii.

Kruk otworzył dziób ze zdumienia.

– Chyba nie mówisz poważnie...

– Naprawdę się spodziewałeś, że będę przyjmować polecenia od... od kościanego szczura i gadającego kruka? Wracam do sypialni!

– Nie, nie wracasz. Nikt, kto ma choć kroplę krwi w żyłach, nie wróciłby w takiej sytuacji. Jeśli wrócisz, niczego się nie dowiesz. Zyskasz tylko edukację.

– Ale ja nie mam czasu! – jęknęła Susan.

– Och, czas... – westchnął kruk. – Czas to głównie przyzwyczajenie. Czas nie jest dla ciebie szczególną właściwością rzeczy.

– Skąd...

– Musisz się chyba sama przekonać, prawda?

PIP.

Kruk zaczął nerwowo podskakiwać.

– Mogę jej powiedzieć? Mogę? – popiskiwał. Skierował oboje oczu na Susan. – Twój dziadek jest... (tadada-DAM!)... Śm...

PIP!

– Kiedyś musi się dowiedzieć.

– Śmieszny? Mój dziadek jest śmieszny? – oburzyła się Susan. – Wyciągacie mnie z łóżka w środku nocy, żeby pogadać o jakichś ekscentrycznościach zachowania?

– Nie powiedziałem „śmieszny". Powiedziałem, że twój dziadek jest... (tadada-DAM!)... Ś...

PIP!

– Dobra, niech ci będzie!

Susan cofała się, gdy tamci dwaj się kłócili.

Po chwili uniosła poły szlafroka i pobiegła przez dziedziniec, przez wilgotne trawniki. Okno wciąż było otwarte. Zdołała jakoś, stając na niższym parapecie, chwycić za występ, podciągnąć się i dostać do sypialni. Wskoczyła do łóżka i naciągnęła sobie kołdrę na głowę.

Po chwili uświadomiła sobie, że nie była to inteligentna reakcja. Ale przynajmniej zostawiła ich tam, gdzie stali.

Śniła o koniach, karetach i zegarze bez wskazówek.

– Myślisz, że mogliśmy rozegrać to lepiej?

PIP? „Tadada-DAM" PIP?

– A jak miałem to wyrazić? „Twój dziadek jest Śmiercią"? Tak po prostu? A gdzie wyczucie dramatyzmu? Ludzie lubią dramaty.

PIP, zauważył Śmierć Szczurów.

– Szczury to co innego.

PIP.

– Sądzę, że na dzisiejszą noc wystarczy – uznał kruk. – Wiesz, kruki nie są naturalnie nocnymi ptakami. – Poskrobał się łapą po dziobie. – Zajmujesz się tylko szczurami, czy też myszami, chomikami, łasicami i różnymi takimi?

PIP.

– A świnki morskie? Co ze świnkami?

PIP.

– Coś podobnego... O tym nie wiedziałem. Śmierć Świnek Morskich też? Zadziwiające, jak możesz je dogonić na kołowrotkach...

PIP.

– Jak chcesz.

Są ludzie żyjący za dnia i stworzenia nocy.

Ważne, by pamiętać, że stworzenia nocy to nie zwykli ludzie dnia, którzy nie kładą się spać do późna, bo myślą, że dzięki temu są bardziej interesujący i wyluzowani. By przekroczyć granicę, nie wystarczy ostry makijaż i blada cera. Trzeba o wiele więcej.

Dziedziczenie może tu pomóc, oczywiście.

Kruk wyrósł na wiecznie sypiącej się, porośniętej bluszczem Wieży Sztuk, wyrastającej nad Niewidocznym Uniwersytetem w dalekim Ankh-Morpork. Kruki są ptakami naturalnie inteligentnymi, a magiczne wycieki, które mają tendencję do wyolbrzymiania, załatwiły resztę.

Nie miał imienia. Zwierzętom zwykle nie jest to potrzebne. Mag, który sądził, że jest jego właścicielem, nazywał go Miodrzekł, ale to dlatego, że nie miał poczucia humoru. I jak większość ludzi pozbawionych poczucia humoru, szczycił się swoim poczuciem humoru, którego w rzeczywistości nie posiadał.

Kruk pofrunął z powrotem do domu maga, wleciał przez otwarte okno i zajął swe zwykłe miejsce na czaszce.

– Biedne dziecko – westchnął.

– Tak to już bywa z przeznaczeniem – odparła czaszka.

– Nie obwiniam jej, że próbuje żyć normalnie. W jej sytuacji...

– Fakt. Trzeba się wycofać, jeśli ma się głowę na karku. Zawsze to powtarzam.

 Właściciel spichrza w Ankh-Morpork postanowił rozprawić się ze szkodnikami. Śmierć Szczurów słyszał dalekie szczekanie terierów. Czekała go pracowita noc.

Trudno byłoby opisać procesy myślowe Śmierci Szczurów, czy nawet mieć pewność, że jakieś posiada. Dręczyło go uczucie, że nie powinien mieszać do tej sprawy kruka. Ale ludzie wielką wagę przywiązują do słów.

Szczury nie myślą perspektywicznie, chyba że w bardzo ogólnym sensie. I w ogólnym sensie był bardzo, ale to bardzo zaniepokojony. Nie spodziewał się edukacji.

Susan przeżyła ranek, nie uciekając się do nieistnienia. Egzamin z geografii składał się z flory równin Sto*, głównych towarów eksportowych równin Sto** oraz fauny równin Sto***. Kiedy już człowiek opanował wspólny mianownik, reszta była prosta. Dziewczęta miały pokolorować mapę. Wymagało to wie-

---

* Kapusta.

** Kapusta.

*** Wszystko, co zjada kapustę i nie przeszkadza mu brak przyjaciół.

le zieleni. Na obiad podano trupie palce i oczkowy pudding, zdrowy balast na zajęcia popołudniowe, czyli sport.

Te lekcje prowadziła Żelazna Lilia, która podobno się goliła i zębami podnosiła ciężary. Jej okrzyki zachęty, gdy biegała tam i z powrotem wzdłuż linii końcowej, wyrażały treści zbliżone do: „Bierzcie się za tę piłkę, bando więdnących różyczek!".

Panna Butts i panna Delcross zamykały okna podczas popołudniowych zajęć ze sportu. Panna Butts z zapamiętaniem studiowała logikę, a panna Delcross w tym, co uważała za togę, ćwiczyła eurytmikę w sali gimnastycznej.

Susan zaskakiwała wszystkich tym, że w sporcie radziła sobie świetnie. W każdym razie w niektórych sportach. Hokej, polo i krykiet z pewnością. Właściwie każda gra, która wiązała się z włożeniem jej do rąk jakiejś odmiany kija i wymaganiem, by machnęła nim mocno. Widok Susan zbliżającej się z wyrachowaniem do bramki sprawiał, że każda bramkarka traciła zaufanie do swego ochronnego stroju i padała na ziemię, gdy piłka z głośnym świstem przelatywała na wysokości talii.

Dowodem powszechnej głupoty reszty ludzkości był – zdaniem Susan – fakt, że choć w oczywisty sposób była jednym z najlepszych graczy w szkole, nigdy nie wybierano jej do żadnej z drużyn. Nawet grube dziewczyny z pryszczami były wybierane wcześniej. Nie mogła zrozumieć przyczyn tak denerwująco nierozsądnego zachowania.

Wyjaśniła pozostałym dziewczętom, jaka jest dobra, zademonstrowała swoje umiejętności i wykazała, jak głupio robią, nie biorąc jej do zespołów. A z jakiegoś niezrozumiałego powodu wcale to nie pomogło.

Tego popołudnia wybrała się więc na oficjalny spacer. Była to alternatywa dopuszczalna, pod warunkiem że dziewczęta wychodziły w towarzystwie. Zwykle wybierały się do miasteczka i kupowały nieświeżą rybę z frytkami w niepięknie pachnącym sklepiku przy alei Trzech Róż. Smażone dania uważane były przez pannę Butts za niezdrowe, a zatem kupowane przy każdej okazji poza terenem szkoły.

Dziewczęta musiały chodzić co najmniej trójkami. Zagrożenie, w hipotetycznym doświadczeniu panny Butts, nie mogło się przydarzyć grupom więcej niż dwuosobowym.

Zresztą niewielka była szansa, by cokolwiek zagroziło dowolnej grupie mającej w składzie księżniczkę Nefrytę i Glorię Thogscórę.

Właścicielki szkoły nieco się wahały, nim przyjęły trolla, ale ojciec Nefryty był królem całej góry, a to zawsze dobrze wygląda, gdy wśród uczniów ma się kogoś z królewskiego rodu. Poza tym, jak stwierdziła panna Butts w rozmowie z panną Delcross, jest naszym obowiązkiem zachęcać ich – jeśli tylko okazują choćby śladową inklinację – by stali się prawdziwyymi ludźmi, a król był wręcz czarujący i zapewnił, że już nawet nie pamięta, kiedy ostatni raz kogoś zjadł.

Nefryta miała słaby wzrok, zaświadczenie zwalniające ją z zajęć na słońcu, a na zajęciach z prac ręcznych robiła na drutach kolczugę.

Z kolei Gloria Thogscóra została wykluczona z zajęć sportowych ze względu na skłonność do używania swego topora w sposób agresywny. Panna Butts sugerowała nawet, że topór nie jest bronią odpowiednią dla damy; Gloria wyjaśniła jej jednak, że wręcz przeciwnie: topór dostała po swojej babce, która miała go przez całe życie i polerowała co sobotę, choćby przez cały tydzień go nie używała. Było coś w tym, jak Gloria ściskała stylisko, co sprawiło, że nawet panna Butts wolała ustąpić. Aby okazać dobrą wolę, Gloria przestała nosić żelazny hełm; co prawda nie goliła brody – regulamin nie zakazywał dziewczętom noszenia bród długich na stopę – ale zaplatała ją w warkocze. I wiązała wstążkami w barwach szkolnych.

Susan dziwnie swobodnie czuła się w ich towarzystwie, co zyskało jej nawet ostrożną pochwałę panny Butts. To miło z jej strony, że jest tak dobrą kompanionką, powiedziała. Susan była zdziwiona. Nie przyszło jej do głowy, że ktoś może naprawdę użyć takiego słowa jak „kompanion".

Cała trójka szła wolno bukową alejką obok boiska.

– Nie rozumiem sportu – oświadczyła Gloria, obserwując stadko dziewcząt pędzących po trawie.

– Jest taka trollowa gra – powiedziała Nefryta. – Nazywa się *aargrooha.*

– Na czym polega? – zainteresowała się Susan.

– Tego... Urywa się człowiekowi głowę i kopie ją w specjalnych butach z obsydianu, dopóki nie strzeli się gola albo głowa się nie rozpadnie. Ale dzisiaj już się w to nie gra – dodała szybko Nefryta.

– Przypuszczam, że nie – zgodziła się Susan.

– Pewnie nikt już nie wie, jak robić te buty – domyśliła się Gloria.

– Myślę, że gdyby trolle wciąż w nią grały, to ktoś taki jak Żelazna Lilia biegałby koło boiska i krzyczał: „Bierzcie się za tę głowę, bando górskich kryształków!" – stwierdziła Nefryta.

Przez chwilę szły w milczeniu.

– Myślę – powiedziała ostrożnie Gloria – że prawdopodobnie by nie biegała.

– Słuchajcie, czy nie zauważyłyście ostatnio czegoś... dziwnego? – zapytała Susan.

– Dziwnego jak co? – chciała wiedzieć Gloria.

– No, jak... szczury...

– Nie widziałam w szkole żadnych szczurów. A patrzyłam uważnie.

– Chodziło mi o... dziwne szczury.

Dotarły do stajni. Zwykle przebywały w niej dwa konie z zaprzęgu szkolnego powozu oraz – na czas nauki – kilka wierzchowców należących do dziewcząt, które nie chciały się z nimi rozstać.

Istnieje taki typ dziewczyny, która – choć niezdolna do posprzątania własnego pokoju, nawet pod groźbą noża – będzie walczyć o przywilej spędzania całego dnia na wygarnianiu gnoju ze stajni. Ten czar jakoś na Susan nie działał. Nie miała nic przeciwko koniom, ale nie rozumiała wszystkich tych uzd, wędzideł i pęcin. Nie wiedziała też, czemu konie mierzy się w kłębach, skoro istnieją przecież całkiem porządne stopy i cale. Przyjrzawszy się dziewczętom w bryczesach i długich butach, krzątających się po stajni, uznała, że czynią to, ponieważ nie są w stanie zrozumieć działania skomplikowanych urządzeń, takich jak linijki. Powiedziała to zresztą głośno.

– No dobrze... A może kruki? – spytała.

Coś dmuchnęło jej do ucha.

Odwróciła się błyskawicznie.

Biały koń stał pośrodku dziedzińca niczym nieudany efekt specjalny. Wydawał się zbyt jasny. Wręcz lśnił. Sprawiał wrażenie jedynego rzeczywistego obiektu w świecie bladych widm. W porównaniu z pękatymi kucykami, normalnie zajmującymi boksy, był olbrzymem.

Zachwycała się nim para dziewcząt w bryczesach. Susan rozpoznała Kasandrę Fox i lady Sarę Wdzięczną. Były niemal identyczne w swej miłości do wszystkiego, co ma cztery nogi i rży. A także we wzgardzie dla wszystkiego innego. Obie dysponowały też umiejętnością – jak się zdawało – spoglądania na świat zębami oraz wstawiania nawet do najkrótszych słów co najmniej czterech samogłosek..

Biały koń zarżał cicho i trącił pyskiem dłoń Susan.

Jesteś Pimpuś, pomyślała. *Znam cię. Jeździłam na tobie. Jesteś... chyba mój.*

– Pytauam – powiedziała lady Sara – do kogo mógłby należeć.

Susan rozejrzała się nerwowo.

– Co? Ja? – rzuciła zaskoczona. – Tak. Do mnie... tak sądzę.

– Oeuch, duoprawdy? Stał w pustym boksie obok Kasztanka. Nie wiedziuauam, że trzymuasz tu konia. Pamiętuasz chybua, że trzebua mieć zgodę panny Butts.

– To prezent – wyjaśniła Susan. – Od... kogoś?

Hippiczne wspomnienia wzburzyły mętne wody umysłu. Sama nie była pewna, dlaczego to powiedziała. Nie myślała o dziadku od lat. Aż do wczoraj.

Pamiętam stajnię, myślała. *Tak wielką, że nie widziało się ścian. A raz mogłam się na tobie przejechać. Ktoś mnie trzymał, żebym nie spadła. Ale nie można spaść z takiego konia. Dopóki on sam nie zechce kogoś zrzucić.*

– Oeuch, duoprawdy? Nie wiedzuauam, że jeździsz.

– Ja... kiedyś jeździłam.

– Jest doduatkowa opuata, wiesz? Za trzymuanie konia w stajni – uprzedziła lady Sara.

Susan nie odpowiedziała. Podejrzewała, że ktoś już wniósł tę opłatę.

– I przuecież niueu masz uprzuęży – zauważyła lady Sara.

Susan podjęła wyzwanie.

– Nie potrzebuję – oświadczyła dumnie.

– Ouech... Jazda na oukleup... A kierujesz puewnie za uszy?

– Pewnie tam na prowincji nie stać ich na uprzęże – wtrąciła Kasandra Fox. – I niech ta krasnoludka przestanie się gapić na mojego kucyka! Ona się gapi na mojego kucyka!

– Tylko patrzę – powiedziała Gloria.

– Ale... śliniłaś się.

Zastukały kroki na bruku i Susan wskoczyła na grzbiet konia.

Spojrzała na zdumione dziewczęta, a potem na padok za stajnią. Ustawiono tam kilka przeszkód – zwykłych drągów leżących na beczkach.

Nie musiała nawet napinać mięśni – koń sam zawrócił i pobiegł truchtem do najwyższej przeszkody. Odniosła wrażenie skompresowanej energii, potem moment przyspieszenia... i drągi przepłynęły w dole.

Pimpuś zatrzymał się i odwrócił, przestępując z kopyta na kopyto. Dziewczęta patrzyły. Twarze wszystkich czterech wyrażały absolutne oszołomienie.

– Powinien tak robić? – spytała Nefryta.

– O co chodzi? – zdziwiła się Susan. – Nigdy nie widziałyście skaczącego konia?

– Owszem. Ale ciekawe jest to... – Gloria mówiła tym spokojnym, rozsądnym tonem, jakiego zwykle używają ludzie, gdy nie chcą, by wszechświat rozpadł się na kawałki – ...to, że zwykle potem lądują znowu na ziemi.

Susan spojrzała.

Koń stał w powietrzu.

Jaką komendę trzeba wydać, by skłonić go do podjęcia kontaktu z gruntem? Takiego polecenia żeńskie jeździectwo jak dotąd nie potrzebowało.

Jakby słysząc jej myśli, koń zrobił kilka kroków przed siebie i w dół. Jego kopyta na chwilę zagłębiły się w ziemi, jak gdyby powierzchnia była nie bardziej twarda od mgły. Potem jednak Pimpuś ustalił chyba, gdzie leży poziom gruntu, i postanowił na nim stanąć.

Lady Sara pierwsza odzyskała głos.

– Puoskarżymy pannie Butts – wykrztusiła.

Nagły lęk dziwnie oszołomił Susan, ale małostkowa złośliwość w głosie lady Sary przywróciła ją do stanu zbliżonego do normalności.

– Ach tak? – rzuciła. – A co takiego jej powiesz?

– Że skoczyłaś na koniu i... – Dziewczyna urwała nagle, zdając sobie sprawę, co właśnie zamierzała powiedzieć.

– Otóż to. Wydaje mi się, że zobaczenie konia płynącego w powietrzu nie świadczy dobrze o patrzącym, prawda?

Zsunęła się z grzbietu zwierzęcia i rzuciła koleżankom promienny uśmiech.

– W każdym razie to na pewno wbrew regulaminowi pensji – upierała się lady Sara.

Susan odprowadziła białego rumaka do stajni, wytarła go i zamknęła w boksie.

Coś zaszeleściło w sianie. Susan zdawało się, że dostrzega błysk nagiej kości.

– Te przeklęte szczury! – Kasandra z wysiłkiem powróciła do rzeczywistości. – Słyszałam, że panna Butts kazała ogrodnikowi wyłożyć truciznę.

– Marnotrawstwo – mruknęła Gloria.

Lady Sarę najwyraźniej dręczyły nieposłuszne myśli.

– Słuchajcie, ten koń nie stał chyba naprawdę w powietrzu? – odezwała się. – Konie tego nie potrafią!

– Więc nie mógł tego robić – zgodziła się Susan.

– Zawisł po skoku – uznała Gloria. – Zawsze po wybiciu jest taki moment zawieszenia. Jak w koszykówce*. To na pewno coś w tym rodzaju.

– Tak.

– Nic innego.

– Rzeczywiście.

Umysł ludzki ma niezwykłą zdolność samouleczania. Podobnie umysły krasnoludów i trolli. Susan przyglądała się koleżankom ze szczerym zdumieniem. Wszystkie widziały, jak koń stał w powietrzu. A teraz starannie zamknęły gdzieś to wspomnienie i złamały klucz w zamku.

– Ciekawe – powiedziała, wciąż obserwując stos siana. – Pewnie żadna z was nie wie, gdzie mieszka mag w tym mieście?

 – Znalazłem miejsce, gdzie możemy zagrać! – oznajmił Buog.

– Gdzie? – chciał wiedzieć Lias.

Buog powiedział.

– Pod Załatanym Bębnem? – nie dowierzał Lias. – Tam rzucają toporami!

– Tam będziemy bezpieczni. Nikt z gildii tam nie grywa.

– No nie. Bo tracą tam członków. Ich członkowie tracą tam członki.

– Dostaniemy pięć dolarów.

Troll zawahał się.

---

* Do czasu nieszczęśliwego wypadku z toporem Gloria była kapitanem szkolnej drużyny koszykówki. Krasnoludy nie mają odpowiedniego wzrostu, ale za to mają wyskok. Wiele koszykarek z drużyn gości doznawało nieprzyjemnego szoku, gdy Gloria pojawiała się nagle, wzlatując pionowo w górę.

– Przyda mi się pięć dolarów – przyznał.

– Trzecia część z pięciu dolarów – poprawił go Buog.

Lias zmarszczył czoło.

– To więcej czy mniej od pięciu dolarów?

– Posłuchaj, będziemy mogli się pokazać i...

– Nie chcę się pokazywać Pod Bębnem. Pokazywanie się to coś, czego Pod Bębnem na pewno nie chcę robić. Pod Bębnem chcę wyłącznie czegoś, za czym można się schować.

– Musimy tylko coś zagrać – tłumaczył Buog. – Cokolwiek. Nowemu właścicielowi bardzo zależy na rozrywce.

– Przecież mieli jednorękiego bandytę.

– Ale został aresztowany.

 Jest w Quirmie zegar kwiatowy. Stanowi atrakcję dla turystów. Okazuje się jednak, że to nie całkiem to, czego oczekiwali.

Pozbawione wyobraźni władze miast w całym multiwersum budują kwiatowe zegary, które są zwykle wielkimi mechanizmami zegarowymi ukrytymi w miejskim kwietniku, z tarczą i cyframi ułożonymi z roślin doniczkowych*.

Ale zegar w Quirmie to po prostu okrągły kwietnik, na którym posadzono dwadzieścia cztery gatunki kwiatów, starannie dobrane według regularności rozwijania i zwijania płatków...

Gdy Susan przebiegała obok, otwierały się właśnie purpurowe powoje, a zamykały czarnuszki zwójki, co oznaczało, że jest około wpół do dziesiątej.

Ulice były puste – Quirm nie należał do miast, gdzie kwitnie nocne życie. Ludzie, którzy przybywali do Quirmu w poszukiwaniu dobrej zabawy, wyjeżdżali gdzie indziej. Quirm był miastem tak szacownym, że nawet psy prosiły o pozwolenie, nim wyszły do toalety.

W każdym razie ulice były niemal puste. Susan miała wrażenie, że słyszy, jak coś biegnie za nią – szybkie i tupiące, przemykające

---

* Albo kryształów metanu. Albo morskich anemonów. Zasada pozostaje bez zmian. Zresztą w każdym przypadku kwiatowy zegar wypełnia się szybko miejscowymi odpowiednikami opakowań po lodach i pustych puszek po piwie.

się i przeskakujące między kamieniami bruku tak prędko, że nigdy nie było czymś więcej niż ledwie podejrzeniem kształtu.

Zwolniła, kiedy dotarła do alei Trzech Róż.

Gdzieś przy Trzech Róż, niedaleko sklepu z rybami, mówiła Gloria. Dziewczętom nie wypadało zbyt dużo wiedzieć o magach – nie pasowali do uniwersum panny Butts.

W ciemności aleja wyglądała groźnie. Na jednym końcu płonęła umocowana do muru pochodnia, ale sprawiała tylko, że cienie wydawały się bardziej czarne.

A w połowie ulicy, w mroku, stała oparta o mur drabina. Młoda kobieta obok szykowała się do wspinaczki. Było w niej coś znajomego.

Spojrzała na zbliżającą się Susan i zdawało się, że ucieszyła się na widok dziewczynki.

– Hej – powiedziała. – Masz rozmienić dolara, panienko?

– Słucham?

– Wystarczy na dwie półdolarówki. Pół dolara to obowiązująca stawka. Wezmę też miedziaki. Wszystko jedno.

– Aha. Przykro mi. Dostaję tylko pięćdziesiąt pensów kieszonkowego tygodniowo.

– Niech to... No trudno, poradzę sobie.

O ile Susan mogła to ocenić, dziewczyna nie należała do tego typu młodych kobiet, które zarabiają na życie na ulicach. Miała w sobie jakąś zdrową czystość i krzepkość; wyglądała trochę jak pielęgniarka – z tych asystujących lekarzom, których pacjenci czasem bywają nieco oszołomieni i oznajmiają, że są prześcieradłem.

W dodatku wyglądała znajomo.

Dziewczyna wyjęła z kieszeni sukienki kleszcze, wspięła się po drabinie i weszła przez otwarte okno.

Susan wahała się. Dziewczyna zachowywała się bardzo profesjonalnie, ale w dość skromnym doświadczeniu Susan ludzie wspinający się na drabiny, by nocą dostawać się do domów, to Złoczyńcy, których Odważne Dziewczęta powinny Zatrzymywać. Zdecydowałaby się może na szukanie strażnika, gdyby kawałek dalej nie otworzyły się drzwi.

Wyszli przez nie dwaj mężczyźni trzymający się za ramiona. Zygzakując radośnie, skierowali się ku głównej ulicy. Susan cofnęła się. Nikt jej nie zaczepiał, jeśli nie chciała być widziana.

Mężczyźni przeszli przez drabinę.

Albo to oni nie byli całkiem materialni – ale sądząc po głosach, wydawali się materialni aż nadto – albo coś było nie w porządku z drabiną. Ale ta dziewczyna na nią weszła...

...a teraz schodziła, wsuwając coś do kieszeni.

– Nawet się nie obudził, mały cherubinek – powiedziała.

– Słucham?

– Nie miałam przy sobie pięćdziesięciu pensów – odparła dziewczyna. Bez wysiłku zarzuciła sobie drabinę na ramię. – Ale zasady są jasne. Musiałam zabrać drugi ząb.

– Słucham?

– Rozumiesz, wszystko jest zaksięgowane. Miałabym poważne kłopoty, gdyby zęby nie zgadzały się z dolarami. Wiesz, jak to jest.

– Wiem?

– No, nie mogę stać tu i gadać przez całą noc. Mam jeszcze sześćdziesiąt do załatwienia.

– Dlaczego mam wiedzieć? Jakiego załatwienia? Z kim? – pytała Susan.

– Z dziećmi, naturalnie. Nie mogę ich przecież zawieść. Wyobraź sobie ich twarzyczki, kiedy rano zaglądają pod poduszki. Niech bogowie ich błogosławią.

Drabina. Kleszcze. Zęby. Pieniądze. Poduszki...

– Nie spodziewasz się chyba, że uwierzę, że jesteś Wróżką Zębuszką? – spytała podejrzliwie.

– Nie jedyną – odparła dziewczyna. – Jest nas więcej. Dziwię się, że o tym nie wiedziałaś.

Zniknęła za rogiem, nim Susan zdążyła wykrztusić: A dlaczego powinnam?

– Bo ona to widzi – odezwał się głos za jej plecami. – Swój pozna swego.

Odwróciła się. Kruk siedział w otwartym okienku.

– Lepiej wejdź do środka – dodał. – Różnych można spotkać w takich zaułkach.

– Już spotkałam.

Do muru obok drzwi przykręcono mosiężną tabliczkę. Głosiła:

– C.V. Seromur, dr mag. (Niewidoczny Un.), lic. thaum., bak. il.

Po raz pierwszy w życiu Susan słyszała, jak metal mówi.

– Prosta sztuczka – rzucił lekceważąco kruk. – Wyczuwa, że na nią patrzysz. Wystarczy...

– C.V. Seromur, dr mag. (Niewidoczny Un.), lic. thaum., bak. il.
– ...Zamknij się. Wystarczy pchnąć drzwi.
– Są zamknięte.
Kruk przyjrzał się jej paciorkowatym okiem, przekrzywiając łepek.
– To ci przeszkadza? No dobrze, przyniosę klucz.
Pojawił się w chwilę później i upuścił na bruk duży żelazny klucz.
– Maga nie ma w domu?
– Jest. W łóżku. Chrapie tak, że mało mu głowa nie odpadnie.
– Myślałam, że oni pracują po nocach.
– Nie ten. O dziewiątej kubek czekolady, pięć po przestaje istnieć dla świata.
– Nie mogę przecież tak sobie wejść do jego domu!
– Czemu nie? Przyszłaś zobaczyć się ze mną. Zresztą i tak ja jestem mózgiem tego zespołu. On tylko nosi śmieszny kapelusz i macha rękami.
Susan przekręciła klucz.
W domu było ciepło. Zauważyła zwykłe magiczne rekwizyty – palenisko, wąski blat zastawiony butlami i zawiniątkami, biblioteczkę pełną poukładanych byle jak książek, wypchanego aligatora zawieszonego pod sufitem, parę bardzo grubych świec przypominających woskowe strumienie lawy, kruka na czaszce.
– Zamawiają to z katalogu – wyjaśnił ptak. – Możesz mi wierzyć. Przychodzi w takiej wielkiej skrzyni. Myślisz, że świece tak cikną same z siebie? To trzy dni pracy dla doświadczonego kapacza wosku.
– Wymyślasz to wszystko – stwierdziła Susan. – Zresztą nie można tak sobie kupić czaszki.
– Na pewno sama wiesz najlepiej – zgodził się kruk. – Jesteś wykształcona.
– Co próbowałeś mi wczoraj powiedzieć?
– Powiedzieć? – zdziwił się kruk, z zakłopotaniem zerkając na własny dziób.
– Wszystkie te tadada-DAM.
Kruk poskrobał się po głowie.
– Powiedział, że mam ci nie mówić. Miałem tylko uprzedzić cię w sprawie konia. Trochę mnie poniosło. Zjawił się, prawda?
– Tak!
– Dosiadłaś go.

– Dosiadłam. To nie może być prawda! Prawdziwe konie wiedzą, gdzie leży grunt.

– Panienko, nie istnieje koń prawdziwszy od tego.

– Wiem, jak ma na imię! Już kiedyś na nim jeździłam!

Kruk westchnął, a przynajmniej wydał z siebie świst tak bliski westchnieniu, jak to tylko możliwe dla istoty wyposażonej w dziób.

– Pojedź na tym koniu. Uznał, że jesteś odpowiednia.

– Dokąd?

– Tego ja nie powinienem wiedzieć, a ty powinnaś odkryć.

– Przypuśćmy, że będę tak głupia, by spróbować... Możesz choćby zasugerować, co nastąpi?

– No cóż... Widzę, że czytałaś książki. A znasz może choć jedną o dzieciach, które trafiają do czarodziejskiego królestwa, mają różne przygody z goblinami i tak dalej?

– Oczywiście – przyznała niechętnie Susan.

– Byłoby chyba najlepiej, gdybyś starała się myśleć mniej więcej w tym stylu.

Susan zaczęła się bawić leżącą na stole wiązką ziół.

– Widziałam na ulicy kogoś, kto twierdził, że jest Wróżką Zębuszką – powiedziała.

– Jedną z Zębuszek. To możliwe – zgodził się kruk. – Zwykle jest ich co najmniej trzy.

– Nie ma kogoś takiego... znaczy... ja nie wiedziałam. Myślałam, że to tylko... bajka. Jak Piaskowy Dziadek. Albo Wiedźmikołaj*.

---

* Według ludowej legendy – znanej przynajmniej w tych okolicach, gdzie świnie stanowią istotny element lokalnej gospodarki – Wiedźmikołaj to postać mityczna, która zimą, w Noc Strzeżenia Wiedźm, pędzi od domu do domu w prymitywnych saniach zaprzężonych w cztery dzikie wieprze z wielkimi kłami, by podrzucać prezenty: kiełbasy, salceson, smalec i szynkę – wszystkim dzieciom, które były grzeczne. Często powtarza „Ho, ho, ho". Dzieci, które były niegrzeczne, dostają worek pełen zakrwawionych kości (właśnie te drobne szczegóły zdradzają, że mamy do czynienia z bajką dla maluchów). Jest nawet o nim piosenka. Zaczyna się „Lepiej uważaj...".

Wiedźmikołaj (początkowo znany pod imieniem Wieprzykołaja, które jednak się nie przyjęło, bo nie brzmiało odpowiednio dostojnie) podobno bierze swój początek w legendzie o miejscowym królu, który pewnej zimowej nocy przechodził obok – tak przynajmniej twierdził – domu trzech młodych kobiet. Usłyszał, jak szlochają, bo nie miały nic do jedzenia, więc nie mogły urządzić świątecznej uczty. Zlitował się nad nimi i wrzucił przez okno paczkę z kiełbasą**.

** Mocno przy tym raniąc jedną z nich, ale nie warto psuć dobrej legendy.

– Oho – stwierdził kruk. – Zmieniamy ton, co? Już nie tak kategorycznie deklaratywny, co? Mniej „Nie ma czegoś takiego", a więcej „Nie wiedziałam"?

– Wszyscy wiedzą... To znaczy, przecież to nielogiczne, żeby istniał brodaty staruszek, który w Noc Strzeżenia Wiedźm daje wszystkim kiełbasę i flaki. Prawda?

– Nie znam się na logice. Nigdy nie studiowałem logiki. Życie na czaszce też właściwie nie jest logiczne, ale tym się właśnie zajmuję.

– I nie może być Piaskowego Dziadka, który chodzi po świecie i sypie dzieciom piasek w oczy – dodała Susan, ale trochę niepewnie. – Przecież... nie wystarczyłoby mu piasku w jednym worku.

– Możliwe. Możliwe.

– Muszę już iść – uznała. – Panna Butts zawsze równo o północy sprawdza sypialnie.

– A ile jest tych sypialni? – zainteresował się kruk.

– Myślę, że ze trzydzieści.

– I wierzysz, że sprawdza je wszystkie o północy, a nie wierzysz w Wiedźmikołaja?

– I tak lepiej już pójdę – odparła Susan. – I... no, dziękuję ci.

– Zamknij za sobą drzwi, a klucz wrzuć przez okno – poprosił kruk.

Kiedy wyszła, w pokoju zapanowała cisza, tylko węgiel cicho trzeszczał w kominku.

Wreszcie odezwała się czaszka.

– Te dzisiejsze dzieciaki...

– To wszystko przez edukację – stwierdził kruk.

– Za dużo wiedzy to niebezpieczna sprawa. O wiele groźniejsza niż odrobina wiedzy. Zawsze to powtarzałem, kiedy jeszcze żyłem.

– A właściwie kiedy to było?

– Nie mogę sobie przypomnieć. Myślę, że byłem uczonym. Prawdopodobnie nauczycielem albo filozofem, czy kimś w tym stylu. Teraz leżę na stole, a ptak robi mi na głowę.

– Bardzo alegoryczne – mruknął kruk.

Nikt nie nauczył Susan o potędze wiary, a w każdym razie potędze wiary połączonej z wysokim potencjałem magicznym i niską stabilnością rzeczywistości, jakie istnieją na Dysku. Wiara czyni puste miejsca. Coś musi się wtoczyć, by je wypełnić.

Co nie oznacza, że wiara przeczy logice. Na przykład jest dość oczywiste, że Piaskowy Dziadek potrzebuje tylko jednego niewielkiego woreczka z piaskiem.

Na Dysku nie zadaje sobie trudu, żeby ów piasek najpierw z niego wyjąć.

 Była już prawic północ.

Susan przekradła się do stajni. Należała do osób, które nie pozostawią w spokoju nierozwiązanej zagadki.

Kucyki w obecności Pimpusia milczały. Koń lśnił w ciemności.

Susan podniosła ze stojaka siodło, ale zaraz zrezygnowała. Jeśli ma spaść, siodło na pewno jej nie pomoże. A uzda byłaby tak przydatna jak rudel na głazie.

Otworzyła wrota boksu. Większość koni nie chodzi do tyłu, ponieważ to, czego nie widzą, nie istnieje. Ale Pimpuś wyszedł sam i zbliżył się do drewnianego kloca, by łatwiej jej było wsiąść. Potem obejrzał się wyczekująco.

Susan wspięła mu się na grzbiet. Czuła się tak, jakby siedziała na stole.

– No dobrze – szepnęła. – Ale pamiętaj, w nic z tego nie muszę wierzyć.

Pimpuś spuścił łeb i zarżał. Potem wybiegł ze stajni i skierował się na padok. Przy bramie ruszył kłusem, w stronę ogrodzenia.

Susan zamknęła oczy.

Poczuła, jak pod aksamitną skórą napinają się mięśnie; potem koń zaczął się wznosić: ponad ogrodzeniem, ponad ziemią...

Za nim na murawie przez sekundę czy dwie płonęły dwa ogniste ślady kopyt.

Kiedy przebiegał nad szkołą, zauważyła w oknach migotanie świecy. Panna Butts robiła obchód.

Będę miała kłopoty, powiedziała sobie Susan. A potem pomyślała: Jadę konno sto stóp nad ziemią, do jakiegoś tajemniczego miejsca, trochę podobnego do czarodziejskiej krainy z goblinami i gadającymi zwierzętami. Ileż jeszcze mogę mieć kłopotów?

Poza tym, czy dosiadanie latającego konia jest naruszeniem regulaminu? Założę się, że nie ma o tym ani słowa.

Quirm zniknął z tyłu; świat otworzył się przed Susan, pokryty deseniem cienia i księżycowego srebra. Szachownica pól migotała w dole, z rzadka rozbłyskiwało światełko jakiejś farmy. Z boków przemykały postrzępione chmury.

Po lewej stronie, niczym zimny biały mur, stały Ramtopy. Po prawej, na Oceanie Krawędziowym, błyszczała ścieżka światła aż do księżyca. Susan nie czuła wiatru, nie miała nawet wrażenia szybkości – tylko sunący w dole ląd i długie, spokojne skoki Pimpusia.

A potem ktoś nagle obsypał noc złotem. Chmury rozstąpiły się przed nią i w dole rozlało się Ankh-Morpork – miasto kryjące więcej zagrożeń, niż panna Butts potrafiła sobie wyobrazić.

Płomienie pochodni kreśliły labirynt ulic, w których cały Quirm nie tylko by się zgubił, ale też został napadnięty i wepchnięty do rzeki.

Pimpuś kłusował swobodnie nad dachami. Susan słyszała uliczny szum, nawet pojedyncze głosy, ale też potężny gwar miasta, jakby dźwięk wielkiego ula. Górne okna budynków przesunęły się obok, każde rozjaśnione płonącą świecą.

Koń opadł przez gęste od dymu powietrze, wylądował miękko i potruchtał pustym zaułkiem. Na końcu były zamknięte drzwi i oświetlony pochodnią szyld.

Susan przeczytała:

OGRODY CURRY

Wejście służbowe – nie wchodzić. Ty też nie.

Pimpuś zdawał się na coś czekać.

Susan spodziewała się bardziej niezwykłego celu podróży.

Znała curry. Dostawali je w szkole, pod nazwą „zmory z ryżem". Było żółte. Miało w środku namoknięte rodzynki i groszek.

Pimpuś zarżał i stuknął kopytem o bruk.

Małe okienko w drzwiach otworzyło się gwałtownie. Susan zdawało się, że widzi jakąś twarz w ognistej atmosferze kuchni.

– Ooorrr nioorrrr! Pimpoorrr!

Klapka zatrzasnęła się.

Wyraźnie coś miało się zdarzyć.

Dziewczynka przyjrzała się przybitemu do ściany jadłospisowi. Były tam błędy, oczywiście, ponieważ zawsze są w jadłospisach restauracji etnicznych. W ten sposób wzbudza się u klientów fałszywe poczucie wyższości.

Susan nie znała jednak większości dań z listy, która zawierała:

Curry z jarzynami 8p
Curry z marnowanymi kulkami Świni 10p
Curry słodkie-waśnie i kulki Ryby 10p
Curry z Mięsem 10p
Curry z określonym Mięzem 10p
Dod. curry 5p
Krab-kraker 4p

Jedz Tutaj Albo
Zabierz ze Sobą

Klapka uchyliła się znowu i na wąskiej półeczce przed okienkiem stanęła duża brązowa torba z oficjalnie – ale nie naprawdę – wodoodpornego papieru. Potem klapka się zatrzasnęła.

Susan ostrożnie sięgnęła po pakunek. Unoszący się z torby zapach miał w sobie coś z lancy termicznej i ostrzegał przed używaniem metalowych sztućców. Jednak podwieczorek był już bardzo dawno temu...

Uświadomiła sobie, że nie ma żadnych pieniędzy. Wprawdzie nikt ich nie żądał, ale gdyby ludzie lekceważyli swoje powinności, świat popadłby w chaos i ruinę.

Zastukała do drzwi.

– Bardzo przepraszam... Czy nie chcecie czegoś...

Z wnętrza dobiegły krzyki i trzaski, jakby pół tuzina osób równocześnie usiłowało schować się pod ten sam stół.

– Aha. To miło. Dziękuję. Naprawdę bardzo dziękuję – powiedziała grzecznie.

Pimpuś kroczył powoli, bardzo powoli. Tym razem nie było żadnych wibrujących energią mięśni – wszedł w powietrze stępa, ostrożnie, jak gdyby w przeszłości został zbesztany za rozlanie czegoś.

Susan skosztowała curry kilkaset stóp ponad sunącym w dole pejzażem, po czym wyrzuciła je – najuprzejmiej jak potrafiła.

– Bardzo... niezwykłe – powiedziała. – I to już wszystko? Zaniosłeś mnie aż tutaj, żebym spróbowała jedzenia na wynos?

Ziemia w dole ruszyła szybciej. Uświadomiła sobie, że koń biegnie o wiele prędzej, pełnym cwałem zamiast spokojnego kłusa. Napiął mięśnie...

...i niebo przed nią na moment wybuchło błękitem.

Z tyłu, niewidoczne, gdyż światło stało obok czerwone z zakłopotania, pytając samo siebie, co się właściwie stało, zapłonęły w powietrzu dwa ślady kopyt.

 Był to pejzaż zawieszony w przestrzeni. Stał tam niski domek otoczony ogrodem. Były pola i góry w oddali. Susan patrzyła na to wszystko, gdy Pimpuś zwalniał.

Brakowało głębi. Gdy koń zatoczył krąg przed lądowaniem, pejzaż okazał się zaledwie powierzchnią, cieniutką błoną istnienia narzuconą na nicość.

Oczekiwała niemal, że rozerwie się, gdy koń wylądował. Rozległ się jednak tylko cichy chrzęst i żwir poleciał spod kopyt.

Pimpuś obiegł domek i zatrzymał się przed stajnią. Czekał.

Susan zsunęła się ostrożnie. Grunt pod stopami wydawał się całkiem solidny. Schyliła się i odgarnęła żwir – pod spodem było więcej żwiru.

Słyszała, że Wróżki Zębuszki zbierają zęby. Jeśli logicznie pomyśleć... Jedyni poza nimi ludzie, którzy zbierali jakiekolwiek fragmenty ciał, czynili to w bardzo podejrzanych zamiarach, zwykle by szkodzić lub panować nad innymi ludźmi. Wróżki Zębuszki muszą mieć w swej władzy połowę dzieci na Dysku. A ten dom nie wyglądał, jakby należał do takiej osoby.

Wiedźmikołaj zapewne mieszka w jakiejś potwornej rzeźni w górach, obwieszonej kiełbasą i salcesonem, wymalowanej na straszliwą czerwień.

Co sugerowałoby styl. Dość paskudny styl, ale jednak jakiś. To miejsce nie miało żadnego stylu.

Duchociastna Kaczka nie miała chyba żadnego domu. Ani też Kłopotnik czy Piaskowy Dziadek, o ile wiedziała. Obeszła domek dookoła – nie był większy od wiejskiej chaty. Stanowczo. Ktokolwiek tu mieszkał, nie miał żadnego gustu.

Znalazła drzwi frontowe. Były czarne, z kołatką w kształcie omegi. Susan wyciągnęła do niej rękę, ale drzwi otworzyły się same.

Zobaczyła korytarz o wiele dłuższy, niż widziany z zewnątrz domek mógłby pomieścić. W oddali niewyraźnie majaczyły schody, dostatecznie szerokie na musicalowy finał ze stepowaniem.

Coś jeszcze nie zgadzało się z perspektywą. Ściana stała wyraźnie bardzo daleko od Susan, a równocześnie wydawała się namalowana w powietrzu o piętnaście stóp od niej. Całkiem jakby odległość była kwestią opcjonalną.

Pod jedną ze ścian stał wielki zegar. Ogromny korytarz wypełniało powolne tykanie.

Jest tam pokój, pomyślała. *Pamiętam pokój szeptów.*

W ścianie korytarza, daleko od siebie, tkwiły drzwi. Albo blisko siebie, jeśli spojrzeć na to inaczej.

Spróbowała podejść do najbliższych, ale zrezygnowała po kilku niepewnych krokach. Wreszcie dotarła do nich, wybierając właściwy kierunek i zamykając oczy.

Drzwi były równocześnie mniej więcej normalnej ludzkiej wielkości i gigantyczne. Kunsztownie rzeźbioną futrynę zdobiły motywy czaszek i kości.

Pchnęła drzwi.

Niewielki obszar dywanu leżał w średniej odległości – nie większy niż hektar. Dojście do niego zajęło Susan kilka minut.

Był to jakby pokój wewnątrz pokoju. Na podwyższeniu stało wielkie, ciężkie biurko, a przy nim skórzany obrotowy fotel. Duży model Dysku umieszczono na czymś w rodzaju ozdobnej podstawy w kształcie czterech słoni na skorupie żółwia. Było też kilka półek z książkami – grubymi tomami ułożonymi w tym przypadkowym stylu ludzi, którzy są zbyt zajęci korzystaniem z książek, by kiedykolwiek ułożyć je należycie. Było nawet okno, zawieszone w powietrzu kilka stóp nad podłogą.

Brakowało jednak ścian. Pomiędzy brzegiem dywanu a ścianami większego pokoju była tylko podłoga, choć nawet to wydawało się określeniem nazbyt precyzyjnym. Nie wyglądała na kamienną posadzkę, a już z pewnością nie na drewniany parkiet. Nie wydawała żadnego dźwięku, kiedy Susan po niej przechodziła. Była to jedynie powierzchnia w czysto geometrycznym sensie.

Dywan ozdabiał wzór czaszek i kości.

Był również czarny. Wszystko tu miało kolor czerni albo jednego z odcieni szarości. Tu i tam jakieś zabarwienie sugerowało bardzo głęboki fiolet lub błękit oceanicznej otchłani.

W oddali, bliżej ścian większego pokoju, czy też metapokoju, jakkolwiek można go nazwać, istniała sugestia... czegoś. Coś rzucało skomplikowane cienie – zbyt dalekie, by zobaczyć je wyraźnie.

Susan weszła na podwyższenie.

W jej otoczeniu było coś dziwnego. Oczywiście, w przedmiotach, które ją otaczały, dziwne było wszystko, ale w grę wchodziła jakaś istotna dziwność leżąca w samej ich naturze, Susan mogła więc nie zwracać na nią uwagi. Wyczuwała natomiast dziwność na ludzkim poziomie. Wszystko wydawało się odrobinę... nie takie jak trzeba, jak gdyby wykonane przez kogoś, kto nie do końca rozumiał cel i zastosowanie obiektu.

Na wielkim biurku stała suszka, ale była częścią blatu, zespolona z jego powierzchnią. Szuflady okazały się jedynie wystającymi nieco powierzchniami drewna, niemożliwymi do otwarcia. Ktokolwiek zrobił to biurko, widywał wcześniej biurka, ale nie pojął istoty biurkowości.

Stała tam nawet jakby zabawka, ozdoba biurkowa. Składała się z bloku ołowiu ze sznureczkiem zwisającym z jednej strony. Do sznureczka umocowano lśniącą metalową kulkę. Jeśli się ją podniosło, opadała i stukała w ołów – tylko raz.

Susan nie próbowała nawet usiąść w fotelu. Siedzenie było głęboko wgniecione – ktoś spędzał tu bardzo dużo czasu.

Zerknęła na grzbiety książek. Tytuły wypisano w języku, którego nie rozumiała.

Przedostała się do dalekich drzwi, wyszła na korytarz i sprawdziła następne. W jej myślach zaczynało się formować pewne podejrzenie.

Te drzwi prowadziły do kolejnego ogromnego pomieszczenia. Było otoczone półkami – od podłogi po daleki, ukryty w chmurach sufit. A na każdej półce stały rzędami klepsydry.

Piasek, przesypujący się z przeszłości w przyszłość, wypełniał pokój dźwiękiem zbliżonym do fali przyboju – szumem złożonym z miliarda lżejszych szumów.

Susan przeszła między półkami. Czuła się, jakby spacerowała w tłumie.

Kątem oka dostrzegła ruch na pobliskiej półce. W większości klepsydr spadający piasek tworzył ciągłą srebrzystą nić, w tej jednak – akurat kiedy spojrzała – nitka zniknęła. Ostatnie ziarenko runęło do dolnej części.

Klepsydra zniknęła z cichym puknięciem.

Po chwili, z najcichszym brzękiem, pojawiła się następna. Na oczach Susan zaczął się sypać piasek...

Uświadomiła sobie, że zjawisko takie powtarza się ciągle w całym pokoju. Stare klepsydry znikały, ich miejsca zajmowały nowe.

O tym także wiedziała.

W zamyśleniu przygryzła wargę, sięgnęła na półkę, zdjęła jedną klepsydrę i zaczęła odwracać dnem do góry...

PIP!

Odwróciła się błyskawicznie. Śmierć Szczurów siedział na półce tuż za nią. Ostrzegawczo podniósł palec.

– No dobrze – mruknęła Susan. Odstawiła klepsydrę na miejsce.

PIP.

– Nie. Jeszcze oglądam.

Ruszyła do drzwi. Szczur przemykał za nią po podłodze.

Trzeci pokój okazał się...

...łazienką.

Zawahała się. W takim miejscu człowiek oczekiwał klepsydr. Oczekiwał motywu czaszek i kości. Ale nie spodziewał się, że zobaczy wielką porcelanową wannę stojącą na podwyższeniu niczym tron, z ogromnymi mosiężnymi kurkami i wyblakłymi niebieskimi literami nad kółkiem, do którego umocowany był łańcuszek z korkiem. Litery tworzyły słowa: C.H. Wychodek i Syn, ul. Mokocia, Ankh-Morpork.

Nie spodziewał się też gumowej kaczki. Żółtej.

Nie spodziewał się mydła. Mydło było barwy kości, jak należy, i wyglądało, jakby nikt go nigdy nie używał. Obok leżała kostka pomarańczowego mydła, które z pewnością było używane – pozostał tylko skrawek. Zapachem przypominało tę zjadliwą substancję, jakiej używały na pensji. Wanna, choć wielka, należała do świata ludzi. Obok otworu spływu Susan widziała brązowe linie pęknięć i żółtą plamę w miejscu, gdzie kapał cieknący kran. Jednak prawie cała reszta została zaprojektowana przez osobę, która wcześniej nie rozumiała biurkowości, a teraz nie pojęła ablucjologii.

Osoba ta umieściła tu na przykład wieszak na ręczniki, którego cała drużyna gimnastyczna mogłaby używać do ćwiczeń na drążkach. Czarne ręczniki na nim tworzyły całość z wieszakiem i były dość twarde. Ktokolwiek naprawdę używał tej łazienki, wycierał się zapewne wytartym biało-niebieskim ręcznikiem z inicjałami R-K-I-B--S S M M, A-M.

Była tu nawet muszla, kolejny wspaniały przykład porcelanowej sztuki użytkowej pana C.H. Wychodka, z wytłoczonym na rezerwuarze fryzem niebiesko-zielonych kwiatów. I znowu, jak w przypadku wanny i mydła, muszla sugerowała, że ktoś zbudował to pomieszczenie, a ktoś inny przyszedł potem i dodał niewielkie detale. Ktoś, kto lepiej znał się na hydraulice. Ktoś, kto wiedział, że ręczniki mają być miękkie i nadawać się do wycierania, a mydło ma się pienić.

Człowiek nie spodziewał się czegoś takiego, dopóki nie zobaczył. A wtedy miał wrażenie, że widzi to znowu...

Łysy ręcznik spadł z wieszaka i sunął po podłodze, aż zjechał na bok, odsłaniając Śmierć Szczurów.

PIP?

– No dobrze – ustąpiła Susan. – Gdzie mam teraz pójść?

Szczur pobiegł do otwartych drzwi i zniknął w korytarzu.

Pomaszerowała za nim do jeszcze jednych drzwi. Nacisnęła jeszcze jedną klamkę.

Za progiem znajdował się jeszcze jeden pokój wewnątrz pokoju. Niewielki region oświetlonej posadzki w mroku, a w nim odległa wizja stołu, kilku krzeseł, kuchennego kredensu...

...i kogoś. Przy stole siedziała zgarbiona postać. Gdy Susan zbliżyła się ostrożnie, usłyszała stukanie sztućców o talerz.

Starszy mężczyzna jadł kolację. Bardzo hałaśliwie. W dodatku mówił sam do siebie z pełnymi ustami – rodzaj złych automanier.

– Nie moja wina! [prychnięcie] Od początku byłem przeciwny, ale nie, on musiał iść i [nabicie na widelec balistycznego kawałka kiełbasy, który wylądował na blacie] zacząć się mieszać. Mówię mu, przecież to nie jest tak, że się całkiem nie miesza [nabicie niezidentyfikowanego obiektu przysmażonego], ale nie, nie w taki sposób [prychnięcie, dźgnięcie widelcem w powietrze], kiedy raz się tak wmiesza, powiedziałem, to jak się z tego wyplącze, może mi ktoś [ułożenie zaimprowizowanej kanapki z jajkiem i pomidorem] wytłumaczy, ale gdzie...

Susan obeszła dookoła fragment chodnika. Mężczyzna nie zwrócił na nią uwagi.

Śmierć Szczurów wspiął się po nodze stołu i wylądował na kawałku podsmażonego chleba.

– A, to ty...

PIP.

Mężczyzna rozejrzał się.

– Gdzie? Tutaj?

Susan stanęła na chodniku. Mężczyzna poderwał się tak gwałtownie, że przewrócił krzesło.

– Kim jesteś, do demonów?

– Czy mógłby pan skierować ten ostry kawałek bekonu w inną stronę?

– Zadałem ci pytanie, moja panno!

– Jestem Susan. – To chyba nie wystarczało. – Księżna Sto Helit – dodała więc.

Pomarszczona twarz mężczyzny pomarszczyła się jeszcze bardziej, gdy usiłował przyswoić tę informację. Potem odwrócił się i wzniósł ręce.

– No tak! – zawołał, zwracając się do pokoju jako takiego. – To już szczyt wszystkiego, blaszana pokrywka na cały ten garnek. Ot co!

Pogroził palcem Śmierci Szczurów, który odsunął się lekko.

– Ty oszukańczy gryzoniu! No tak! Czuję tu szczura!

PIP?

Grożący palec znieruchomiał nagle. Mężczyzna odwrócił się.

– Jak udało ci się przejść przez ścianę?

– Słucham? – Susan zrobiła krok do tyłu. – Nie wiedziałam, że tu jest ściana.

– A co to jest, twoim zdaniem? – Mężczyzna klepnął powietrze.

– Klatchiańska mgła?

Hipopotam wspomnień wynurzył się z bagna.

– Albert – szepnęła Susan. – Tak?

Albert uderzył się otwartą dłonią w czoło.

– Coraz gorzej! Co jej powiedziałeś?

– Niczego nie mówił, tylko PIP, a ja nie wiem, co to znaczy – tłumaczyła Susan. – Ale wie pan... Przecież tu nie ma żadnej ściany, tylko...

Albert szarpnięciem otworzył szufladę.

– Przyjrzyj się – rzucił gniewnie. – Młotek, tak? Gwóźdź, tak? Patrz.

Wbił gwóźdź młotkiem w powietrze, jakieś pięć stóp ponad brzegiem wyłożonego kafelkami obszaru. Gwóźdź nie spadał.

– Ściana – rzekł Albert.

Susan ostrożnie dotknęła gwoździa. Trochę się lepił, jakby był naelektryzowany.

– W każdym razie mnie to nie przypomina ściany – próbowała tłumaczyć.

PIP.

Albert rzucił młotek na stół.

Nie był niskim mężczyzną, uświadomiła sobie Susan. Był całkiem wysoki, ale chodził jakby skrzywiony, krokiem kojarzonym zwykle z asystentami laboratoryjnymi o umysłowości Igora.

– Rezygnuję – oświadczył, grożąc palcem Susan. – Uprzedzałem go, że nic dobrego z tego nie wyniknie. Zaczął majstrować, i w rezultacie mamy tu jakąś smarkulę... Gdzie się podziałaś?

Susan podeszła do stołu; Albert wymachiwał rękami, próbując ją odnaleźć.

Na blacie leżała deska z pokrojonymi serami i tabakiera. I sznurek kiełbasek. Żadnych świeżych jarzyn. Panna Butts zalecała unikanie smażonych potraw i jedzenie jak największych ilości świeżych warzyw, co miało zagwarantować – jak to określała – Zdrowy Tryb Życia. Wiele kłopotów przypisywała brakowi Zdrowego Trybu Życia. Albert, kiedy tak biegał po kuchni i machał rękami, wyglądał jak uosobienie tych kłopotów.

Susan usiadła na krześle, gdy przechodził obok niej.

Zatrzymał się nagle i zasłonił dłonią oko. Potem odwrócił się bardzo powoli. Jedno widoczne oko było przymrużone od gorączkowej koncentracji.

Spojrzał z ukosa na krzesło; oko łzawiło mu z wysiłku.

– Całkiem nieźle – przyznał cicho. – No dobrze. Jesteś tutaj. Przyprowadziły cię koń i szczur. Głupie zwierzaki. Myślą, że to właściwe rozwiązanie.

– Czego właściwe rozwiązanie? – zdziwiła się Susan. – I nie jestem... tym, co mówiłeś.

Albert przyglądał się jej bez słowa.

– Pan umiał to robić – stwierdził w końcu. – To element jego pracy. Już dawno odkryłaś pewnie, że też potrafisz, co? Nie być zauważana, kiedy nie chcesz?

PIP, wtrącił Śmierć Szczurów.

– Co? – nie zrozumiał Albert.

PIP.

– Mówi, żeby ci wytłumaczyć. Smarkula oznacza małą dziewczynkę. Uważa, że mogłaś mnie źle zrozumieć.

Susan wyprostowała się na krześle. Albert przysunął sobie drugie i także usiadł.

– Ile masz lat?

– Szesnaście.

– Coś takiego... – Przewrócił oczami. – A jak długo masz już szesnaście?

– Odkąd skończyłam piętnaście, oczywiście. Głupi pan jest, czy co?

– No, no, ależ ten czas leci. Czy wiesz, dlaczego tutaj trafiłaś?

– Nie... Ale... – Susan zawahała się. – Ale to ma coś wspólnego... to jakby coś podobnego... Widzę rzeczy, których inni nie widzą, i spotkałam kogoś, kto jest tylko bajką, i przecież wiem, że już tu kiedyś byłam... I wszędzie te czaszki z kośćmi...

Chuda, sępia postać Alberta pochyliła się ku niej.

– Napijesz się kakao?

Bardzo się różniło od kakao w szkole, które przypominało gorącą brązową wodę. W kakao Alberta po wierzchu pływał tłuszcz; gdyby odwrócić kubek dnem do góry, minęłoby parę chwil, nim coś by się wylało.

– Twoja mama i tato... – zaczął Albert, kiedy miała już kakaowy wąs, z którym wyglądała jak mała dziewczynka. – Czy oni... coś ci tłumaczyli?

– Panna Delcross mówiła o tym na biologii – odparła Susan.

– Ale wszystko pokręciła – dodała.

– Miałem na myśli: o twoim dziadku.

– Pamiętam różne rzeczy... ale nie umiem ich sobie przypomnieć, dopóki nie zobaczę. Jak łazienkę. Jak pana.

– Twoi rodzice uznali, że najlepiej będzie, jeśli zapomnisz. Ha... To przecież tkwi w kościach! Bali się, co może się zdarzyć, i się zdarzyło. Odziedziczyłaś!

– Och, o tym też mówiłyśmy – zapewniła Susan. – Chodzi o myszy, groszki i różne takie.

Albert spojrzał na nią zdziwiony. Najwyraźniej nie rozumiał.

– Posłuchaj. Spróbuję wyjaśnić to delikatnie.

Susan czekała grzecznie.

– Twój dziadek jest Śmiercią. Wiesz o tym? Szkieletem w czarnej szacie... Przyjechałaś na jego koniu, a to jest jego dom. Tylko on sam... odszedł. Żeby coś sobie przemyśleć czy jakoś tak. Moim zdaniem, wskutek tego wessało ciebie. To siedzi w kościach. Jesteś już dostatecznie duża. Powstała dziura i sądzi, że ty masz odpowiedni kształt. Nie podoba mi się to ani trochę bardziej niż tobie.

– Śmierć – powtórzyła spokojnym głosem Susan. – Cóż, nie mogę powiedzieć, żebym niczego nie podejrzewała. Jak Wiedźmikołaj, Piaskowy Dziadek i Wróżka Zębuszka?

– Tak.

PIP.

– I ja mam w to uwierzyć? – spytała Susan, starając się przywołać swe najbardziej miażdżąco-wzgardliwe spojrzenie.

Albert popatrzył na nią jak człowiek, który całą swoją miażdżącą wzgardę wykorzystał już bardzo dawno temu.

– To już nie moja sprawa, czy uwierzysz, moja panno – rzekł.

– Naprawdę miałeś na myśli taką wysoką figurę z kosą i wszystkim?

– Tak.

– Posłuchaj mnie, Albercie – powiedziała Susan tonem, jakiego zwykle używa się wobec prostaczków. – Nawet gdyby istniał taki „Śmierć"... a szczerze powiem, że uważam to za śmieszne, by tak antropomorfizować zwykłe naturalne zjawisko... to i tak nie mogłabym nic po nim odziedziczyć. Znam się na dziedziczeniu. Polega na tym, że ma się rude włosy i inne takie. Dostaje się je po innych ludziach. A nie po... mitach i legendach. Właśnie.

Śmierć Szczurów jakby mimowolnie przemieścił się w stronę deski z serami i właśnie kosą odcinał kawałek. Albert usiadł.

– Pamiętam, kiedy cię tu przywieźli – powiedział. – On cały czas prosił, rozumiesz. Był ciekaw. Lubi dzieci. Właściwie spotyka ich sporo, ale nie ma okazji, żeby je lepiej poznać, jeśli pojmujesz, o co mi chodzi. Twoja mama i tato nie chcieli, ale w końcu ustąpili i pewnego dnia przyszli z tobą na herbatkę, żeby go uspokoić. Nie chcieli, bo się bali, że się wystraszysz, będziesz płakać i krzyczeć. Ale ty... ty wcale nie krzyczałaś. Śmiałaś się. Przeraziłaś tym ojca śmiertelnie, nie ma co. Przyprowadzili cię jeszcze kilka razy, kiedy o to prosił, ale zaczęli się martwić, co z tego wyniknie. Twój tato tupnął nogą i na tym się skończyło. Był chyba jedynym człowiekiem, który potrafił kłócić się z panem, ten twój tato. Miałaś wtedy ze cztery lata.

Susan powoli uniosła dłoń i dotknęła bladych linii na policzku.

– Pan mówił, że wychowują cię według... – Albert parsknął lekceważąco – nowoczesnych metod. Logika. Wiara, że stare historie są niemądre. Sam nie wiem... Przypuszczam, że chcieli cię uchronić od... od pomysłów takich jak teraz...

– Przewiózł mnie na koniu – szepnęła Susan, nie słuchając. – Brałam kąpiel w tej wielkiej łazience.

– Wszędzie pełno mydła. – Albert wykrzywił twarz w coś zbliżonego do uśmiechu. – Nawet tutaj słyszałem, jak pan się śmieje. Zrobił ci też huśtawkę. W każdym razie próbował. Żadnych czarów ani nic. Własnymi rękami.

Susan siedziała nieruchomo, a wspomnienia w jej głowie budziły się, ziewały i przeciągały.

– Teraz przypominam sobie łazienkę. Wszystko powraca.

– Nie, nigdy naprawdę nie odeszło. Zarzuciłaś je tylko.

– Nie znał się na hydraulice. Co to znaczy R-K-I-B-S S M M, A-M?

– Reformowanych-Kultystów-Ichor-Boga-Shamharotha Stowarzyszenie Młodych Mężczyzn, Ankh-Morpork – wyjaśnił Albert. – Tam się zatrzymuję, kiedy muszę jechać po coś na dół. Po mydło i takie tam.

– Przecież nie jesteś... młodym mężczyzną – powiedziała Susan, zanim zdążyła się powstrzymać.

– Nikt nie protestuje – burknął.

Pomyślała, że to pewnie prawda. Albert miał w sobie jakąś energię, jakby całe jego ciało było zaciśniętą pięścią.

– On potrafi zrobić prawie wszystko – mówiła dalej, na wpół do siebie. – Ale pewnych spraw po prostu nie rozumie. Na przykład hydrauliki.

– Rzeczywiście. Musieliśmy sprowadzić hydraulika z Ankh-Morpork. Ha. Powiedział, że może znajdzie wolną chwilę w przyszłym tygodniu, koło czwartku, a takich rzeczy się panu nie mówi. Nigdy nie widziałem, żeby drań tak szybko pracował. Potem pan sprawił, że zapomniał. U każdego może to sprawić, z wyjątkiem...

Albert urwał nagle i zmarszczył czoło.

– Wygląda na to, że muszę się z tym pogodzić – stwierdził. – Wygląda na to, że masz prawo. Pewnie jesteś zmęczona. Możesz tu zostać. Pokoi nie brakuje.

– Nie, muszę wracać! Będzie straszna awantura, jeśli nie zjawię się rano na zajęciach.

– Czas nie istnieje; jedynie ten, który ludzie ze sobą przynoszą. Rzeczy po prostu zdarzają się jedna po drugiej. Pimpuś odwiezie cię w czas, który opuściłaś, jeśli zechcesz. Ale powinnaś tu zostać na trochę.

– Mówiłeś, że powstała dziura i mnie wsysa. Nie wiem, co to znaczy.

– Lepiej się poczujesz, kiedy się wyśpisz – obiecał Albert.

Nie było tu prawdziwego dnia ani nocy. Z początku Albert nie mógł się do tego przyzwyczaić – istniał tylko jasny pejzaż, a nad nim czarne niebo z gwiazdami. Śmierć nigdy nie pojął, o co naprawdę chodzi z dniem i nocą. Kiedy pojawiali się ludzcy mieszkańcy, dom zwykle utrzymywał dwudziestosześciogodzinny rytm dobowy. Ludzie, pozostawieni sami sobie, żyli w cyklu dłuższym niż dwadzieścia cztery godziny, żeby o zachodzie można ich było wyzerować, jak mnóstwo maleńkich zegarów. Musieli jakoś się godzić z czasem, ale dni stanowiły coś w rodzaju osobistego wyboru.

Albert kładł się spać, ile razy sobie o tym przypomniał.

Teraz siedział przy zapalonej świecy i wpatrywał się w pustkę.

– Przypomniała sobie o łazience – mruczał. – I wie o rzeczach, których nie mogła poznać. Nikt nie mógł jej powiedzieć. Ma jego pamięć. Odziedziczyła.

PIP, wtrącił Śmierć Szczurów. Zwykle nocami siadywał przy ogniu.

– Kiedy ostatnim razem zniknął, ludzie przestali umierać – stwierdził Albert. – Ale teraz nie przestali. A koń pobiegł do niej. To ona wypełnia puste miejsce.

Albert spojrzał ponuro w ciemność. Kiedy był podniecony, zdradzał to swego rodzaju aktywnością przeżuwania i ssania, jakby usiłował usunąć z dziury w zębie zapomnianą resztkę podwieczorku. Teraz robił hałas jak umywalka u fryzjera.

Nie pamiętał, czy kiedykolwiek był młody. To musiało się dziać tysiące lat temu. Miał siedemdziesiąt lat, ale czas w domu Śmierci był surowcem odnawialnym.

Niejasno zdawał sobie sprawę z faktu, że dzieciństwo to niełatwe zajęcie. Była cała ta sprawa z pryszczami i z tym, że różne części ciała zdawały się żyć własnym życiem. Kierowanie wykonawczym ramieniem śmiertelności stanowiło niewątpliwie dodatkowy problem.

Ale faktem – przerażającym, nieuniknionyn faktem – było, że ktoś musiał to robić.

Ponieważ, jak już wspomniano, Śmierć działa raczej w sensie ogólnym niż szczegółowym, podobnie do monarchii.

Jeśli ktoś jest poddanym w monarchii, to jest rządzony przez monarchę. Przez cały czas. We śnie i na jawie. Wszystko jedno, czym by się akurat zajmował.

To jeden z generalnych warunków całej sytuacji. Królowa nie musi osobiście wchodzić do niczyjego domu, przejmować fotela i pilota telewizora, nie musi też oznajmiać, jak to jej majestat jest zmęczony i chętnie by się napił herbaty. Wszystko działa automatycznie, jak grawitacja. Tyle że – w przeciwieństwie do grawitacji – potrzebny jest ktoś na szczycie. Nie musi koniecznie zbyt wiele robić. Musi tylko być na miejscu.

Musi być.

– Ona? – westchnął Albert.

PIP.

– Nie wytrzyma długo. To jasne. Nie można być nieśmiertel-

nym i śmiertelnikiem jednocześnie, to rozerwie człowieka na części. Prawie mi jej żal.

PIP, zgodził się Śmierć Szczurów.

– To jeszcze nie jest najgorsze – dodał Albert. – Poczekaj, aż
jej pamięć naprawdę zacznie działać...

PIP.

– Posłuchaj no... lepiej zacznij go szukać. Natychmiast.

Susan obudziła się i nie miała pojęcia, która jest godzina.
Na nocnej szafce stał zegar, bo Śmierć wiedział, że w domu
powinny się znaleźć takie rzeczy jak zegary przy łóżkach.
Ten miał czaszki i kości, i znak omegi – i nie działał. W całym domu
nie było chodzącego zegara – z wyjątkiem tego specjalnego w korytarzu. Wszystkie inne wpadały w depresję i stawały, albo rozwijały
swoje sprężyny w jednym szybkim impulsie.

Jej pokój wyglądał, jakby dopiero wczoraj ktoś się z niego wy-
prowadził. Na toaletce leżały szczotki do włosów i kilka drobiazgów
przydatnych do makijażu. Na drzwiach wisiał nawet szlafrok. Miał
na kieszeni naszytego królika. Miły efekt psuł trochę fakt, że był to
króliczy szkielet.

Przerzuciła zawartość szuflad. Ten pokój musiał należeć do jej
matki – było tu mnóstwo różowego. Susan nie miała nic przeciwko
różowemu, byle nie w nadmiarze. Tutaj ten warunek nie został speł-
niony.

Włożyła swoją szkolną sukienkę.

Najważniejsze, uznała, to zachować spokój. Zawsze istnieje logiczne wyjaśnienie wszystkiego, choćby trzeba je było wymyślić.

PIUFF!

Śmierć Szczurów wylądował na toaletce; pazurki zgrzytnęły, szu-
kając zaczepienia. Wyjął z zębów małą kosę.

– Tak sobie myślę – odezwała się delikatnie Susan – że chyba
wrócę już do domu. Jeśli można.

Mały szczur kiwnął łebkiem i skoczył.

Wylądował na skraju różowego dywanu i pobiegł po ciemnej
podłodze.

Kiedy Susan zeszła z dywanu, szczur zatrzymał się i obejrzał z aprobatą. Znowu miała wrażenie, że pomyślnie przeszła jakiś test. Ruszyła za nim przez korytarz, a potem wkroczyła do zadymionej jaskini kuchni. Albert pochylał się nad piecem.

– Dzień dobry – powiedział raczej z przyzwyczajenia, niż uwzględniając aktualną porę doby. – Chcesz smażonego chleba do kiełbasek? Potem będzie owsianka.

Susan zerknęła na skwierczącą zawartość wielkiej patelni. Nie był to obraz, który należy oglądać z pustym żołądkiem, choć prawdopodobnie mógł do niego doprowadzić. Albert potrafił sprawić, by jajko pożałowało, że zostało kiedyś zniesione.

– Nie masz żadnego musli?

– Czy to jakaś odmiana kiełbasy? – spytał podejrzliwie Albert.

– To coś z orzechami i ziarnami.

– Jest tłuszcz?

– Chyba nie.

– No to jak można to usmażyć?

– Tego się nie smaży.

– I coś takiego nazywasz śniadaniem?

– Nie trzeba smażyć jedzenia, żeby było śniadaniem. Wspominałeś przecież o owsiance, a owsianki się nie smaży...

– Kto to powiedział?

– To może gotowane jajko?

– Gdzie tam. Gotowanie jest na nic, nie zabija wszystkich zarazków.

– UGOTUJ MI JAJKO, ALBERCIE.

Gdy echa przebrzmiały i ucichły, Susan zaczęła się zastanawiać, skąd dochodził ten głos.

Chochla Alberta brzęknęła o kafelki.

– Proszę – dodała Susan.

– Przemówiłaś głosem – rzekł z wyrzutem Albert.

– Zresztą mniejsza o jajko. – Od głosu zabolała ją szczęka. Zaniepokoiła się nim chyba jeszcze bardziej niż Albert. W końcu to były jej usta. – Chcę wracać do domu!

– Jesteś w domu.

– Tutaj? To nie jest mój dom!

– Nie? Jaka inskrypcja jest na wielkim zegarze?

– „Za późno" – odparła natychmiast Susan.

– Gdzie stoją ule?

– W sadzie.

– Ile mamy talerzy?

– Siedem...

Susan stanowczo zamknęła usta.

– Widzisz? – ucieszył się Albert. – To twój dom.

– Posłuchaj, Albercie. – Susan postanowiła mówić rozsądnie, w nadziei że tym razem podziała. – Być może jest... ktoś... tak jakby... kierujący tym wszystkim, ale ja nie jestem nikim wyjątkowym. Znaczy...

– Tak? To skąd koń cię zna?

– No racja. Ale naprawdę jestem tylko zwyczajną dziewczynką...

– Zwyczajne dziewczynki nie dostają na trzecie urodziny zestawu „Mój Mały Pimpuś"! – burknął Albert. – Ojciec ci go zabrał. Pan naprawdę się wtedy zirytował. Starał się przecież.

– Chcę powiedzieć, że jestem normalnym dzieckiem!

– Posłuchaj, normalne dzieci dostają cymbałki, a nie proszą dziadka, żeby zdjął koszulę!

– Nic na to nie poradzę! To nie moja wina! To niesprawiedliwe!

– Naprawdę? Dlaczego od razu nie powiedziałaś? – zapytał zgryźliwie Albert. – To wiele tłumaczy, naturalnie. Na twoim miejscu wyszedłbym teraz i poskarżył się wszechświatowi, że to niesprawiedliwe. Założę się, że odpowie: Och, rzeczywiście, no dobrze, przepraszam za kłopoty, jesteś wolna.

– To jest sarkazm! Nie powinieneś tak się do mnie odzywać! Jesteś tylko sługą!

– Zgadza się. I ty również. Dlatego na twoim miejscu wziąłbym się do pracy. Szczur ci pomoże. Zajmuje się głównie szczurami, ale zasada jest taka sama.

Susan znieruchomiała z otwartymi ustami.

– Wychodzę – oznajmiła po chwili.

– Przecież cię nie trzymam.

Wybiegła rozgniewana kuchennymi drzwiami, przez gigantyczną przestrzeń zewnętrznego pokoju, obok kamienia szlifierskiego na podwórzu, do ogrodu.

– Tak – powiedziała.

Gdyby ktoś jej powiedział, że Śmierć ma dom, nazwałaby go wariatem, albo nawet gorzej: głupim. Ale gdyby miała dom Śmierci narysować, wykreśliłaby – odpowiednio czarną kredką – jakieś wieże, blanki, gotycką rezydencję... tak posępną, że jej wygląd sugerowałby konieczność użycia licznych słów zaczynających się na „zg", takich jak zgroza, zgon czy zguba. Wolne miejsca na niebie Susan wypełniłaby nietoperzami. Rysunek z pewnością robiłby wrażenie.

Na pewno nie byłby to wiejski domek. Nie stałby raczej w pozbawionym smaku ogrodzie. Przed drzwiami nie leżałaby wycieraczka z napisem WITAMY.

Susan otoczyła się niepokonanymi murami zdrowego rozsądku. Teraz zaczynały się rozpuszczać jak sól na wilgotnym wietrze, a to ją irytowało.

Oczywiście dobrze znała dziadka Lezeka i jego małą farmę, tak ubogą, że nawet wróble musiały przyklękać, żeby się pożywić... Zapamiętała go jako miłego staruszka; teraz przypomniała sobie również, że zwykle trochę zakłopotanego, zwłaszcza kiedy tato znalazł się w pobliżu.

Mama opowiadała Susan, że jej ojciec był...

Właściwie, kiedy teraz o tym myślała, nie była pewna, czy mama w ogóle coś powiedziała. Rodzice są bardzo wprawni w niemówieniu dzieciom o różnych sprawach, nawet gdy używają do tego bardzo wielu słów. Susan zapamiętała tylko wrażenie, że dziadka nie ma albo jest gdzieś daleko.

Teraz sugerowano, że jest znany właśnie z tego, że zawsze jest blisko.

To tak jakby mieć krewnego w handlu.

Bo bóg, na przykład... bóg to by było coś. Lady Odylia Flume z piątej klasy zawsze się przechwalała, że jej praprababka została kiedyś uwiedziona przez Ślepego Io w postaci wazonu stokrotek, co podobno czyniło ją demi-semi-hemi-półboginią. Twierdziła, że matce przydaje się ten fakt, kiedy chce dostać stolik w restauracji. Oświadczenie, że jest się bliską krewną Śmierci, prawdopodobnie nie dawałoby równie dobrych efektów. W taki sposób nie załatwiłaby sobie pewnie nawet dostawionego krzesła niedaleko kuchni.

Jeśli to wszystko było snem, chyba nie groziło jej przebudzenie. Zresztą i tak w to nie wierzyła. Sny nie są takie.

Ścieżka poprowadziła ją od stajni przez ogród warzywny, a dalej trochę w dół, do sadu czarnolistnych drzew. Na gałęziach wisiały błyszczące czarne jabłka. Trochę z boku stało kilka białych uli.

Kiedyś już widziała ten sad.

Była tam jabłoń całkiem, ale to całkiem inna od pozostałych. Susan stanęła przed nią i patrzyła, a wspomnienia napływały szeroką falą.

Pamiętała, że była już dość duża, by zrozumieć, jak logicznie głupi był cały ten pomysł, a on stał obok i niespokojnie czekał, co ona zrobi...

Dawne przekonania odpływały, zastępowane przez nowe...

Teraz wreszcie zrozumiała, czyją jest wnuczką.

Załatany Bęben tradycyjnie preferował, no... tradycyjne rozrywki barowe: domino, strzałki oraz Dźganie Ludzi w Plecy i Zabieranie Im Wszystkich Pieniędzy. Nowy właściciel postanowił przejść na wyższy sektor rynku. Był to jedyny możliwy kierunek.

Wstawił Machinę Quizową, trzytonowe, napędzane wodą urządzenie oparte na niedawno odkrytym projekcie Leonarda z Quirmu. Okazało się, że to zły pomysł. Kapitan Marchewa ze Straży Miejskiej, który za swą szczerą, uśmiechniętą twarzą skrywał umysł ostry jak igła, potajemnie zamienił rolkę papieru na nową, zawierającą takie pytania jak: *Czy byłeś w pobliżu Składu Diamentów Vortina w nocy piętnastego?* Albo: *Kim był trzeci człowiek, który w zeszłym tygodniu dokonał włamania do Gorzelni Bearhuggera?* Zanim ktokolwiek się zorientował, aresztował trzech klientów.

Właściciel obiecywał lada dzień nową machinę. Bibliotekarz, jeden ze stałych bywalców tawerny, od pewnego czasu zbierał pensowe monety.

Na końcu baru znajdowała się niewielka scena. Właściciel spróbował ściągnąć tam striptizerkę, ale tylko raz. Na widok dużego orangutana, siedzącego w pierwszym rzędzie z szerokim niewinnym uśmiechem i workiem pensówek, nieszczęsna dziewczyna uciekła. Kolejna rozrywkowa gildia wciągnęła Bęben na czarną listę.

Nowy właściciel nazywał się Hibiskus Dunelm. To nie była jego wina. Naprawdę chciał zmienić Bęben w miły lokal. Wystarczyłaby drobna sugestia, a wystawiłby na ulicę pasiaste parasole.

Spojrzał z góry na Buoga.

– Jest was tylko trzech? – zapytał.

– Tak.

– Kiedy dogadaliśmy się na pięć dolarów, mówiłeś, że macie duży zespół.

– Przywitaj się, Lias.

– Słowo daję, to rzeczywiście duży zespół. – Dunelm cofnął się.

– Tak sobie myślałem, że może parę numerów, które wszyscy znają? Żeby stworzyć atmosferę.

– Atmosfera... – powtórzył Imp.

Rozejrzał się. Owszem, znał to słowo. Ale w tym miejscu było ono samotne i zagubione. O tak wczesnej porze w tawernie siedziało zaledwie trzech czy czterech klientów; żaden z nich nie zwracał uwagi na scenę.

Ściana za sceną z pewnością była już świadkiem wielu wydarzeń. Przyjrzał jej się, gdy Lias spokojnie rozstawiał swoje kamienie.

– Och, to tylko kawałki owoców i stare plamy po jajkach – uspokoił go Buog. – Ludzie pewnie robią się trochę niesforni. Nie ma się czym martwić.

– Nie martwię się nimi – zapewnił Imp.

– Tak też myślałem.

– Martwię się o te ślllady po toporach i dziury od strzał. Buog, przecież nawet nie próbowallliśmy razem. Nie tak naprawdę.

– Umiesz grać na gitarze, prawda?

– No, chyba tak...

Spróbował. Łatwo się na niej grało. Właściwie zła gra była prawie niemożliwa. Miał wrażenie, że nieważne, jak dotyka strun, i tak gitara wygrywała melodię rozbrzmiewającą mu w duszy. Była urzeczywistnieniem instrumentu, o jakim się marzy, kiedy człowiek zaczyna się uczyć muzyki, takim, na którym można grać bez ćwiczeń. Pamiętał, że kiedy pierwszy raz wziął harfę i uderzył w struny, zarozumiale oczekując tych głębokich tonów, jakie wydobywali z niej starsi bardowie, uzyskał jedynie dysonansowe jęki. Ale teraz dostał instrument, o jakim śnił...

– Trzymajmy się piosenek, które wszyscy znają – instruował krasnolud. – „Laska maga" i „Zbierając rabarbar". Takie rzeczy. Ludzie lubią piosenki, przy których mogą rechotać do rytmu.

Imp rzucił okiem na salę. Zaczynała się powoli wypełniać. Ale jego uwagę zwrócił duży orangutan, który przysunął sobie krzesło tuż pod scenę i trzymał w rękach torbę owoców.

– Buog, jakaś małpa na nas patrzy.

– I co? – zdziwił się krasnolud, rozpinając siatkę.

– To małpa!

– A to jest Ankh-Morpork. Takie rzeczy się zdarzają. – Zdjął hełm i wyjął coś ze środka.

– Po co ci ta siatka? – zdziwił się Imp.

– Owoce to owoce. Oszczędnością i pracą krasnoludy się bogacą. Gdyby rzucali jajkami, staraj się je wyłapywać.

Imp przerzucił przez ramię pas gitary. Chciał wytłumaczyć wszystko krasnoludowi, ale co właściwie mógł powiedzieć? Że za łatwo się gra?

Miał tylko nadzieję, że istnieje bóg muzyków.

Rzeczywiście istnieje. Nawet wielu, dla każdego typu muzyki inny. Dla prawie każdego. Ale jedynym, który powinien czuwać nad Impem tej nocy, był Reg, bóg klezmerów. Jednak nie mógł mu poświęcić zbyt wiele uwagi, gdyż czuwał też nad trzema innymi występami.

– My gotowi? – upewnił się Lias, chwytając młotki.

Obaj jego koledzy pokiwali głowami.

– Dajmy im na początek „Laskę maga" – zaproponował Buog. – To zawsze pomaga przełamać lody.

– Dobra – zgodził się troll. – Raz, dwa... raz, dwa, dużo, mnóstwo.

Pierwsze jabłko poleciało siedem sekund później. Zostało przechwycone przez Buoga, który nie zgubił ani jednej nuty. Ale pierwszy banan zatoczył zdradziecko łuk i trafił go w ucho.

– Grać dalej! – syknął Buog.

Imp posłuchał, starając się odskakiwać przed całą kanonadą pomarańczy.

Małpa w pierwszym rzędzie otworzyła torbę i wyjęła bardzo duży melon.

– Widzicie jakieś gruszki? – spytał Buog, nabierając tchu. – Lubię gruszki.

– Widzę człowieka z toporem!

– Wygląda na cenny?

Strzała zadrżała w ścianie obok głowy Liasa.

Była trzecia nad ranem. Sierżant Colon i kapral Nobbs dochodzili właśnie do wniosku, że ktokolwiek zamierza dokonać inwazji na Ankh-Morpork, prawdopodobnie nie zrobi tego dzisiejszej nocy. A na komisariacie w kominku grzał przyjemnie ogień.

– Możemy zostawić wiadomość – zaproponował Nobby, chuchając na palce. – Proszę zajrzeć jutro czy coś w tym rodzaju.

Podniósł głowę. Samotny koń przechodził pod łukiem bramy. Biały koń z posępnym jeźdźcem w czerni.

Nie było mowy o klasycznym „Stój! Kto idzie?". Nocna straż patrolowała ulice w niezwykłych porach i przyzwyczaiła się do widzenia rzeczy zwykle niewidzialnych dla śmiertelników.

Sierżant Colon z szacunkiem dotknął hełmu.

– Dobry wieczór, wasza miłość.

– Tego... DOBRY WIECZÓR.

Strażnicy obserwowali, jak koń znika za zakrętem.

– Jakiś biedak wyciągnie dziś kopyta – stwierdził Colon.

– Ale jest obowiązkowy, trzeba przyznać – zauważył Nobby. – Zawsze na posterunku, niezależnie od pory. Zawsze ma czas dla ludzi.

– Fakt.

Wpatrywali się w aksamitną ciemność. Coś tu nie jest całkiem w porządku, uświadomił sobie nagle Colon.

– Jak mu na imię? – zainteresował się Nobby.

Popatrzyli jeszcze przez chwilę. Potem sierżant Colon, który wciąż nie potrafił ustalić, co mu się właściwie nie zgadzało, zapytał:

– Co masz na myśli, pytając, jak mu na imię?

– To, jak mu na imię.

– Przecież to Śmierć! – Colon zdziwił się trochę. – Śmierć. To jego pełne imię i nazwisko. Znaczy... Co to ma znaczyć? Znaczy, coś w stylu... Keith Śmierć?

– A dlaczego nie?

– On jest po prostu Śmiercią. Nie rozumiesz?

– Nie, to tylko jego stanowisko. Jak zwracają się do niego kumple?

– Co to znaczy: kumple?

– No dobra. Niech ci będzie.

– Wracajmy, napijemy się grzanego rumu.

– Moim zdaniem wygląda na Leonarda.

Sierżant Colon przypomniał sobie głos. O to chodzi! Przez jedną krótką chwilę...

– Chyba się starzeję – mruknął. – Przez moment zdawało mi się, że mówi jak jakaś Susan.

 – Chyba mnie widzieli – szepnęła Susan, gdy koń skręcił za róg.

Śmierć Szczurów wysunął głowę z jej kieszeni.

PIP.

– Myślę, że będziemy potrzebowali kruka – stwierdziła Susan.

– Bo wiesz, ja... Wydaje mi się, że cię rozumiem, tyle że po prostu nie mam pojęcia, co mówisz...

Pimpuś zatrzymał się przed dużym domem stojącym w pewnej odległości od ulicy. Była to dość pretensjonalna rezydencja, mająca więcej zwieńczeń i zdobionych okien, niż mieć powinna. Dawało to wyraźną wskazówkę co do jej pochodzenia: takie domy budowali dla siebie bogaci kupcy, kiedy postanawiali zostać szacownymi obywatelami i musieli coś zrobić z łupem.

– Wcale mi się to nie podoba – stwierdziła Susan. – Nic z tego nie wyjdzie. Jestem człowiekiem. Muszę chodzić do toalety i różne takie. Nie mogę tak zwyczajnie wchodzić do domów i zabijać ludzi!

PIP.

– No dobrze, nie zabijać. Ale to nie wypada, jakkolwiek by na to patrzeć.

Tabliczka na drzwiach informowała: „Dostawcy tylnym wejściem".

– Czy mnie można uznać za...

PIP!

Normalnie Susan nawet by nie pomyślała o zapytaniu. Zawsze uważała się za osobę, która wchodzi frontowymi drzwiami życia.

Śmierć Szczurów pobiegł dróżką i przez drzwi.

– Zaczekaj! Nie dam rady...

Susan przyjrzała się drzwiom. Da radę. Oczywiście, że da. Kolejne wspomnienia krystalizowały się przed jej oczami. W końcu to tylko drewno. Spróchnieje i zgnije w ciągu kilkuset lat. W porównaniu z wiecznością prawie w ogóle nie istnieje. Przeciętnie licząc, wobec długości życia wszechświata większość rzeczy prawie nie istniała.

Postąpiła o krok naprzód. Ciężkie dębowe drzwi stawiały taki opór jak cień.

Zrozpaczeni krewni zebrali się wokół łoża, gdzie – niemal całkiem zagubiony wśród poduszek – leżał pomarszczony starzec. U stóp łoża, nie zwracając najmniejszej uwagi na ogólne płacze, leżał wielki, bardzo gruby rudy kot.

PIP.

Susan zerknęła na klepsydrę. Ostatnie kilka ziaren zsunęło się przez szyjkę.

Śmierć Szczurów z demonstracyjną ostrożnością przekradł się za śpiącego kota i kopnął go z całej siły. Zwierzak obudził się, obejrzał, ze zgrozą położył uszy i zeskoczył z posłania.

Śmierć Szczurów parsknął tylko:

SNH, SNH, SNH.

Jeden z żałobników, mężczyzna o chudej twarzy, uniósł głowę. Potem przyjrzał się śpiącemu.

– Po wszystkim – stwierdził. – Nie żyje.

– Myślałam już, że będziemy tu siedzieć cały dzień – mruknęła kobieta obok niego i wstała. – Widzieliście, jak ten przeklęty kot podskoczył? Mówię wam, zwierzęta wyczuwają takie rzeczy. Mają szósty zmysł.

SNH, SNH, SNH.

– No, chodźże już. Wiem, że tu jesteś – odezwał się starzec.

Susan słyszała o duchach. Ale nie spodziewała się, że właśnie tak wyglądają. W jej wyobrażeniu były zaledwie bladymi szkicami w powietrzu, w przeciwieństwie do siedzącego w pościeli starca. Wydawał się całkiem materialny, tyle że oblewało go błękitne światło.

– Sto siedem lat, ot co. – Zachichotał. – Przypuszczam, że trochę się już niepokoiłeś, co? Gdzie jesteś?

– Ehm... TUTAJ – odparła Susan.

– Kobieta? – zdziwił się starzec. – No, no...

Zsunął się z łóżka, powiewając widmową koszulą. Nagle coś szarpnęło go z powrotem, jakby dotarł do końca łańcucha. Co zresztą okazało się mniej więcej prawdą: cienka linia błękitnego światła wciąż łączyła go z niedawnym miejscem zamieszkania.

Śmierć Szczurów podskakiwał na poduszce i ponaglał ją znaczącymi machnięciami kosy.

– Och, przepraszam. – Susan ocknęła się i cięła kosą. Błękitna linia pękła z wysokim, krystalicznym brzękiem.

Wokół nich, a czasami przechodząc przez nich, tłoczyli się żałobnicy. Ich rozpacz zresztą zniknęła, gdy tylko starzec umarł. Mężczyzna o wychudłej twarzy szukał czegoś pod materacem.

– Spójrz na nich – rzucił złośliwie starzec. – Biedny dziadunio, chlip, chlip, jakże go nam brakuje, nie ma już wielu takich jak on, gdzie ten stary drań schował testament? To mój najmłodszy syn, ten chudy. O ile kartkę na każdą Noc Strzeżenia Wiedźm można nazwać synem. Widzisz jego żonę? Ma uśmiech jak fala w wiadrze z pomyjami. A i tak nie jest jeszcze najgorsza. Krewni? Możecie ich sobie zabrać. Trzymałem się życia wyłącznie ze złośliwości.

Dwie osoby zaglądały pod łóżko. Rozległ się zabawny brzęk porcelany. Starzec chodził za nimi i parodiował ich gesty.

– Nic z tego! – rechotał. – He, he! Jest pod posłaniem kota! Wszystkie pieniądze zostawiłem kotu!

Susan rozejrzała się. Kot obserwował ich nerwowo, ukryty za umywalką.

Uznała, że wypada coś odpowiedzieć.

– To bardzo... bardzo ładnie z pana strony...

– Co? Wyliniałe bydlę! Trzynaście lat tylko spał, paskudził i czekał, żeby mu podać żarcie. W całym swoim tłustym życiu nie biegał nawet pół godziny! Ale to się zmieni, kiedy znajdą testament. Zostanie najbogatszym i najszybszym kotem świata...

Głos rozpływał się z wolna, podobnie jak jego właściciel.

– Co za okropny staruch – stwierdziła Susan.

Spojrzała na Śmierć Szczurów, który próbował robić do kota głupie miny.

– Co się z nim stanie?

PIP.

– Aha.

Za nią jeden z byłych żałobników wysypał na podłogę zawartość szuflady. Kot zaczynał dygotać.

Susan wyszła przez ścianę.

Chmury zwijały się za Pimpusiem jak fala za okrętem.
– Nie było tak źle. Znaczy, żadnej krwi ani nic. W dodatku on był już bardzo stary i wcale nie miły.
– Czyli wszystko w porządku? – Kruk wylądował jej na ramieniu.
– Co ty tu robisz?
– Śmierć Szczurów mówił, że możecie mnie podrzucić. Mam spotkanie.
PIP.
Śmierć Szczurów wystawił nos z juków.
– Jesteśmy firmą dyliżansową? – spytała lodowato Susan.
Szczur wzruszył ramionami i wcisnął jej w dłoń życiomierz. Przeczytała wyryte na szkle imię.
– Volf Volfssonssonssonsson? Jak dla mnie, brzmi to osiańsko.
PIP.
Śmierć Szczurów wgramolił się na grzywę Pimpusia i zajął miejsce między końskimi uszami. Wiatr szarpał jego maleńką czarną szatą.

Pimpuś biegł truchtem tuż nad polem bitwy. Nie była to żadna wielka wojna, raczej zwykłe wewnątrzplemienne spory. Nie walczyły też żadne wyraźnie określone armie, tylko – jak się zdawało – dwie grupy osobników, z czego kilku na koniach, którzy przypadkiem znaleźli się po tej samej stronie. Wszyscy byli ubrani w jakieś futra i podniecające skóry. Susan nie potrafiła odgadnąć, w jaki sposób odróżniają przyjaciół od wrogów. Miała wrażenie, że głównie krzyczą i trochę na oślep wymachują wielkimi mieczami i toporami. Z drugiej jednak strony każdy, kogo udało się trafić, natychmiast stawał się wrogiem, więc prawdopodobnie na dłuższą metę unikali nieporozumień. Przy okazji jednak ginęli ludzie i dokonywano aktów niezwykle wręcz bezmyślnego bohaterstwa.
PIP.
Śmierć Szczurów nerwowo wskazywał w dół.
– No więc... lądujemy.
Pimpuś stanął na niewielkim wzgórku.
– Dobrze. – Susan wyjęła kosę z olstra. Ostrze ożyło natychmiast.

Nietrudno było zauważyć dusze poległych. Schodzili z pola bitwy ramię w ramię, przyjaciele i jeszcze przed chwilą wrogowie. Śmiejąc się i zataczając, zbliżali się do niej.

Susan zeskoczyła na ziemię. Skoncentrowała się.

– Tego... – Odchrząknęła. – CZY KTOŚ TU ZOSTAŁ ZABITY I MA NA IMIĘ VOLF?

Za jej plecami Śmierć Szczurów ukrył pyszczek w łapkach.

– Hm... HEJ TAM!

Nikt nie zwracał na nią uwagi. Wojownicy przechodzili obok. Formowali szereg na granicy pola bitwy i zdawało się, że na coś czekają.

Nie musiała... zajmować się... wszystkimi. Albert próbował jej wytłumaczyć, ale pamięć sama podsuwała szczegóły. Musi dopilnować niektórych, zależnie od danej chwili i historycznej wagi, a to wystarczało, by pozostali też byli obsłużeni. Ona miała tylko nie hamować pędu ostrza.

– Musisz być bardziej asertywna – poradził kruk. – Na tym polega kłopot z kobietami na stanowiskach: nie są wystarczająco asertywne.

– Dlaczego chciałeś tu przylecieć? – zainteresowała się Susan.

– Wiesz, to przecież pole bitwy – tłumaczył cierpliwie ptak. – Po bitwie kruki są niezbędne. – Swobodnie zawieszone oczy obracały się nad dziobem. – Padlina wzywa, można by powiedzieć.

– Czyli wszyscy zostaną zjedzeni?

– To element cudu natury.

– Okropne...

Czarne ptaki krążyły już po niebie.

– Wcale nie. Jak to mówią: każdemu, co mu się należy.

Jedna ze stron, jeśli tak można ją nazwać, zaczęła uciekać, druga rzuciła się w pogoń. Ptaki lądowały na tym, co było – jak Susan uświadomiła sobie ze zgrozą – wczesnym śniadaniem. Z licznymi miękkimi kęskami.

– Lepiej rozejrzyj się za tym swoim chłopakiem – poradził kruk. – Inaczej spóźni się na przejażdżkę.

– Jaką przejażdżkę?

Oczy zakręciły się znowu.

– Czy w ogóle nie uczyli cię mitologii?

– Nie. Panna Butts uważa, że to tylko wymyślone historie z literacką treścią.

– Aha. Straszne. Nie można na to pozwolić, prawda? No cóż, niedługo sama zobaczysz. Muszę lecieć. – Kruk wzniósł się w powietrze. – Zwykle staram się o miejsce u głowy.

– Co ja mam...

Nagle ktoś zaczął śpiewać. Głos spłynął z niebios jak podmuch wiatru – całkiem niezły mezzosopran.

– Hej-jo, hej-jo! Hej!

Za głosem, na koniu niemal tak wspaniałym jak Pimpuś, pojawiła się kobieta. Stanowczo kobieta. Całkiem sporo kobiety. Tak wiele, ile tylko można ustawić w jednym miejscu, nie uzyskując dwóch kobiet. Miała na sobie kolczugę, lśniący napierśnik rozmiaru 115D i hełm z rogami.

Zebrani razem polegli przywitali ją radosnymi okrzykami. Koń stępa wylądował na ziemi. Za nim z góry pędziło jeszcze sześć śpiewających kobiet.

– Zawsze to samo – mruknął odlatujący kruk. – Można godzinami czekać, żeby zobaczyć chociaż jedną, a potem zjawia się wszystkie siedem naraz.

Susan patrzyła zdumiona, jak każda z kobiet chwyta zabitego wojownika i cwałuje z powrotem w niebo. Znikały nagle kilkaset sążni nad ziemią i niemal natychmiast wracały po kolejnego pasażera. Wkrótce między polem bitwy a niebem działała regularna linia promowa.

Po minucie czy dwóch jedna z kobiet podjechała stępa do Susan i wyjęła spod pancerza zwój pergaminu.

– Co jest? Tu pisze: Volf – rzuciła energicznym głosem, jakim ludzie w siodle zwracają się zwykle do zwykłych piechurów. – Volf Szczęściarz...?

– Tego... Nie wiem... TO ZNACZY: NIE WIEM, KTÓRY TO Z NICH – wyjaśniła bezradnie Susan.

Kobieta w hełmie pochyliła się. Było w niej coś znajomego.

– Jesteś nowa?

– Tak. To znaczy TAK.

– No to nie stój jak zbroja dużej dziewczynki! Bierz się, hej ho, i sprowadź go! Zuch dziewczyna!

Susan rozejrzała się niespokojnie i wreszcie go zobaczyła. Nie był zbyt daleko. Młody człowiek, otoczony migotliwym błękitem, wyróżniał się wśród poległych.

Podeszła szybko, ściskając kosę. Linia błękitu łączyła wojownika z jego martwym ciałem.

PIP! – krzyknął Śmierć Szczurów. Podskakiwał nerwowo i znacząco gestykulował.

– Wystawić lewy kciuk, prawa ręka ugięta w nadgarstku, i ruszaj tą kosą! – huknęła rogata kobieta.

Susan zamachnęła się. Błękitna linia pękła.

– Co się stało? – zapytał Volf. Spojrzał na ziemię. – To ja tam na dole, prawda? – Odwrócił się powoli. – I tam na dole, i tutaj. I...

Zauważył rogatą wojowniczkę i rozpromienił się nagle.

– Na Io! – zawołał. – Więc to prawda? Walkirie zaniosą mnie do hal Ślepego Io, gdzie będziemy przez wieczność pić i ucztować?

– Mnie nie... Chciałam powiedzieć: MNIE NIE PYTAJ.

Walkiria schyliła się i przerzuciła sobie wojownika przez siodło.

– Spokojnie. Grzeczny chłopak.

Przyjrzała się Susan z namysłem.

– Nie jesteś sopranem? – zapytała.

– Słucham?

– Czy w ogóle umiesz śpiewać, moje dziewczę? Przydałby się nam jeden sopran. Ostatnio mamy prawie same mezzosoprany.

– Przykro mi, nie jestem szczególnie muzykalna.

– Mniejsza z tym. Tak tylko pomyślałam. Muszę lecieć. – Odchyliła głowę. Jej potężny napierśnik zafalował. – Hej-jo, hej-jo! Hej!

Koń stanął dęba i pocwałował w niebo. Zanim dotarł do chmur, zmalał do błyszczącego punktu i zgasł.

– Co to było? – zdziwiła się Susan.

Zatrzepotały pióra. Kruk wylądował na głowie niedawno padłego Volfa.

– No wiesz, ci faceci wierzą, że jeśli zginiesz w bitwie, to taka wielka, gruba, śpiewająca rogata baba przenosi cię do jakiejś gigantycznej sali bankietowej, gdzie możesz objadać się do nieprzytomności przez całą wieczność – wyjaśnił. – Bardzo głupi pomysł, powiem szczerze.

– Przecież to właśnie się stało!

– Ale pomysł i tak jest głupi. – Kruk rozejrzał się po polu bitwy, pustym już, jeśli nie liczyć zabitych i stad jego ziomków, kruków. – Co za strata – westchnął. – Popatrz tylko. Co za okropne marnotrawstwo.

– Tak jest!

– Znaczy, już prawie pękam, a zostały jeszcze setki całkiem nietkniętych. Sprawdzę chyba, czy da się zabrać trochę do domu.

– To przecież martwe ciała!

– No właśnie!

– Czym ty się żywisz?

– Dobrze już, dobrze... – Kruk cofnął się trochę. – Wystarczy dla wszystkich.

– Obrzydliwe!

– Przecież nie ja ich pozabijałem.

Susan zrezygnowała.

– Wyglądała całkiem jak Żelazna Lilia – stwierdziła, kiedy wracali do czekającego cierpliwie rumaka. – Nasza pani od gimnastyki. I całkiem podobnie mówiła.

Wyobraziła sobie rozśpiewane Walkirie, pędzące po niebie. *Bierzcie się za tych wojowników, bando omdlałych płatków!...*

– Konwergencja ewolucyjna – uznał kruk. – Często się zdarza. Czytałem gdzieś, że podobno oko pospolitej ośmiornicy niczym się nie różni od ludzkiej gałki ocz... Kra!

– Miałeś zamiar powiedzieć coś w stylu: jeśli nie liczyć smaku, prawda?

– Ani my to szes myśl e szeszło – zapewnił niewyraźnie kruk.

– Na pewno?

– Moesz pusić ój zióp? Osze!

Susan zwolniła uchwyt.

– To okropne – orzekła. – I on się tym zajmował? Bcz żadnego wyboru?

PIP.

– A jeśli nie zasłużyli na to, by zginąć?

PIP.

Śmierć Szczurów zdołał całkiem skutecznie zasugerować, że w takim przypadku mogą się zwrócić do wszechświata i poskarżyć, że nie zasługiwali na to, by zginąć. Wtedy wszechświat zapewne powie: Och, nie zasługiwaliście? No to przepraszam, możecie żyć dalej. Był to wyjątkowo zwięzły gest.

– Czyli... mój dziadek był Śmiercią i pozwalał, żeby sprawy natury biegły swoim trybem? Kiedy mógł dokonać czegoś dobrego? To... to głupie!

Śmierć Szczurów pokręcił czaszką.

– Na przykład ten Volf... Walczył po słusznej stronie?

– Trudno powiedzieć – odparł kruk. – Był Vasungiem. Ci drudzy to Bergundowie. Wszystko zaczęło się chyba od tego, że któryś Bergund paręset lat temu porwał kobietę Vasungów. A może odwrotnie. W każdym razie ci drudzy napadli na wioskę tych pierwszych. Nastąpiła drobna masakra. A potem tamci wyruszyli na wioskę tych i dokonali kolejnej masakry. Potem, można powiedzieć, pozostało uczucie pewnej niechęci.

– No dobrze – przerwała mu Susan. – Kto następny?

PIP.

Śmierć Szczurów wylądował na siodle. Pochylił się i z niejakim wysiłkiem wyciągnął z juków następną klepsydrę. Susan sprawdziła etykietę.

Napis brzmiał: Imp y Celyn.

Miała uczucie, że pada na plecy.

– Znam to imię... – szepnęła.

PIP.

– Ja... skądś je pamiętam. Jest ważne. On... on jest ważny.

Księżyc wisiał nad klatchiańską pustynią niczym wielka kula skał.

Nie była to jakaś wyjątkowa pustynia i chyba nie zasługiwała na tak imponujący księżyc. Stanowiła element pasa pustyń, coraz bardziej suchych i gorących, otaczających Wielki Nef i Odwodniony Ocean. Nikt nie poświęcałby jej uwagi, gdyby nie zjawili się ludzie całkiem podobni do pana Clete'a z Gildii Muzykantów. Ludzie ci wykreślili mapy, a przez tę akurat część pustyni narysowali niewinną kropkowaną linię, oznaczającą granicę między Klatchem a Mers-batem.

Do tej chwili D'regowie, zbieranina radośnie wojowniczych plemion koczowników, wędrowała przez pustynię zupełnie swobodnie. Teraz pojawili się klatchiańscy D'regowie i czasem mers-batańscy D'regowie, ze wszystkimi prawami przysługującymi obywatelom tych krajów. W szczególności było to prawo do płacenia tak wysokich podatków, jakie tylko uda się z nich wycisnąć, i wcielania do armii, by walczyć przeciwko ludom, o których w życiu nie słyszeli. Skutkiem więc owej kropkowanej linii było, że Klatch znajdował się bezustannie w stanie wojny z Mers-batem i D'regami, Mers-bat w stanie wojny z D'regami i Klatchem, a D'regowie w stanie wojny ze wszystkimi, w tym ze sobą nawzajem. Mieli z tego wiele radości, ponieważ w mowie D'regów słowo „obcy" brzmi tak samo jak „cel".

Fort był jednym z dziedzictw kropkowanej linii.

Teraz przypominał ciemny prostokąt na gorącym srebrzystym piasku. Dobiegały stamtąd dźwięki akordeonu, które śmiało można nazwać smętnymi – ktoś bowiem usiłował zagrać melodię, ale po kilku taktach napotykał nieprzezwyciężone trudności i zaczynał od początku.

Rozległo się stukanie do bramy.

Po chwili coś zgrzytnęło wewnątrz i otworzyło się małe okienko.

– Słycham, offendi?

CZY TO KLATCHIAŃSKA LEGIA CUDZOZIEMSKA?

Twarz niewysokiego człowieczka za bramą przybrała tępy wyraz.

– Ha – powiedział. – Tu mnie złapałeś. Zaczekaj chwilę.
– Okienko się zatrzasnęło. Zza bramy dobiegły odgłosy prowadzonej szeptem dyskusji. Okienko się otworzyło. – Tak. Okazuje się, że jesteśmy tym, no... co to było? Jasne, już pamiętam... Klatchiańską Legią Cudzoziemską. Tak. Czego chciałeś, offendi?

CHCĘ SIĘ ZACIĄGNĄĆ.

– Zaciągnąć? Gdzie?

DO KLATCHIAŃSKIEJ LEGII CUDZOZIEMSKIEJ.

– A gdzie to?

Znowu zabrzmiały szepty.

– Aha. W porządku. Przepraszam. Zgadza się. To my.

Brama się uchyliła. Przybysz wkroczył do fortu. Legionista z insygniami kaprala na ramieniu wyszedł mu na spotkanie.

– Musisz się zameldować... – Oczy zaszkliły mu się lekko. – No wiesz... potężny facet, trzy paski... jeszcze przed chwilą miałem to na końcu języka...

SIERŻANT?

– Tak – potwierdził kapral z wyraźną ulgą. – Jak się nazywasz, żołnierzu?

EEE...

– Właściwie nie musisz mówić. Na tym to właśnie polega w tym... no...

KLATCHIAŃSKIEJ LEGII CUDZOZIEMSKIEJ?

– Właśnie. Ludzie zaciągają się, żeby ten... no, z umysłem, wiesz, kiedy nie możesz... te rzeczy, które się wydarzyły...

ZAPOMNIEĆ?

– Otóż to. Jestem... – Szukał w pamięci. – Zaczekaj chwilę, dobrze?

Spojrzał na swój rękaw.

– Kapral...

Zawahał się, wyraźnie zaniepokojony. Nagle wpadł na jakiś pomysł, pociągnął za kołnierz kurtki i wykręcił głowę, by popatrzeć z ukosa na odsłoniętą w ten sposób naszywkę.

– Kapral... Średni? Jak to brzmi?

RACZEJ NIE.

– Kapral... Prać Tylko Ręcznie?

CHYBA TEŻ NIE.

– Kapral... Bawełna?

ISTNIEJE TAKA MOŻLIWOŚĆ.

– Dobrze. No cóż, witamy w... tej...

KLATCHIAŃSKIEJ LEGII CUDZOZIEMSKIEJ...

– Tak. Żołd trzy dolary tygodniowo i tyle piasku, ile zdołasz zjeść. Mam nadzieję, że lubisz piasek.

WIDZĘ, ŻE O PIASKU PAMIĘTASZ.

– Możesz mi wierzyć, o piasku nie da się zapomnieć – odparł z goryczą kapral.

JA NIGDY NIE ZAPOMINAM.

– Mówiłeś że jak się nazywasz?

Przybysz milczał.

– To zresztą bez znaczenia – zapewnił kapral Bawełna. – W...

KLATCHIAŃSKIEJ LEGII CUDZOZIEMSKIEJ?

– ...właśnie... damy ci nowe imię. Zaczniesz wszystko od początku.

Przywołał innego żołnierza.

– Legionista...

– Legionista... ehm... uch... eee... Rozmiar 15, sir.

– Dobrze. Odprowadźcie tego... człowieka i niech pobierze...

– Z irytacją pstryknął palcami. – No wiecie... ubranie, wszyscy takie noszą... piaskowy kolor...

MUNDUR?

Kapral zamrugał. Z jakiejś niezrozumiałej przyczyny słowo „kości" przeciskało się z trudem do płynnej, ruchomej masy, jaką tworzyła jego świadomość.

– Tak jest – przyznał. – Zaciągacie się na dwadzieścia lat służby. Mam nadzieję, że okażecie się prawdziwym mężczyzną.

JUŻ MI SIĘ TO PODOBA, zapewnił Śmierć.

 – Mam nadzieję, że nie złamię prawa, wchodząc do lokalu z wyszynkiem – powiedziała Susan, kiedy na horyzoncie znów pojawiło się Ankh-Morpork.

PIP.

Miasto raz jeszcze przesuwało się w dole. Tam gdzie były szersze ulice i place, mogła rozróżnić pojedyncze ludzkie figurki. Ha, pomyślała... Gdyby tylko wiedzieli, że jestem tutaj, w górze... I mimo wszystko nie mogła pohamować uczucia wyższości. Wszystko to, o czym myśleli ci ludzie w dole, to rzeczy, no... przyziemne. Rzeczy zwyczajne. Miała wrażenie, że patrzy z góry na biegające mrówki.

Zawsze wiedziała, że jest inna niż wszyscy. O wiele bardziej świadoma świata, podczas gdy wyraźnie widziała, że większość ludzi kroczy przez życie z zamkniętymi oczami i umysłami ustawionymi na niskim poziomie aktywności. Gdy dowiedziała się, że naprawdę jest inna, sprawiło jej to satysfakcję. Teraz uczucie to otulało ją niby płaszcz.

Pimpuś wylądował na brudnym pomoście. Z jednej strony na drewnianych słupach mlaskała rzeka.

Susan zeskoczyła z grzbietu, wyjęła kosę i weszła Pod Załatany Bęben.

Właśnie trwała awantura. Bywalcy Załatanego Bębna byli niezwykle demokratyczni w swym stosunku do agresji. Lubili, kiedy każdemu się dostało. Więc chociaż publiczność reprezentowała zgodną opinię, że trio na scenie to fatalni muzycy, a zatem odpowiednie cele, wybuchały też inne bójki – ponieważ ludzi trafiały źle wymierzone pociski albo przez cały dzień z nikim się nie bili, albo po prostu próbowali dotrzeć do drzwi.

Susan bez trudu wypatrzyła Impa y Celyna z przodu sceny. Jego twarz przypominała maskę zgrozy. Z tyłu stał troll, za którym próbował się chować krasnolud.

Zerknęła na klepsydrę. Jeszcze tylko kilka sekund...

Był właściwie całkiem przystojny, taki smagły i kędzierzawy. Trochę elfi z wyglądu.

I znajomy.

Przykro jej było z powodu Volfa, ale on przynajmniej był na polu bitwy. Imp stał na scenie. Człowiek nie spodziewa się, że zginie na scenie. *Stoję tak z kosą i klepsydrą, czekając, aż ktoś umrze. On nie jest dużo starszy ode mnie, a ja nie powinnam nic robić w tej sprawie. Jestem pewna, że już go gdzieś widziałam... wcześniej...*

Nikt tak naprawdę nie próbował zabijać muzyków Pod Bębnem. Topory i bełty z kusz fruwały w dobrodusznym, swobodnym stylu. Nikt dokładnie nie celował, nawet gdyby był w stanie. Bardziej zabawne było patrzeć, jak inni się uchylają.

Potężny rudobrody mężczyzna uśmiechnął się do Liasa i odczepił od bandoliery nieduży toporek do rzutów. W trolle można było rzucać bez oporów. Topory zwykle się odbijały.

Susan widziała teraz wszystko wyraźnie. Toporek rzeczywiście się odbije i trafi Impa. Niczyja wina właściwie. Gorsze rzeczy trafiają się na morzu. Gorsze rzeczy trafiają się w Ankh-Morpork przez cały czas, często bez przerwy.

Ten człowiek nawet nie chce go zabić. To bezsensowne. Nie tak powinny się dziać takie sprawy. Ktoś powinien coś z tym zrobić.

Wyciągnęła rękę, żeby złapać trzonek toporka.

PIP!

– Zamknij się!

Nagle się rozległo głośne: Uaaauum.

Imp stał jak dyskobol, a dźwięk wibrował w gwarnej gospodzie. Dźwięczał niby żelazny pręt upuszczony nocą w bibliotece. Echa odbijały się od kątów sali, a każde niosło własny ładunek harmonicznych akordów.

To była eksplozja dźwięku – w podobny sposób eksploduje rakieta w Noc Strzeżenia Wiedźm, kiedy to każda spadająca iskra wybucha ponownie...

Palce Impa pieściły struny gitary, wydobywając kolejne trzy akordy. Miotacz toporów opuścił toporek.

Ta muzyka nie tylko wyrwała się na wolność, ale jeszcze po drodze obrabowała bank. Muzyka z podwiniętymi rękawami i rozpiętym górnym guzikiem, która unosiła kapelusz i zmuszała do słuchania.

Ta muzyka docierała do nóg wprost przez miednicę, w ogóle nie składając wizyty mózgowi.

Troll ścisnął młotki, popatrzył tępo na swoje kamienie i zaczął wybijać rytm.

Krasnolud nabrał tchu i wydobył z rogu wibrującą nutę.

Słuchacze bębnili palcami po blatach. Orangutan siedział z szerokim, błogim uśmiechem na twarzy, jak gdyby połknął banana w poprzek.

Susan spojrzała na klepsydrę podpisaną „Imp y Celyn". W górnej części nie zostało już nawet ziarnko piasku – za to migotało tam coś niebieskiego.

Poczuła maleńkie ostre pazurki wdrapujące się jej po plecach i wreszcie chwytające za ramię.

Śmierć Szczurów zajrzał w szklaną bańkę.

PIP, powiedział cicho.

Susan wciąż nie radziła sobie ze szczurzym, ale potrafiła rozpoznać „O rany".

Palce Impa tańczyły po strunach, ale dźwięk, jaki wydobywały, nie miał nic wspólnego z głosem harfy czy lutni. Gitara płakała jak anioł, który właśnie odkrył, dlaczego stał po niewłaściwej stronie. Iskry migotały na strunach.

Imp miał zamknięte oczy; trzymał gitarę przyciśniętą do piersi, jak żołnierz w porcie swoją włócznię. Trudno powiedzieć, kto tu na kim grał.

A muzyka wciąż się wylewała.

Włosy bibliotekarza stały dęba na całym ciele. Czubki iskrzyły.

Muzyka budziła chęć, by kopniakami rozbić ściany i wspiąć się do nieba po ognistych stopniach. Chęć, by wyrwać wszystkie przełączniki, wyszarpać wszystkie dźwignie i wetknąć palce do gniazdka elektrycznego wszechświata, żeby zobaczyć, co się stanie. Chęć, by całą swoją sypialnię wymalować na czarno, a ściany okleić plakatami.

Rozmaite mięśnie w ciele bibliotekarza drgały do rytmu, gdy muzyka uziemiała się poprzez niego.

W kącie tawerny stała niewielka grupka magów. Z otwartymi ustami obserwowali występ.

A rytm krążył wciąż dalej, z trzaskiem przeskakiwał z umysłu do umysłu, pstrykał palcami i wykrzywiał wargi. Muzyka na żywo. Muzyka z wykrokiem, dzika, na swobodzie...

 Nareszcie wolna! Przeskakiwała z głowy do głowy, trzeszczała, spływając przez uszy w stronę tyłomózgowia. Niektórzy byli bardziej podatni od innych... byli bliżej rytmu...

 Minęła godzina.
Bibliotekarz szedł przez nocną mżawkę, podpierając się rękami, a czasem wspinając na mury. Głowa pękała mu od muzyki.

Wylądował na trawniku Niewidocznego Uniwersytetu i pobiegł do Głównego Holu. Wymachiwał rękami nad głową, by utrzymać równowagę.

Znieruchomiał nagle.

Księżycowy blask spływał przez wielkie okna, oświetlając to, co nadrektor zawsze określał „naszymi wielkimi organami", budząc zakłopotanie pozostałych wykładowców.

Rzędy piszczałek całkowicie przesłaniały jedną ze ścian. W półmroku wyglądały jak kolumny, czy może raczej stalagmity w jakiejś potwornie starej jaskini. Niemal zagubiony wśród nich stał pulpit ze swymi trzema ogromnymi manuałami i setką rejestrów dla specjalnych efektów dźwiękowych.

Nieczęsto ich używano – tylko na specjalne uroczystości albo podczas Magicznego Przepraszam*.

---

* Magowie nie wydają balów. Jest nawet popularna piosenka na ten temat. Ale wydają swoje doroczne Magiczne Przepraszam – otwarte dla wszystkich tańce. To jedno z najważniejszych wydarzeń w kalendarzu towarzyskim Ankh-Morpork. W szczególności bibliotekarz zawsze oczekiwał go niecierpliwie i zużywał zadziwiające ilości pomady do włosów.

Jednak, pompując miechy i wydając czasem ciche, podniecone „uuk", bibliotekarz czuł, że można z nimi osiągnąć o wiele więcej.

Dorosły samiec orangutana wygląda może jak przyjazny kłąb starych koców, jednak ma w sobie siłę, która potrafi zmusić równego mu wagą człowieka do zjedzenia solidnego kawałka dywanu. Bibliotekarz przerwał pompowanie dopiero wtedy, gdy dźwignia była już za gorąca, by ją utrzymać, a miechy warczały i gwizdały wokół nitów.

Potem wskoczył na miejsce organisty.

Cała konstrukcja brzęczała cicho pod straszliwym ciśnieniem.

Bibliotekarz splótł dłonie, aż trzasnęły palce, co brzmi imponująco, gdy ktoś ma tyle dłoni i palców co orangutan.

Uniósł ręce.

Zawahał się.

Opuścił ręce i wyciągnął gałki Vox Humana, Vox Dei i Vox Diabolica.

Jęki organów stały się bardziej naglące.

Uniósł ręce.

Zawahał się.

Opuścił ręce i wyciągnął wszystkie gałki, w tym dwanaście oznaczonych „?" oraz dwie z wyblakłymi etykietami, ostrzegającymi w kilku językach, by absolutnie ich nie dotykać – nigdy, pod żadnym pozorem.

Uniósł ręce.

Uniósł też nogi, ustawiając je nad co bardziej niebezpiecznymi pedałami.

Zamknął oczy.

Przez chwilę siedział nieruchomo, w milczącej zadumie – pilot oblatywacz, gotów rozciąć zalakowaną kopertę w kabinie kosmolotu „Melodia".

Pozwolił, by dźwięczne wspomnienie muzyki wypełniło mu głowę, popłynęło wzdłuż ramion do palców...

Ręce opadły.

 – Co zrobilliśmy? Cośmy zrobillli? – pytał Imp. Podniecenie urządzało sobie wyścigi na bosaka w górę i w dół jego pleców. Siedzieli w małym, zagraconym pokoiku za barem.

Buog zdjął hełm i wytarł go od środka.

– Uwierzysz, jak ci powiem, że czterotaktowy rytm dwie czwarte, melodyczny, z wyprzedzającym rytmem basowym?

– Co to jest? – zdziwił się Lias. – Co znaczy?

– Jesteś muzykiem, prawda? Jak ci się wydaje, co właściwie robisz?

– Walę młotkami w kamienie – wyjaśnił Lias, urodzony perkusista.

– Allle ten kawałek, który zagrałeś... – wtrącił Imp. – No wiesz... To w środku... Pamiętasz, to bam-bach bam-bach bam-bam-BACH... Skąd wiedziałeś, jak to zabębnić?

– To kawałek, który musiał tam być – wyjaśnił Lias.

Imp spojrzał na gitarę, którą odłożył na stół. Wciąż grała cicho sama z siebie, jakby mruczał kot.

– To nie jest normallny instrument – oświadczył, wskazując ją palcem. – Ja tyllko tam stałem, a ona zaczęła grać całkiem sama!

– Pewnie należała do maga. Tak jak mówiłem – stwierdził Buog.

– Nie – mruknął Lias. – W życiu żem nie znał maga, co by był muzykalny. Muzyka i magia się nie miesza.

Spojrzeli na gitarę.

Imp nie słyszał jeszcze o instrumencie, który sam by grał, jeśli nie liczyć legendarnej harfy Wynnenna Frssa, która śpiewała, kiedy zagrażało niebezpieczeństwo. A i to działo się w czasach, kiedy krążyły smoki. Śpiewające harfy pasowały do smoków. Wydawały się całkiem nie na miejscu w mieście z gildiami i całą resztą.

Drzwi otworzyły się nagle.

– To było... niesamowite, chłopaki – oświadczył Hibiskus Dunelm. – Jeszcze czegoś takiego nie słyszałem! Możecie zagrać znowu jutro wieczorem? Tu jest wasze pięć dolarów.

Buog przeliczył monety.

– Mieliśmy cztery bisy – zauważył.

– Na waszym miejscu poskarżyłbym się gildii.

Trio popatrzyło na pieniądze. Robiły spore wrażenia na ludziach, którzy ostatni posiłek zjedli dwadzieścia cztery godziny temu. Pięć dolarów to nie była stawka gildii. Z drugiej strony były to bardzo długie dwadzieścia cztery godziny.

– Jeśli zagracie jutro – obiecał Hibiskus – dam wam... dam wam sześć dolarów. Co wy na to?

– A niech mnie... – mruknął Buog.

Mustrum Ridcully poderwał się i usiadł, ponieważ całe łóżko wibrowało delikatnie i przesuwało się po podłodze. A więc w końcu się zaczęło!

Próbowali go dorwać!

Awans na Niewidocznym Uniwersytecie polegał zwyczajowo na zajęciu czyjegoś fotela, zwykle po dopilnowaniu, żeby poprzedni właściciel był już bezpiecznie martwy. Ta tradycja zaczęła ostatnio zanikać. Działo się tak przede wszystkim z przyczyny samego Ridcully'ego. Był duży i utrzymywał się w dobrej formie, a także – o czym przekonało się trzech nocnych kandydatów na stanowisko nadrektora – miał znakomity słuch. Zostali kolejno: wywieszeni przez okno za kostki nóg, ogłuszeni łopatą i doznali złamania ręki w dwóch miejscach. Poza tym wiadomo było, że Ridcully sypia z dwiema naładowanymi kuszami przy łóżku. Miał dobrotliwe usposobienie, więc prawdopodobnie nie strzeliłby nikomu w oboje uszu.

Takie względy promowały bardziej cierpliwą odmianę maga. Każdy prędzej czy później umiera. Mogą zaczekać.

Ridcully rozejrzał się i uznał, że pierwsze wrażenie było mylne. Jak się zdawało, nie działały żadne zabójcze czary. Rozbrzmiewał jedynie dźwięk. Wciskał się we wszystkie zakamarki pokoju.

Ridcully wsunął stopy w kapcie i wyszedł na korytarz, gdzie kręcili się już pozostali członkowie grona profesorskiego i sennie wypytywali się nawzajem, co się dzieje, do demona. Z sufitu jednolitą mgiełką sypał się na nich tynk.

– Skąd ten hałas?! – krzyknął Ridcully.

Odpowiedział mu chór niesłyszalnych wyrazów zdumienia oraz wzruszenia licznych ramion.

– Już ja się dowiem! – oświadczył nadrektor i pomaszerował do schodów. Pozostali ruszyli za nim.

Szedł, prawie nie zginając kolan ani łokci – pewna oznaka człowieka prostolinijnego w paskudnym humorze.

 Cała trójka nie odzywała się po drodze z Bębna. Nie mówili ani słowa, zmierzając do delikatesów Świdry. Milczeli, czekając w kolejce, a kiedy dotarli do lady, powiedzieli tylko:

– No więc... jedna quatre-rodenti z dodatkowymi traszkami, ale bez chili, jedna ostra klatchiańska z podwójnym salami i jedna cztery warstwy, nie dodawać smoły.

Usiedli, żeby zaczekać. Gitara zagrała krótki czteronutowy riff. Starali się o tym nie myśleć. Starali się myśleć o innych sprawach.

– Chyba zmienię sobie imię – stwierdził po chwili Lias. – No wiecie... Lias? Niedobre imię w muzycznym biznesie.

– Na jakie chcesz sobie zmienić? – zainteresował się Buog.

– Myślałżem... Tylko się nie śmiejcie... Myślałżem... Klif?

– Klif?

– Dobre trollowe imię. Bardzo skaliste. Nic w nim złego – zapewnił nieco zakłopotany Klif *né* Lias.

– No... niby tak... ale sam nie wiem... znaczy... Klif? Nie wyobrażam sobie, żeby w tym biznesie długo pociągnął ktoś z imieniem Klif.

– I tak lepsze niż Buog.

– Ja tam zostanę przy Buogu – oświadczył Buog. – A Imp zostanie przy Impie, prawda?

Imp patrzył na gitarę. Nie powinno tak być, myślał. Ledwie jej dotknąłem. Ja tylko... I jestem taki zmęczony... Ja...

– Nie jestem pewien – powiedział smętnym głosem. – Nie jestem pewien, czy Imp to odpowiednie imię dlla... dlla takiej muzyki.

Umilkł. Ziewnął.

– Imp? – odezwał się po chwili Buog.

– Hm?

W dodatku czuł wtedy, że ktoś go obserwuje. To głupie, naturalnie. Nie mógłby przecież się poskarżyć: „Byłem na scenie i zdawało mi się, że ktoś na mnie patrzy". Usłyszałby pewnie: „Tak? To czysty okultyzm, nie ma co...".

– Imp! – rzucił niespokojnie Buog. – Dlaczego tak pstrykasz palcami?

Imp spojrzał na swoje ręce.

– Pstrykałem?

– Tak.

– Zamyślliłem się. Moje imię... też nie jest odpowiednie do takiej muzyki.

– A co to oznacza w normalnym języku? – zainteresował się krasnolud.

– Wiecie, cała moja rodzina to y Celynowie – wyjaśnił Imp, nie

102

zwracając uwagi na obraźliwą sugestię dotyczącą starożytnej mowy.
– To znaczy „wśród niezabudek". To jedyne kwiatki, jakie rosną
w Llamedos. Inne zwyczajnie gniją.
– Nie chciałżem tego mówić – wtrącił Klif – ale „Imp" brzmi
dla mnie trochę jak „elf".
– Oznacza holl. Wiecie, taką sallę, gdzie odbywają się turnieje
bardów. Najllepsi dostają kwiaty. Imp y Celyn to tak jakby Holl
Wśród Niezabudek, w przenośni: kwietna nagroda.
– Imp Niezabudka? Może Zabudka? Bud? – próbował Buog.
– Buddy? Jeszcze gorzej niż Klif, moim zdaniem.
– Jak Buddy, to i Holly – zaproponował Klif.
– Chyba... chyba brzmi mniej więcej odpowiednio – stwierdził
Imp.
Buog wzruszył ramionami i wyciągnął z kieszeni garść monet.
– Zostały nam jeszcze ponad cztery dolary – przypomniał. –
I wiem, co powinniśmy z nimi zrobić.
– Powinniśmy je odłożyć na członkostwo w gilldii – stwierdził
nowo mianowany Buddy.
Buog zapatrzył się na średnią odległość.
– Nie – rzekł. – Nie mamy jeszcze właściwego brzmienia. Ow-
szem, było bardzo dobre, bardzo... nowe. – Spojrzał surowo na Im-
pa-*cum*-Buddy'ego. – Ale czegoś brakuje...
Raz jeszcze obrzucił Impa *né* Buddy'ego przenikliwym wzrokiem.
– Wiesz, że cały się trzęsiesz? Wiercisz się na stołku, jakbyś zjadł
kilo wiśni z pestkami.
– Nie mogę się powstrzymać – wyjaśnił Buddy. Spać mu się
chciało, ale rytm wciąż krążył po głowie.
– Też żem zauważył – zgodził się Klif. – Kiedy żeśmy tu szli, aż
żeś podskakiwał.
– I ciągle pstrykasz palcami – dodał Buog.
– Nie mogę przestać myślleć o muzyce. Masz rację. Trzeba
nam... – Zabębnił palcami po stole. – Takiego dźwięku... takiego...
pang, pang, pang, PANG, Pang...
– Masz na myśli klawiaturę? – domyślił się krasnolud.
– Tak?
– Do Domu Opery, zaraz za rzeką, sprowadzili jeden z tych no-
wych fortepianów.
– Tak, tylko że one na nic przy naszym rodzaju muzyki – za-

uważył Klif. – Dobre dla dużych, grubych gości w pudrowanych perukach.

– Myślę... – Buog znów spojrzał z ukosa na Buddy'ego – że kiedy postawimy taki obok Im... obok Buddy'ego, to szybko będzie się nadawał do naszej muzyki. Więc idźcie i go przynieście.

– Słyszałżem, że taki kosztuje ze czterysta dolarów. Nikt nie ma aż tylu zębów.

– Nie prosiłem, żebyś go kupował. Masz tylko... pożyczyć na trochę.

– To kradzież – zaprotestował Klif.

– Wcale nie. Oddamy go, jak już z nim skończymy.

– Aha. No to w porządku.

Buddy nie był ani perkusistą, ani trollem. Dostrzegał logiczną skazę w argumentacji Buoga. Jeszcze kilka tygodni temu powiedziałby o tym głośno. Wtedy jednak był grzecznym, uczęszczającym do kręgu chłopcem z dolin, który nie pił, nie przeklinał i grał na harfie przy każdym druidycznym ofiarowaniu.

Teraz jednak potrzebował tego fortepianu. Dźwięk był już prawie właściwy. Prawie.

Pstrykał palcami do rytmu własnych myśli.

– Ale nie mamy nikogo, co by na nim grał – przypomniał Klif.

– Ty zdobądź fortepian – rzekł Buog. – A ja sprowadzę pianistę. Przez cały czas zerkał na gitarę.

Magowie całą grupą zbliżali się do organów. Powietrze wokół wibrowało, jakby od upału.

– Co za ohydne dźwięki! – krzyknął wykładowca run współczesnych.

– No, nie wiem! – wrzasnął dziekan. – Wpada w ucho!

Niebieskie iskry przeskakiwały między piszczałkami organów. Wysoko wewnątrz drżącej konstrukcji widzieli bibiotekarza.

– Kto je pompuje? – huknął pierwszy prymus.

Ridcully spojrzał w bok. Zdawało się, że dźwignia unosi się i opada całkiem samodzielnie.

– Nie pozwolę na to – mruczał do siebie. – Nie na moim uniwersytecie! To gorsze niż studenci!

Podniósł kuszę i wystrzelił prosto w główne miechy.

Zabrzmiał przeciągły jęk w nucie a, po czym organy eksplodowały.

Historia kolejnych sekund została odtworzona podczas dyskusji w sali klubowej, gdzie wkrótce potem magowie udali się na coś mocniejszego lub – w przypadku kwestora – na ciepłe mleko.

Wykładowca run współczesnych przysięgał, że sześćdziesięcioczterostopowa piszczałka Gravissima pomknęła ku niebu na kolumnie ognia.

Kierownik Katedry Studiów Nieokreślonych i pierwszy prymus mówili, że kiedy znaleźli bibliotekarza głową w dół w jednej z fontann na Placu Sator, poza terenem uniwersytetu, powtarzał tylko „uuk, uuk" i uśmicchał się.

Kwestor twierdził, że widział kilkanaście nagich młodych kobiet podskakujących na jego łóżku, ale kwestor czasami opowiadał takie rzeczy, zwłaszcza kiedy długo nie wychodził na świeże powietrze.

Dziekan w ogóle się nie odzywał. Oczy miał zaszklone, a we włosach trzaskały mu iskry.

Zastanawiał się, czy pozwolą mu pomalować sypialnię na czarno.

...trwał jeszcze tylko rytm...

 Życiomierz Impa stał pośrodku blatu wielkiego biurka. Śmierć Szczurów krążył wokół niego i popiskiwał pod nosem.

Susan przyglądała się także. Bez żadnych wątpliwości, cały piasek znajdował się w dolnej części. Jednak coś zupełnie innego wypełniało górną część i sączyło się przez szyjkę. Było jasnoniebieskie i zwijało się gorączkowo w kłęby, niczym podniecony dym.

– Widziałeś już coś podobnego? – spytała.

PIP.

– Ja też nie.

Wstała. Cienie wokół ścian – teraz, kiedy już się do nich przyzwyczaiła – wyglądały jak rzucane przez... rzeczy – nie całkiem maszynerię, ale i nie do końca meble. Na trawniku przed pensją stał model układu planetarnego z żółwiem, słońcem i księżycem, a te niewyraźne kształty jakoś się z nim kojarzyły, choć jakie gwiazdy były tu przedstawione na swych mrocznych trajektoriach, nie potrafiła powiedzieć. Cienie zdawały się projekcjami obiektów zbyt dziwacznych, nawet jak na ten niezwykły wymiar.

Chciała uratować mu życie i to było słuszne. Wiedziała o tym. Kiedy tylko zobaczyła jego imię, odgadła... no, odgadła, że to ważne. Odziedziczyła część wspomnień Śmierci. Sama nie mogła znać tego chłopca, ale może on go kiedyś spotkał? Czuła, że jego imię i twarz wbiły się jej w pamięć tak mocno, że teraz pozostałe myśli zostały zmuszone, by wokół nich krążyć.

Coś innego ocaliło go wcześniej.

Raz jeszcze przysunęła życiomierz do ucha.

Uświadomiła sobie, że mimowolnie przytupuje nogą.

I zauważyła, że odległe cienie się poruszają.

Ruszyła biegiem po podłodze – prawdziwej podłodze, za granicami dywanu.

Cienie wyglądały tak, jak wyglądałaby matematyka, gdyby była materialna. Były tam ogromne krzywe... czegoś. Wskazówki, podobne do zegarowych, ale wielkie jak drzewa, sunęły wolno w powietrzu.

Śmierć Szczurów wspiął się jej na ramię.

– Pewnie nie wiesz, co się tu dzieje?

PIP.

Susan kiwnęła głową. Przypuszczała, że szczury umierają wtedy, kiedy powinny. Nie próbują oszukiwać ani powstawać z martwych. Nie istniało coś takiego jak szczurze zombie. Wiedziały, kiedy należy się wycofać.

Znowu spojrzała w szkło. Chłopak – używała tego określenia, tak jak zwykle dziewczęta mówią o młodych osobnikach płci męskiej o kilka lat starszych od siebie – chłopak zagrał akord na gitarze, czy co tam trzymał, i historia uległa skrzywieniu. Albo przeskoczyła.

Coś oprócz niej nie chciało, żeby umarł.

Była godzina druga w nocy i padał deszcz.

Funkcjonariusz Detrytus ze Straży Miejskiej Ankh-Morpork pełnił wartę przy budynku Opery. Takiego podejścia do patrolowania nauczył się od sierżanta Colona. Kiedy strażnik jest całkiem sam pośród deszczowej nocy, powinien zabrać się za pilnowanie czegoś dużego, z wygodnymi szerokimi okapami. Colon realizował tę politykę przez lata, dzięki czemu nie skradziono żadnego z miejskich pomników architektury*.

Noc mijała spokojnie. Mniej więcej przed godziną sześćdziesięcioczterostopowa piszczałka organowa spadła nagle z nieba. Detrytus podszedł, żeby zbadać krater, ale nie był całkiem pewien, czy to rzeczywiście przestępcza działalność. Poza tym, o ile wiedział, tak właśnie zdobywa się piszczałki do organów.

Od pięciu minut słyszał też dobiegające z budynku Opery głuche stukania, a od czasu do czasu głośny brzęk. Zanotował to w pamięci. Nie chciał wyjść na durnia. Nigdy jeszcze nie był w Operze. Nie miał pojęcia, jakie odgłosy powinny stamtąd dochodzić o drugiej w nocy.

Przez frontowe drzwi trochę niepewnie wysunęło się duże płaskie pudło o dziwacznym kształcie. Poruszało się dość nietypowo: kilka kroków naprzód, parę kroków wstecz. W dodatku mówiło do siebie.

Detrytus schylił się. Zobaczył – pomyślał chwilę – co najmniej siedem nóg różnych rozmiarów, z których tylko cztery posiadały stopy.

Powlókł się do pudła i stuknął je w bok.

– Dobry wieczór, dobry wieczór... Co się tu... dzieje? – zapytał skupiony, starając się nie pomylić niczego w zdaniu.

Pudło znieruchomiało.

– Jesteśmy... fortepianem – wyjaśniło po chwili.

Detrytus rozważył tę odpowiedź z należną powagą. Nie był pewien, co to jest fortepian.

– Fortepian może chodzić, tak? – upewnił się.

– Mamy nogi – stwierdził fortepian.

Detrytus musiał mu przyznać rację.

– Ale to środek nocy.

– Nawet fortepiany mają czasem wolne.

Detrytus poskrobał się po głowie. To chyba wyjaśniało wszystkie wątpliwości.

– No... W porządek – rzekł.

---

* No, może z wyjątkiem Niewidocznego Uniwersytetu, tylko raz – ale to okazało się studenckim figlem.

Patrzył, jak fortepian schodzi chwiejnie po marmurowych stopniach i znika za rogiem.

I cały czas gada do siebie.

– Jak myśllisz, ille mamy czasu?

– Chyba damy radę dojść do mostu. Nie ma dość rozumu, żeby być perkusistą.

– Ale jest polllicjantem.

– To co?

– Klif...

– Tak?

– Może nas złapać.

– Nie zdoła nas powstrzymać. Przybylimy z misją od Buoga.

– Fakt.

Fortepian sunął truchtem przez kałuże. Po chwili zapytał sam siebie:

– Buddy...

– Co?

– Dlaczego żem to powiedział?

– Co takiego?

– Żeśmy przybyli z misją... no wiesz... od Buoga.

– Nooo... Krasnollud powiedział nam: Idźcie i przynieście fortepian. A ma na imię Buog, więc...

– Tak... No tak... Ale... on przecież mógł nas zatrzymać, znaczy, co takiego dziwnego w jakiejś misji od jakiegoś krasnoluda...

– Może byłeś zwyczajnie trochę zmęczony.

– Może faktycznie – zgodził się z wdzięcznością fortepian.

– A poza tym naprawdę przybyllliśmy z misją od Buoga.

– Aha.

 Buog siedział w swojej kwaterze i obserwował gitarę. Przestała grać, kiedy wyszedł Buddy, chociaż jeśli przysunął ucho do strun, wciąż słyszał, że brzęczą cicho.

Po chwili bardzo ostrożnie wyciągnął rękę i dotknął...

Nazwanie rozbrzmiewającego nagle dźwięku dysonansem byłoby użyciem zbyt delikatnego określenia. Był jak warkot. Miał szpony.

Buog cofnął się. Dobrze. Oczywiście. To przecież instrument Buddy'ego. Instrument, na którym przez lata gra jedna osoba, często się do niej przystosowuje, choć – jak podpowiadało doświadczenie – zwykle nie aż tak, żeby gryźć innych. Buddy był właścicielem gitary niecały dzień, ale pewnie działała ta sama zasada.

Istniała krasnoludzia legenda o sławnym Rogu Furgle'a, który sam grał, kiedy zbliżało się niebezpieczeństwo, a także – z nieznanych przyczyn – w obecności chrzanu.

Nawet w Ankh-Morpork opowiadali podobną legendę: o jakimś starym bębnie w pałacu czy gdzieś, który sam bębnił, kiedy wroga flota płynęła w górę Ankh. W ostatnich wiekach legenda uległa zapomnieniu, częściowo dlatego, że nadeszła Epoka Rozumu, a częściowo dlatego, że żadna flota nie mogłaby wpłynąć na Ankh bez idącej przodem ekipy ludzi z łopatami.

Była też trollowa opowieść o pewnych kamieniach, które w mroźne noce...

Chodzi o to, że magiczne instrumenty pojawiały się całkiem często.

Buog znowu wyciągnął rękę.

Dżud-adud-adud-dum!

– Dobrze już, dobrze...

Stary sklep muzyczny był w końcu tuż przy uniwersytecie, a magia tam naprawdę przecieka, jakkolwiek magowie by tłumaczyli, że gadające szczury i chodzące drzewa to tylko odchylenia statystyczne. To jednak nie wyglądało na magię. Wydawało się o wiele starsze. Sprawiało wrażenie... muzyki.

Buog zastanowił się, czy nie powinien przekonać Im... Buddy'ego, żeby odniósł instrument do sklepu i wymienił na uczciwą gitarę...

Z drugiej strony sześć dolarów to sześć dolarów. Co najmniej.

Ktoś zastukał głośno do drzwi.

– Kto tam? – zapytał Buog.

Milczenie trwało dostatecznie długo, by mógł się domyślić. Postanowił pomóc.

– Klif?

– Tak. Mamy fortepian.

– Wnieście go.

– Żeśmy musieli ułamać nogi i klapę, i jeszcze parę innych kawałków, ale w zasadzie jest w porządku.

109

– No to go wnieście!

– Drzwi są za wąskie.

Buddy, wchodzący schodami za trollem, usłyszał trzask pękającego drewna.

– Spróbuj teraz.

– Pasuje idealnie.

Wokół drzwi zobaczył fortepianoksztaltny otwór w ścianie. Obok stał Buog z toporem w rękach. Buddy przyjrzał się odłamkom zaścielającym podest.

– Co wy wyprawiacie, do demona? – zapytał. – Przecież to nie nasza ściana.

– I co z tego? To nie nasz fortepian.

– Tak, alle... Nie możesz przecież wyrąbywać dziur w ścianach...

– A co jest ważniejsze? Ściana czy uzyskanie porządnego brzmienia?

Buddy zawahał się. Część jego umysłu mówiła: Śmieszne, przecież to tylko muzyka. Inna część mówiła bardziej stanowczo: Śmieszne, przecież to tylko ściana. A cały on odpowiedział:

– No... jeśli tak to ujmujesz... A gdzie jest pianista?

– Mówiłem, że wiem, gdzie go znaleźć – uspokoił go Buog.

Jakiś drobny fragment umysłu krasnoluda wciąż był zdumiony. Wyrąbałem dziurę w ścianie własnego pokoju! A tak się namęczyłem, żeby porządnie przybić tapety...

 Albert był w stajni, z taczką i łopatą.

– Dobrze poszło? – zapytał, kiedy cień Susan pojawił się w otwartej połówce wrót.

– No... tak... chyba.

– Miło słyszeć – rzucił Albert, nie podnosząc głowy. Łopata stuknęła o taczkę.

– Tylko że... zdarzyło się coś, co chyba nie jest normalne.

– Przykro słyszeć.

Albert i pchnął taczkę w stronę ogrodu.

Susan wiedziała, co powinna zrobić. Powinna przeprosić, po czym okazałoby się, że surowy stary Albert ma naprawdę złote serce, zaprzyjaźnią się, on jej pomoże i wszystko wytłumaczy, a potem...

Potem ona będzie głupiutką dziewczynką, która nie potrafi sama sobie radzić.

Nie.

Wróciła do stajni, gdzie Pimpuś badał właśnie zawartość wiadra.

Na Pensji dla Młodych Panien w Quirmie starano się obudzić u swoich wychowanek wiarę w siebie i umiejętność logicznego myślenia. Właśnie dlatego rodzice ją tam posłali.

Zakładali, że izolowanie jej od mglistych obrzeży rzeczywistego świata to najbezpieczniejsze rozwiązanie. W tych okolicznościach przypominało raczej ukrywanie przed kimś informacji o samoobronie, żeby nikt go nigdy nie zaatakował.

Na Niewidocznym Uniwersytecie byli przyzwyczajeni do ekscentrycznych pomysłów wykładowców. W końcu ludzie określają normalne zachowanie na podstawie ciągłych porównań z innymi wokół siebie. A kiedy ci inni są magami, spirala może się tylko rozkręcać. Bibliotekarz był orangutanem i nikogo to nie dziwiło. Docent Studiów Ezoterycznych tyle czasu poświęcał na lektury w czymś, co kwestor określał „najmniejszym pokojem"*, że powszechnie nazywano go docentem klozetowym, nawet w dokumentach oficjalnych. Sam kwestor w normalnym społeczeństwie uznawany byłby za bardziej odklejonego od rzeczywistości niż używany znaczek na deszczu. Dziekan poświęcił siedemnaście lat na pisanie traktatu *Użycie zgłoski ENK w zaklęciach lewitacyjnych wczesnego Okresu Zamieszania.* Nadrektor, który regularnie wykorzystywał galerę nad Głównym Holem do ćwiczeń łuczniczych i dwa razy przypadkiem postrzelił kwestora, uznawał pozostałych wykładowców za zwariowanych czubków, nieważne, czego to były czubki. „Za mało

---

* Najmniejszym pokojem na Niewidocznym Uniwersytecie była w rzeczywistości komórka na miotły na czwartym piętrze. Docent opracował teorię, że każda dobra książka w dowolnym budynku – a przynajmniej te naprawdę śmieszne** – grawitują ku stosowi w wychodku, ale nikt nigdy nie ma czasu ich czytać ani nawet nie wie, skąd się tam wzięły. Jego badania powodowały silne kłopoty żołądkowe i co rano długie kolejki przed drzwiami.

** Te z historyjkami obrazkowymi o psach i krowach. I podpisami w stylu „Gdy tylko Elmer zobaczył kaczkę, wiedział, że to będzie pechowy dzień".

świeżego powietrza", mawiał. „Za długo siedzą pod dachem. Mózg gnije od tego". A najczęściej mówił „Dziwacy!".

Żaden z wykładowców – nie licząc Ridcully'ego i bibliotekarza – nie lubił wcześnie wstawać. Śniadanie podawano, o ile w ogóle podawano, około południa. Magowie ustawiali się przy bufecie, zaglądali pod wielkie srebrne pokrywy półmisków i wzdrygali się przy każdym brzęknięciu. Ridcully lubił solidne, tłuste śniadania, zwłaszcza jeśli zawierały trochę półprzezroczyste kiełbaski z drobnymi zielonymi plamkami, co do których można było jedynie mieć nadzieję, że to jakieś zioła. Ponieważ ustalanie jadłospisu należało do przywilejów nadrektora, wielu co bardziej wybrednych magów w ogóle zrezygnowało ze śniadań. Przeżywali dzień jedynie na drugim śniadaniu, obiedzie, podwieczorku, herbatce, kolacji i czasem jakiejś przekąsce.

Rankiem więc niewielu ich zebrało się w Głównym Holu. Wyczuwali przeciągi. Robotnicy pracowali gdzieś na dachu.

Ridcully odłożył widelec.

– No dobrze... Kto to robi? Niech się natychmiast przyzna.

– Co robi, nadrektorze? – zdziwił się pierwszy prymus.

– Ktoś tupie nogą.

Magowie rozejrzeli się wokół siebie. Dziekan z błogą miną wpatrywał się w przestrzeń.

– Dziekanie! – zawołał pierwszy prymus.

Lewa dłoń dziekana zatrzymała się w okolicy jego ust, prawa wykonywała rytmiczne gesty, jakby głaskała coś przy jego nerkach.

– Nie wiem, co on takiego robi – rzekł Ridcully. – Ale uważam to za niehigieniczne.

– Wydaje mi się, nadrektorze, że gra na niewidzialnym banjo – domyślił się wykładowca run współczesnych.

– Przynajmniej cicho – mruknął Ridcully. Zerknął na dziurę w dachu wpuszczającą do holu niezwykłą tu jasność. – Ktoś widział bibliotekarza?

Orangutan był zajęty.

Ukrył się pod biblioteką, w jednej z piwnic używanej obecnie jako warsztat i lecznica książek. Były tu rozmaite prasy i gilotyny, a także stół zastawiony puszkami paskudnych substancji. Tutaj zajmował się oprawianiem, klejeniem i wszelką męczącą kosmetyką Muzy Literatury. Przyniósł tu ze sobą książkę. Odnalezienie jej nawet jemu zabrało kilka godzin.

W bibliotece znajdowały się nie tylko książki magiczne, te przykute łańcuchami do półek i bardzo niebezpieczne. Były tu również całkiem zwyczajne książki, drukowane na normalnym papierze całkiem pospolitym tuszem. Błędem byłoby sądzić, że nie są niebezpieczne tylko dlatego, że ich lektura nie wywoływała na niebie fajerwerków. Lektura ich dokonywała czasem o wiele trudniejszej sztuczki wzbudzania fajerwerków w odosobnieniu umysłu czytelnika.

Na przykład ciężki tom, otwarty teraz przed bibliotekarzem, zawierał zebrane rysunki i szkice Leonarda z Quirmu, utalentowanego artysty i słynnego geniusza o umyśle, który wędrował tak daleko, że nie przysyłał nawet pozdrowień.

Książki Leonarda były pełne szkiców – kociąt, tego, jak płynie woda, żon wpływowych kupców z Ankh-Morpork, których portrety dostarczały mu środków do życia. Leonard był jednak geniuszem doskonale wyczulonym na cuda tego świata. Dlatego na marginesach rysował odręcznie szczegółowe schematy tego, co w danej chwili zajmowało jego myśli: ogromnych, napędzanych wodą machin do obalania na głowy wroga miejskich murów, nowych typów machin oblężniczych pozwalających pompować na wroga płonący olej, rakiet na proch strzelniczy, które zasypywały wroga deszczem płonącego fosforu, oraz innych wynalazków Epoki Rozumu.

Było tam również coś jeszcze. Bibliotekarz zauważył to kiedyś przypadkiem i nieco się zdziwił. Projekt wydawał się trochę nie na miejscu*.

Jego owłosione palce przewracały stronice. Aha... Tutaj jest...

Tak. O TAK.

...Przemawiał do niego językiem Rytmu...

---

* W dodatku całkiem nic nie robił z wrogiem.

Nadrektor usadowił się wygodnie przy swoim stole bilardowym.

Już dawno pozbył się urzędowego biurka. Stół bilardowy okazał się o wiele wygodniejszy. Nic nie zsuwało się z blatu na podłogę, miał kilka wygodnych łuz, gdzie można trzymać słodycze i inne drobiazgi, a kiedy Ridcully się nudził, zawsze mógł zrzucić papiery i poćwiczyć technikę uderzeń*. Nigdy nie przejmował się tym, żeby przenieść papiery z powrotem na miejsce. Doświadczenie mówiło mu, że rzeczy ważne nigdy nie zostają zapisane, bo ludzie są zajęci krzyczeniem.

Sięgnął po pióro i zaczął pisać.

Układał swoje pamiętniki. Doszedł już do tytułu: *Brzegiem Ankh z kuszą, wędką i laską z gałką na czubku.*

„Niewielu zdaje sobie sprawę", pisał, „że Ankh posiada znaczną i różnorodną populację ryb...**".

Odrzucił pióro i gniewnie ruszył korytarzem do gabinetu dziekana.

– Co to było, do demona?! – krzyknął.

Dziekan podskoczył.

– To... to jest... to jest gitara, nadrektorze – wyjaśnił, cofając się przed Ridcullym. – Właśnie ją kupiłem.

– To widzę. I słyszę. Co właściwie pan tu wyprawia?

– Ćwiczyłem te, no... riffy. – Dziekan zamachał marnie wydrukowanym drzeworytem.

Nadrektor wyrwał mu papier.

– *Podręcznik gitarowy Blerta Wheedowna* – odczytał. – *Wygraj swój sukces w trzech prostych i osiemnastu trudnych lekcjach.* I co? Nie mam nic przeciwko gitarom, miłej atmosferze, podglądaniu młodych

---

* Był magiem. Dla magów uderzenia techniczne to nie typowe „trzy razy dookoła stołu". Jego najlepszy wyczyn to odbicie od bandy, odbicie od mewy, odbicie od potylicy kwestora, który przechodził przed gabinetem w zeszły wtorek (niewielkie zakłócenie temporalne) i trudny karambol sufitowy. Kula minęła łuzę o włos, ale strzał i tak był trudny.

** To prawda. Natura potrafi przystosować się niemal do wszystkiego. Istniały ryby, które wyewoluowały do życia w rzece. Wyglądały jak skrzyżowanie kraba o miękkiej skorupie z przemysłowym odkurzaczem, miały tendencję do eksplodowania w czystej wodzie, a czego się używa jako przynęty, nie powinno nikogo interesować. Były jednak rybami, a taki sportowiec jak Ridcully nie przejmuje się smakiem swoich zdobyczy.

dam w majowy poranek i tak dalej, ale to przecież nie gra. To zwykły hałas. Niby co to miało być?

– Krótkie solo oparte na skali pięciotonowej E, z motywem molowym?

Nadrektor zerknął na otwartą stronicę.

– Ale tutaj jest napisane *Kroki wróżki*.

– Eee, no... Byłem trochę niecierpliwy.

– Nigdy nie byłeś muzykalny, dziekanie – rzekł Ridcully. – To jedna z twoich zalet. Skąd to nagłe zainteresowanie... Co masz na nogach?

Dziekan spuścił wzrok.

– Tak mi się wydawało, że jesteś trochę wyższy – stwierdził Ridcully. – Stoisz na deskach?

– To tylko grube podeszwy – zapewnił dziekan. – Takie... takie coś, co wynalazły krasnoludy. Ogrodnik Modo twierdzi, że to koturny.

– To jak na Moda dość mocne określenie... Hm, kota urny... Ale powiedziałbym, że ma rację.

– Nie, to ten model podeszwy... – poprawił go załamany dziekan.

– Ehm... Przepraszam bardzo, nadrektorze...

To kwestor pojawił się w progu. Za nim stał potężny, czerwony na twarzy mężczyzna, który zaglądał mu przez ramię.

– O co chodzi, kwestorze?

– Tego... ten dżentelmen chce...

– Chodzi o waszego małpiszona – przerwał mu mężczyzna.

Ridcully się rozpromienił.

– Tak?

– Jak się wydaje, ukra... tego... zdjął koła z wózka tego dżentelmena – tłumaczył kwestor, który znajdował się na krzywej spadkowej swego cyklu psychicznego.

– Jesteście pewien, że to bibliotekarz?

– Gruby, ruda sierść, często mówi „uuk".

– To on. Coś podobnego. Ciekawe, czemu to zrobił – zastanawiał się Ridcully. – Z drugiej strony wiecie, jak to mówią: pięciusetfuntowy goryl może spać, gdzie mu się podoba.

– Ale trzystufuntowy małpiszon niech lepiej odda mi te przeklęte koła – oświadczył niewzruszony mężczyzna. – Jeśli nie dostanę swoich kół, będziecie mieli kłopoty.

– Kłopoty? – powtórzył Ridcully.

– Tak. I proszę mnie nie straszyć. Nie boję się magów. Wszyscy wiedzą, że prawo nie pozwala wam używać magii przeciwko cywilom. Mężczyzna zbliżył się do nadrektora i groźnie uniósł pięść. Ridcully pstryknął palcami. Dmuchnęło; zabrzmiał cichy skrzek.

– Zawsze uważałem to raczej za wskazówkę – powiedział łagodnie. – Kwestorze, wynieś tę żabę na trawnik, a kiedy znowu będzie sobą, wypłać mu dziesięć dolarów. Dziesięć dolarów wystarczy, prawda?

– Rech – zapewniła pospiesznie żaba.

– Dobrze. A teraz czy ktoś mógłby mi wytłumaczyć, co się tu właściwie dzieje?

Z dołu usłyszeli serię głośnych trzasków.

– Dlaczego jakoś mi się wydaje – zwrócił się Ridcully do świata jako całości – że to nie będzie odpowiedź?

Służba nakrywała stoły do drugiego śniadania, co zajmowało zwykle sporo czasu. Ponieważ magowie traktowali posiłki z powagą i zostawiali po sobie bałagan, stoły były permanentnie albo sprzątane, albo nakrywane, albo zajęte. Same nakrycia wymagały znacznej staranności: każdy z magów potrzebował dziewięciu noży, trzynastu widelców, dwunastu łyżek i jednego młoteczka – nie wspominając już o mnóstwie kieliszków.

Magowie pojawiali się zwykle dostatecznie wcześnie przed posiłkiem. Często nawet nie zdążyli jeszcze wstać od stołu po drugiej dokładce poprzedniego.

W tej chwili jeden z nich siedział przy stole.

– To runy współczesne, jak widzę – stwierdził nadrektor.

Wykładowca trzymał w rękach dwa noże. Przed sobą ustawił słoiczki z solą, pieprzem i musztardą. I talerz na ciasto. I parę pokryw do półmisków. Wszyskie je energicznie okładał nożami.

– Po co on to robi? – zdziwił się Ridcully. – Dziekanie, przestań przytupywać.

– To zaraźliwe – stwierdził dziekan.

– To zaraża – poprawił go Ridcully.

Wykładowca run współczesnych w skupieniu marszczył czoło. Widelce podskakiwały na blacie. Trafiona przypadkowym uderzeniem łyżka zawirowała w powietrzu i trafiła kwestora w ucho.

– Co on wyprawia?

– To bolało!

Magowie otoczyli wykładowcę run współczesnych. Nie zwracał na nich najmniejszej uwagi. Pot ściekał mu po brodzie.

– Właśnie stłukł komplet do przypraw – zauważył Ridcully.

– Będzie szczypało w oczy przez parę godzin.

– Owszem, ostry jest jak musztarda – przyznał dziekan.

– Żeby tylko nam nie dosolił – mruknął pierwszy prymus.

Nadrektor uniósł dłoń.

– Domyślam się, że ktoś zamierza zaraz powiedzieć coś w stylu: „Mam nadzieję, że straż się nie dopieprzy" – rzekł. – Albo: „Chłop jest dzisiaj nie w sosie". Założę się, że wszyscy myślicie, co by tu powiedzieć głupiego o keczupie. A ja chciałbym się tylko dowiedzieć, jaka jest różnica między moimi wykładowcami a bandą idiotów z groszkiem zamiast mózgów.

– Cha, cha, cha – wtrącił nerwowo kwestor, wciąż rozcierając ucho.

– To nie było pytanie retoryczne. – Ridcully wyrwał wykładowcy noże. Doświadczony profesor przez chwilę okładał jeszcze powietrze, po czym jakby się przebudził.

– Och, witam, nadrektorze. Jakieś kłopoty?

– Co robiłeś?

Wykładowca spojrzał zdziwiony na stół.

– Synkopował – podpowiedział dziekan.

– Wcale nie!

Ridcully zmarszczył czoło. Był człowiekiem gruboskórnym, prostolinijnym, taktownym jak młot parowy i obdarzony mniej więcej takim samym poczuciem humoru. Ale nie był głupi. Wiedział, że magowie są jak kurki na dachu albo kanarki, których górnicy używają do wykrywania przecieków gazu. Magowie z samej swej natury dostrojeni są do częstotliwości okultystycznych. Jeśli zdarzało się coś niezwykłego, to zwykle zdarzało się magom. Obracali się, można powiedzieć, twarzą do tego. Albo spadali z grzędy.

– Jakim cudem wszyscy nagle stali się tacy muzykalni? – zapytał.

– Używam tego terminu w najszerszym możliwym znaczeniu, oczywiście. – Przyjrzał się zebranym magom, po czym zerknął na podłogę. – Wszyscy macie kocie urny na butach!

Magowie z pewnym zdziwieniem popatrzyli na własne stopy.

– Słowo daję, rzeczywiście wydawało mi się, że jestem trochę

wyższy! – zawołał pierwszy prymus. – Myślałem, że to dzięki diecie
selerowej*.
  – Właściwym obuwiem maga są buty lekkie, spiczaste albo wy-
sokie i solidne – oświadczył Ridcully. – A kiedy czyjeś obuwie kocie-
je, coś nie pasuje.
  – To koturny – poprawił go dziekan. – Mają takie małe spicza-
ste cosie nad...
  Nadrektor oddychał ciężko.
  – Kiedy wasze buty zmieniają się same z siebie... – zaczął.
  – Coś magicznego zbliża się wielkimi krokami?
  – Cha, cha, to było niezłe, pierwszy prymusie – pochwalił dzie-
kan.
  – Chcę wiedzieć, co się dzieje – rzekł Ridcully cicho, groźnym
tonem. – I jeśli się wszyscy nie zamkniecie, będą kłopoty.
  Przeszukał kieszenie swej szaty i po kilku próbach znalazł thau-
mometr. Podniósł go.
  Na Niewidocznym Uniwersytecie poziom tła magicznego za-
wsze był wysoki, ale tym razem mała igiełka wskazywała pozycję
„Norma". W każdym razie przeciętnie – wychylała się tam i z po-
wrotem po skali niczym metronom.
  Ridcully pokazał thaumometr tak, żeby wszyscy mogli się przyjrzeć.
  – Co to jest? – zapytał.
  – Rytm cztery czwarte? – zgadywał dziekan.
  – Muzyka to nie magia. Nie bądź durniem. Muzyka to tylko
brzdąkanie, bębnienie i...
  Urwał nagle.
  – Czy ktoś wie o czymś, o czym powinien mi powiedzieć?
  Magowie zaszurali niepewnie stopami w niebieskich zamszo-
wych butach.
  – No cóż – odezwał się pierwszy prymus. – Faktem jest, że ze-
szłej nocy ja... to znaczy, chciałem powiedzieć, kilku z nas przecho-
dziło obok Załatanego Bębna...
  – Bona fide wędrowcy – dodał wykładowca run współczesnych.
  – Dozwolone jest bona fide wędrowcom napić się w lokalu z wy-

---

* Pierwszy prymus wyznawał teorię, że długie artykuły spożywcze – fasolka szparago-
wa, seler naciowy i rabarbar – czynią jedzącego wyższym, dzięki słynnej doktrynie pod-
pisu. Z pewnością czyniły go lżejszym.

szynkiem o każdej porze dnia i nocy. Wie pan, nadrektorze, statuty miejskie.

– A skąd to wędrowaliście? – zapytał groźnie Ridcully.

– Spod Kiści Winogron.

– Przecież to zaraz za rogiem.

– Tak, ale byliśmy... zmęczeni.

– Dobrze, rozumiem – uspokoił go nadrektor tonem człowieka, który wie, że jeśli pociągnie za nitkę trochę mocniej, spruje całą kamizelkę. – Był z wami bibliotekarz?

– Oczywiście.

– Mówcie dalej.

– No więc... była tam ta muzyka...

– Trochę brzękliwa – wtrącił pierwszy prymus.

– Z motywem przewodnim – dodał dziekan.

– I była...

– ...tak jakby...

– ...w pewnym sensie...

– ...tego rodzaju, który wciska się pod skórę i sprawia, że człowiek aż buzuje – dokończył dziekan. – A przy okazji, czy ktoś z was ma czarną farbę? Wszędzie szukałem.

– Pod skórę – mruczał Ridcully, skrobiąc się po brodzie. – Coś takiego... To jedna z tych... Coś znowu przesącza się do naszego wszechświata, co? Wpływy z Zewnętrza, co? Pamiętacie, co się stało, kiedy pan Hong otworzył bar rybny na wynos na miejscu ruin starej świątyni przy ulicy Dagona? Potem były te ruchome obrazki. Sprzeciwiałem im się od samego początku. I te druciane rzeczy na kółkach. Ten wszechświat ma więcej dziur niż ser quirmski. W każdym razie...

– Lancrański – poprawił go uprzejmie pierwszy prymus. – Lancrański ma dziury. Quirmski to ten z niebieskimi żyłkami.

Ridcully rzucił mu tylko gniewne spojrzenie.

– Właściwie to wcale nie wydawała się magiczna – oświadczył dziekan i westchnął.

Miał siedemdziesiąt dwa lata. Muzyka wzbudziła w nim uczucie, że znowu ma siedemnaście. Nie pamiętał, żeby był kiedyś w tym wieku – musiał akurat wtedy być zajęty. Ale poczuł się tak, jak wyobrażał sobie, że czuje się siedemnastolatek, to znaczy jakby przez cały czas nosił pod skórą rozgrzaną do czerwoności kamizelkę.

Chciał znowu usłyszeć muzykę.

– Wydaje mi się, że dzisiaj znowu będą tam grali – oznajmił niepewnie. – Moglibyśmy, tego... wybrać się i posłuchać. Żeby dowiedzieć się czegoś więcej na wypadek, gdyby muzyka była zagrożeniem dla społeczeństwa – dodał mężnie.

– Tak jest, dziekanie – poparł go wykładowca run współczesnych. – To nasz obywatelski obowiązek. Jesteśmy pierwszą linią nadprzyrodzonej obrony miasta. A gdyby tak potworne stwory zaczęły wyłazić z powietrza?

– Co wtedy? – zdziwił się kierownik studiów nieokreślonych.

– No... będziemy na miejscu.

– Aha. I to dobrze?

Ridcully przyglądał się swoim magom. Dwóch dyskretnie tupało do rytmu, a kilku zdawało się drgać lekko. Kwestor drgał lekko przez cały czas, ale taki już miał sposób bycia.

Jak kanarki, pomyślał. Albo piorunochrony.

– No dobrze – zgodził się niechętnie. – Pójdziemy. Ale nie będziemy zwracać na siebie uwagi.

– Oczywiście, nadrektorze.

– I każdy sam kupuje sobie drinki.

– No... dobrze.

Kapral (być może) Bawełna zasalutował, stając przed sierżantem, dowódcą fortu, który usiłował się ogolić.

– Chodzi o tego nowego rekruta, sir – zameldował. – Nie wykonuje rozkazów.

Sierżant skinął głową, patrząc tępo na przedmiot trzymany w dłoni.

– Brzytwa, sir – podpowiedział kapral. – On cały czas powtarza tylko coś w rodzaju TO SIĘ JESZCZE NIE DZIEJE.

– Próbowaliście zakopać go po szyję w piasku? To zwykle pomaga.

– To trochę... em... takie... niegrzeczne wobec ludzi... mam na czubku języka... – Kapral pstryknął palcami. – Takie, no... okrutne. Właśnie. Ostatnio nie skazujemy ludzi na Dziurę.

– Jesteśmy w końcu... – Sierżant spojrzał na lewą dłoń, gdzie miał zapisane kilka linijek tekstu. – Jesteśmy Legią Cudzoziemską.

120

– Tak jest, sir. Natychmiast, sir. On jest dziwny. Siedzi tylko bez przerwy. Nazwaliśmy go Beau Nierób, sir.

Zdumiony sierżant wpatrywał się w lustro.

– To pańska twarz, sir – poinformował go kapral.

Susan przyjrzała się sobie krytycznie. Susan... To raczej nie jest dobre imię, prawda? Nie jest też właściwie złym imieniem, nie jak u biednej Jodyny z czwartej klasy albo u Nigelli – jej imię oznacza tak naprawdę „oj, a chcieliśmy chłopca". Ale jest... nudne. Susan. Sue. Dobra poczciwa Sue. To imię, które przygotowuje kanapki, w trudnych sytuacjach nie traci głowy i można powierzyć mu pod opiekę cudze dzieci.

To imię, jakiego nigdy nie noszą królowe ani boginie.

I nie można go poprawić pisownią. Można je zmienić w Suzi, ale wtedy brzmi jak u kogoś, kto zarabia na życie tańcem po stołach. Można wcisnąć do środka Z, parę N albo E, ale wciąż wyglądało na imię z dobudowanymi rozszerzeniami. Nie było lepsze niż Sara – imię, które wręcz krzyczy o protetyczne H na końcu.

Cóż, można przynajmniej poprawić swój wygląd.

Ta szata... Może i jest tradycyjna, ale ona, Susan, wcale nie jest. Jako alternatywę miała do dyspozycji swój szkolny mundurek albo jedną z różowych kreacji mamy. Obszerna sukienka Quirmskiej Pensji dla Młodych Panien była dumnym odzieniem i – przynajmniej w opinii panny Butts – chroniącym przed wszelkimi pokusami cielesnymi... ale brakowało jej pewnego szyku, niezbędnego kostiumowi Ostatecznej Realności. O różowym nie warto nawet myśleć.

Po raz pierwszy w historii wszechświata Śmierć zastanawiała się, co na siebie włożyć.

– Chwileczkę... – zwróciła się do swojego odbicia. – Tutaj... Tutaj mogę stwarzać różne rzeczy, prawda?

Wyciągnęła rękę i pomyślała: kubek. Kubek pojawił się w jej dłoni. Wzdłuż brzegu miał deseń czaszek i kości.

– Aha – mruknęła Susan. – Szlaczek różyczek pewnie jest wykluczony? Przypuszczam, że nie pasuje do atmosfery.

Postawiła kubek na stole i puknęła go palcem. Brzęknął w całkiem solidny sposób.

– Dobrze więc – rzekła. – Nie chcę niczego ckliwego ani krzykliwego. Żadnych bezsensownych czarnych koronek ani nic, co noszą idioci, którzy w swoich pokojach piszą wiersze i ubierają się jak wampiry, a naprawdę są wegetarianami.

Wizje sukni przesuwały się po jej odbiciu. Było oczywiste, że czerń to jedyna możliwość; zdecydowała się więc na coś praktycznego, bez przesadnych ozdób czy falbanek. Przechyliła głowę na bok, oceniając rezultat.

– No, może jednak odrobinę koronki – powiedziała. – I... trochę więcej... stanu.

Kiwnęła odbiciu głową. Z pewnością był to kostium, jakiego nie nosiłaby żadna Susan. Podejrzewała jednak, że ona sama ma w sobie jakąś zasadniczą susannowość, która prędzej czy później przeniknie i suknię.

– Dobrze, że tu jesteś – powiedziała do siebie. – Inaczej całkiem bym zwariowała, cha, cha.

Po czym ruszyła zobaczyć się z dziad... ze Śmiercią.

Istniało takie miejsce, gdzie musiał być.

 Buog wszedł cicho do uniwersyteckiej biblioteki. Krasnoludy żywiły głęboki szacunek dla edukacji, pod warunkiem że nie musiały jej doświadczać osobiście.

Pociągnął za połę szaty przechodzącego młodego maga.

– Tym wszystkim kieruje pewna małpa, prawda? – powiedział. – Wielka, gruba, włochata małpa z łapami długimi na parę oktaw.

Mag, blady student podyplomowy, spojrzał na Buoga z góry z pewnym lekceważeniem, jakie niektóre osoby zawsze rezerwują dla krasnoludów.

Studia na Niewidocznym Uniwersytecie nie były wcale zabawne. Człowiek musiał szukać rozrywki, gdzie tylko mógł. Mag uśmiechnął się więc szeroko i niewinnie.

– Zgadza się – potwierdził. – O ile wiem, w tej chwili jest w swoim warsztacie, w podziemiach. Ale musisz bardzo uważać, jak się do niego zwracasz.

– Naprawdę? – zdziwił się Buog.

– Tak. Koniecznie musisz powiedzieć: Może fistaszka, panie Małpiszonie. – Młody mag przywołał gestem paru kolegów. – To chyba wystarczy, prawda? Musi tylko powiedzieć: panie Małpiszonie?

– Tak – zgodził się inny ze studentów. – Chociaż, jeśli ma się nie zdenerwować, lepiej dla bezpieczeństwa drapać się też pod pachami. To go zawsze uspokaja.

– I wtrącać: ugh, ugh, ugh – dodał trzeci. – On to lubi.

– Bardzo panom dziękuję – powiedział Buog. – Dokąd mam pójść?

– Pokażemy ci – zapewnił pierwszy student.

– Bardzo panowie uprzejmi...

Trzech magów poprowadziło Buoga schodami w dół, a potem niskim tunelem. Drogę rozjaśniały im z rzadka promienie światła wpadające przez zielonkawe panele osadzone w podłodze piętro wyżej. Od czasu do czasu Buog słyszał za sobą chichot.

Bibliotekarz przykucnął na podłodze w długiej, wąskiej piwnicy. Przed nim leżały porozrzucane dziwne przedmioty: koło wozu, kawałki drewna i kości, rozmaite rury, pręty i odcinki drutu. Sugerowały jakoś, że w całym mieście różni ludzie stali zdumieni nad zepsutymi pompami i dziurami w płotach. Bibliotekarz przygryzał koniec rury i w skupieniu przyglądał się zebranemu stosowi.

– To on – wyjaśnił jeden z magów i lekko popchnął Buoga do przodu.

Krasnolud podszedł wolno. Za nim znowu wybuchł zduszony chichot.

Stuknął bibliotekarza w ramię.

– Przepraszam bardzo...

– Uuk?

– Ci tam przed chwilą nazwali cię małpiszonem – oświadczył Buog, wystawiając kciuk w kierunku drzwi. – Na twoim miejscu postarałbym się, żeby tego pożałowali.

Rozległ się metaliczny zgrzyt, a potem szybkie kroki w korytarzu, gdy magowie deptali po sobie, by zniknąć stąd jak najszybciej.

Bibliotekarz – na pozór bez wysiłku – zgiął rurę w kształt U.

Buog wrócił i wyjrzał za drzwi. Na kamieniach leżał zdeptany na płasko kapelusz.

– To było zabawne – powiedział. – Gdybym ich zwyczajnie zapytał, gdzie jest bibliotekarz, powiedzieliby: wynocha stąd, krasnoludzie jeden. W tej grze trzeba mieć właściwe podejście do ludzi.

Usiadł obok bibliotekarza. Orangutan dodał jeszcze jedno niewielkie wygięcie na rurze.

– Co robisz? – spytał Buog.

– Uuk-uuk-UK!

– Mój kuzyn, Modo, jest tu ogrodnikiem. Twierdzi, że ostry z ciebie klawiszowiec. – Buog spojrzał na dłonie zajęte gięciem rury. Były... wielkie. I było ich cztery. – Widzę, że przynajmniej częściowo miał rację.

Małpa sięgnęła po kawałek drewna i skosztowała go.

– Pomyśleliśmy, że może chciałbyś zagrać u nas na fortepianie. Dziś wieczorem, Pod Załatanym Bębnem. Znaczy się ja, Klif i Buddy.

Bibliotekarz zerknął na niego brązowym okiem, chwycił kij i zaczął przebierać palcami po nieistniejących strunach.

– Uuk?

– Zgadza się – potwierdził Buog. – Chłopak z gitarą.

– Iiik!

Bibliotekarz zrobił salto w tył.

– Uukuuk-uka-uka-UUka-UUK!

– Widzę, że już łapiesz rytm – pochwalił Buog.

Susan osiodłała konia i wskoczyła mu na grzbiet. Za ogrodem Śmierci rozciągały się pola – ich złocisty połysk był jedyną barwą w pejzażu. Śmierć może nie radził sobie najlepiej z trawą (czarną) i jabłoniami (lśniąca czerń na czerni), ale całą głębię koloru, której nie wykorzystał gdzie indziej, zużył na polach. Falowały jakby na wietrze, tyle że nie było żadnego wiatru.

Susan nie miała pojęcia, dlaczego to zrobił.

Widziała jednak dróżkę, która biegła przez pola jakieś pół mili, po czym znikała nagle. Wyglądała, jakby ktoś spacerował tam od czasu do czasu, a potem się zatrzymywał i stał w miejscu. Może się rozglądał.

Pimpuś pobiegł ścieżką i stanął na jej końcu. Potem obejrzał się; dokonał tego, nie poruszając nawet uchem.

– Nie wiem, jak to robisz – szepnęła Susan. – Ale na pewno potrafisz i wiesz, dokąd chcę dotrzeć.

124

Zdawało się, że koń skinął łbem. Albert twierdził, że Pimpuś to najprawdziwszy koń z krwi i kości, ale pewnie nie można być przez setki lat wierzchowcem Śmierci i niczego się nie nauczyć. Wyglądał zresztą, jakby od samego początku był dość mądry.

Ruszył stępa, później kłusem, wreszcie galopem. A potem niebo zamigotało – tylko raz.

Susan spodziewała się czegoś więcej. Rozbłyskujących gwiazd, może jakiejś eksplozji tęczowych barw... nie tylko pojedynczego mrugnięcia. To dość lekceważący sposób podróżowania przez niemal siedemnaście lat.

Pola zniknęły, ale ogród właściwie się nie zmienił. Nadal rosły tu dziwnie przystrzyżone krzewy i był staw ze szkieletem ryby. Stały też, popychając zabawne taczki lub dzierżąc małe kosy, ogrodowe gnomy. Przynajmniej w ogrodach śmiertelników byłyby gipsowymi gnomami – tutaj ich role pełniły wesołe szkielety w czarnych szatach. Pewne rzeczy się nic zmieniają.

Stajnia za to trochę się różniła. Przede wszystkim stał w niej Pimpuś.

Zarżał cicho, kiedy Susan wprowadziła go do pustego boksu obok niego samego.

– Jestem pewna, że dobrze się znacie – powiedziała.

Nie liczyła, że się jej uda, ale przecież musiało, prawda? Czas to coś, co przytrafia się innym, prawda?

Wśliznęła się do domu.

 NIE. NIE MOŻNA MNIE UBŁAGAĆ. NIE MOŻNA MNIE ZMUSIĆ. UCZYNIĘ TYLKO TO, O CZYM WIEM, ŻE JEST SŁUSZNE.

Susan przekradała się między rzędami życiomierzy. Nikt jej nie zauważył. Kiedy patrzy się na walkę Śmierci, nie dostrzega się cieni w tle.

Nie powiedzieli jej o tym. Rodzice nigdy nie mówią. Ojciec mógł być kiedyś uczniem Śmierci, a matka adoptowaną córką Śmierci, ale okazało się to tylko nieistotnym szczegółem, kiedy zostali już rodzicami. Rodzice nigdy nie byli młodzi. Czekali tylko, aż staną się rodzicami.

Susan dotarła do końca półki.

Śmierć stał nad jej ojcem... nad chłopcem, który zostanie jej ojcem, poprawiła się natychmiast.

Trzy czerwone pręgi płonęły na policzku chłopca w miejscu, gdzie Śmierć go uderzył. Musnęła palcami blade ślady na własnej twarzy.

Ale przecież nie tak działa dziedziczenie.

Przynajmniej... nie to normalne.

Jej matka... dziewczyna, która będzie jej matką, stała przyciśnięta do kolumny. Z wiekiem jej wygląd się poprawił, uznała Susan, a już na pewno gust w doborze strojów. I otrząsnęła się w myślach. Komentarze na temat mody? W takiej chwili?

Śmierć stał nad chłopcem z mieczem w jednej ręce i życiomierzem Morta w drugiej.

NIE MASZ POJĘCIA, JAK BARDZO MI PRZYKRO Z TEGO POWODU, powiedział.

– Może i mam – odparł Mort.

Śmierć uniósł głowę i spojrzał prosto na Susan. Oczodoły na moment zapłonęły mu błękitem. Susan usiłowała wcisnąć się w cień.

Przez chwilę patrzył na Morta, potem na Ysabell, znowu na Susan, a potem jeszcze raz na Morta. Roześmiał się.

I odwrócił klepsydrę.

Pstryknął palcami.

Mort zniknął z cichym podmuchem. Podobnie Ysabell. I pozostali.

Nagle zrobiło się bardzo cicho.

Śmierć bardzo ostrożnie odstawił klepsydrę na biurko i spojrzał w sufit.

ALBERCIE, powiedział głośno.

Albert wynurzył się zza kolumny.

BĄDŹ TAK MIŁY I PRZYGOTUJ MI FILIŻANKĘ HERBATY, JEŚLI MOŻNA.

– Tak, panie. He, he, pokazałeś mu, jak należy...

DZIĘKUJĘ.

Albert odszedł w stronę kuchni.

Raz jeszcze zapadło to, co można uznać za całkowitą ciszę w pomieszczeniu pełnym życiomierzy.

MOŻESZ SIĘ JUŻ POKAZAĆ.

Susan wykonała polecenie i stanęła przed Ostateczną Realnością.

Śmierć miał siedem stóp wzrostu. Wydawało się, że więcej. Susan pamiętała niewyraźnie postać noszącą ją na ramionach w ogromnych, mrocznych pokojach... Ale w jej wspomnieniach była to ludzka postać – koścista, ale ludzka w sposób, którego była pewna, ale nie potrafiła dokładnie określić.

Teraz nie stał przed nią człowiek. Był wysoki, dumny i straszny. Może nagiąć się tak, by nagiąć Reguły, ale nie czyni go to ludzkim. Oto strażnik bram świata. Nieśmiertelny z definicji. Koniec wszech rzeczy.

Mój dziadek.

W każdym razie będzie nim. Jest. Był.

Ale... było jeszcze to coś na jabłoni. Jej umysł powracał do tamtego obrazu. Patrzyła na groźną postać i myślała o drzewie. Prawie niemożliwe było utrzymanie obu wizji w jednym umyśle.

NO, NO, powiedział Śmierć. MASZ W SOBIE WIELE Z MATKI. I Z OJCA RÓWNIEŻ.

– Skąd wiedziałeś, kim jestem? – spytała Susan.

MAM WYJĄTKOWĄ PAMIĘĆ.

– Jak możesz mnie pamiętać? Nie zostałam jeszcze nawet poczęta!

POWIEDZIAŁEM: WYJĄTKOWĄ. MASZ NA IMIĘ...

– Susan, ale...

SUSAN? powtórzył z goryczą Śmierć. NO TAK, CHCIELI MIEĆ PEWNOŚĆ, CO?

Usiadł w fotelu, splótł palce i ponad nimi spojrzał na wnuczkę. Susan odpowiedziała mu spojrzeniem równie nieruchomym.

POWIEDZ, rzekł Śmierć po chwili, CZY BYŁEM... BĘDĘ... CZY JESTEM DOBRYM DZIADKIEM?

Susan zastanowiła się, przygryzając wargę.

– Jeżeli powiem, czy nie wywoła to paradoksu?

NIE DLA NAS.

– No więc... Masz kościste kolana.

Śmierć spojrzał zdziwiony.

KOŚCISTE KOLANA?

– Przykro mi.

PRZYBYŁAŚ TU, ŻEBY MI TO POWIEDZIEĆ?

– Zaginąłeś... tam, skąd przychodzę. Na mnie spadły twoje obowiązki. Albert bardzo się niepokoi. Przybyłam, żeby sprawdzić, co się dzieje. Nie wiedziałam, że tato dla ciebie pracował.

MARNIE MU TO WYCHODZIŁO.

– Co z nim zrobiłeś?

NA RAZIE SĄ BEZPIECZNI. CIESZĘ SIĘ, ŻE JUŻ PO WSZYSTKIM. OBECNOŚĆ LUDZI TUTAJ ZACZYNAŁA WPŁYWAĆ NA MOJE SĄDY. AHA, ALBERCIE...

Albert pojawił się z herbatą na tacy.

JESZCZE FILIŻANKĘ, JEŚLI MOŻNA.

Albert rozejrzał się i nie zdołał dostrzec Susan. Jeśli ktoś potrafi stać się niewidzialny dla panny Butts, dla innych nie sprawia mu to żadnych trudności.

– Jak sobie życzysz, panie.

A ZATEM, powiedział Śmierć, gdy Albert wyszedł, GDZIEŚ ZAGINĄŁEM. A TY WIERZYSZ, ŻE ODZIEDZICZYŁAŚ RODZINNY INTERES? TY?

– Wcale nie chciałam! Ale zjawili się koń i szczur!

SZCZUR?

– Ee... To chyba coś, co dopiero ma się zdarzyć.

A TAK. PAMIĘTAM. HM... CZŁOWIEK WYKONUJĄCY MOJĄ PRACĘ? TECHNICZNIE MOŻLIWE, OCZYWIŚCIE, ALE CZEMU?

– Myślę, że Albert coś wie, ale wciąż zmienia temat.

Powrócił Albert, niosąc drugą filiżankę i spodek. Postawił je na biurku Śmierci z miną człowieka, którego uprzejmość jest nadużywana.

– Czy to już wszystko, panie?

DZIĘKUJĘ CI, ALBERCIE. TAK.

Albert wyszedł znowu, wolniej niż zazwyczaj. Oglądał się przez ramię.

– On się wcale nie zmienia, prawda? – zauważyła Susan. – Oczywiście, to normalne w tym miejscu.

CO MYŚLISZ O KOTACH?

– Słucham?

KOTY. LUBISZ JE?

– Są... – Susan zawahała się. – Miłe. Ale to tylko koty.

CZEKOLADA, powiedział Śmierć. LUBISZ CZEKOLADĘ?

– Myślę, że możliwe jest, by zjeść jej za dużo.

Z PEWNOŚCIĄ NIE WE WSZYSTKIM JESTEŚ PODOBNA DO YSABELL.

Susan kiwnęła głową. Ulubionym daniem jej matki było Czekoladowe Ludobójstwo.

A TWOJA PAMIĘĆ? MASZ DOBRĄ PAMIĘĆ?

– O tak. Pamiętam... rzeczy. O tym, jak być Śmiercią. I jak to wszystko powinno działać. Posłuchaj, kiedy powiedziałeś, że pamiętasz o szczurze, a to się jeszcze nie...

Śmierć wstał i podszedł do modelu świata Dysku.

REZONANS MORFICZNY, wyjaśnił. DO LICHA, LUDZIE NAWET NIE ZACZĘLI GO POJMOWAĆ. WIBRACJE DUSZY. ODPOWIADAJĄ ZA TAK WIELE ZJAWISK...

Susan wyjęła życiomierz Impa. Błękitny dym wciąż przelewał się przez szyjkę.

– Czy możesz mi z tym pomóc? – zapytała.

Śmierć odwrócił się gwałtownie.

NIE POWINIENEM W OGÓLE ADOPTOWAĆ TWOJEJ MATKI.

– A dlaczego to zrobiłeś?

Wzruszył ramionami.

CO TAM PRZYNIOSŁAŚ?

Wziął od niej życiomierz Buddy'ego, podniósł i przyjrzał się uważnie.

ACH. INTERESUJĄCE.

– Wiesz, co to oznacza, dziadziu?

NIE SPOTKAŁEM SIĘ JESZCZE Z CZYMŚ TAKIM, ALE SĄDZĘ, ŻE TO MOŻLIWE. W PEWNYCH OKOLICZNOŚCIACH. TO ZNACZY... MNIEJ WIĘCEJ... ŻE ON MA W DUSZY RYTM... DZIADZIU?

– Och, nie! To niemożliwe! To tylko takie powiedzenie! I co ci się nie podoba w dziadziu?

DZIADKA JAKOŚ WYTRZYMAM. DZIADZIU? MOIM ZDANIEM TO TYLKO KROK OD DZIADUNIA. POZA TYM SĄDZIŁEM, ŻE WIERZYSZ W LOGIKĘ. TO, ŻE COŚ JEST POWIEDZENIEM, NIE ZNACZY JESZCZE, ŻE NIE JEST PRAWDĄ.

Śmierć machnął klepsydrą.

NA PRZYKŁAD WIELE ZDARZEŃ CZYNI CZŁOWIEKA SZCZĘŚLIWSZYM NIŻ NAPLUCIE W KIESZEŃ. NIGDY NIE MOGŁEM ZROZUMIEĆ TEGO POWIEDZONKA. OCZYWIŚCIE, MOŻNA ZNALEŹĆ W KIESZENI GORSZE RZECZY...

Urwał nagle.

ZNOWU TO ROBIĘ! CZEMU MNIE INTERESUJE, CO ZNACZY TO PRZEKLĘTE ZDANIE? ALBO TO, JAK MNIE NAZYWASZ? NIEISTOT-NE! PLĄTANIE SIĘ W LUDZKIE SPRAWY PRZYĆMIEWA JASNOŚĆ MYŚLENIA. MOŻESZ MI WIERZYĆ. STARAJ SIĘ NIE MIESZAĆ.

– Ale ja jestem człowiekiem.

NIE MÓWIŁEM, ŻE TO BĘDZIE ŁATWE, PRAWDA? STARAJ SIĘ NIE MYŚLEĆ. NIE ODCZUWAJ.

– Jesteś w tym ekspertem, co? – rzuciła gniewnie Susan.

BYĆ MOŻE, W NIEDALEKIEJ PRZESZŁOŚCI POZWOLIŁEM SOBIE NA JAKIEŚ DRGNIENIE EMOCJI, przyznał Śmierć. ALE MOGĘ Z TEGO ZREZYGNOWAĆ, KIEDY TYLKO ZECHCĘ.

Znowu podniósł klepsydrę.

TO PEWNA CIEKAWOSTKA, ŻE MUZYKA, BĘDĄC ZE SWEJ NA-TURY NIEŚMIERTELNA, POTRAFI CZASEM PRZEDŁUŻYĆ ŻYCIE TYCH, KTÓRZY SĄ Z NIĄ BLISKO ZWIĄZANI, wyjaśnił. ZAUWAŻYŁEM, ŻE W SZCZEGÓLNOŚCI SŁAWNI KOMPOZYTORZY ŻYJĄ ZWYKLE BARDZO DŁUGO. W WIĘKSZOŚCI SĄ GŁUSI JAK PIEŃ, KIEDY PO NICH PRZYCHODZĘ. PODEJRZEWAM, ŻE GDZIEŚ JAKIŚ BÓG UWAŻA TO ZA BARDZO ZABAWNE. Śmierć zdołał jakoś zrobić pogardliwą minę. ONI LUBIĄ TAKIE DOWCIPY*.

Odstawił życiomierz na biurko i stuknął go kościstym palcem. Szkło zadźwięczało: uauuummmiii-dida-dida-didong.

ON NIE MA JUŻ ŻYCIA. MA TYLKO MUZYKĘ.

– Muzyka go opanowała?

MOŻNA TO TAK OKREŚLIĆ.

– I wydłuża mu życie?

ŻYCIE DA SIĘ WYDŁUŻYĆ. ZDARZA SIĘ TO CZASAMI MIĘDZY LUDŹ-MI. NIECZĘSTO. ZWYKLE JEST TRAGICZNE, W NIECO TEATRALNYM STYLU. ALE TUTAJ NIE MAMY DRUGIEGO CZŁOWIEKA. TO MUZYKA.

– On grał na czymś... na jakimś instrumencie strunowym, po-dobnym trochę do gitary...

Śmierć odwrócił się.

DOPRAWDY? NO, NO...

– Czy to ważne?

---

* Dowcipy całkiem nieudane, oczywiście. Głuchota nie przeszkadza kompozyto-rom w słyszeniu muzyki. Pozwala im za to nie słyszeć żadnych zakłóceń.

TO... CIEKAWE.
– Czy to coś, co powinnam wiedzieć?
NIC WAŻNEGO. FRAGMENT MITOLOGICZNYCH ODPADKÓW.
SPRAWY SAME SIĘ UŁOŻĄ, MOŻESZ MI WIERZYĆ.
– Co to znaczy, że same się ułożą?
PRAWDOPODOBNIE ZA KILKA DNI BĘDZIE MARTWY.
Susan spojrzała na życiomierz.
– Przecież to okropne!
CZY JESTEŚ ROMANTYCZNIE ZAANGAŻOWANA W ZWIĄZEK
Z TYM MŁODYM CZŁOWIEKIEM?
– Co? Nie! Widziałam go pierwszy raz w życiu.
WASZE OCZY NIE SPOTKAŁY SIĘ W ZATŁOCZONEJ SALI ANI
NIC TAKIEGO?
– Nie. Oczywiście, że nie.
WIĘC DLACZEGO SIĘ PRZEJMUJESZ?
– Ponieważ on jest... Ponieważ to istota ludzka. Dlatego – od-
parła Susan, sama trochę zdziwiona. – Nie rozumiem, jak można
tak krzywdzić ludzi – dodała niepewnie. – To wszystko. Och, sama
nie wiem!
Śmierć pochylił się, aż jego czaszka znalazła się na poziomie
jej twarzy.
ALE WIĘKSZOŚĆ LUDZI JEST RACZEJ GŁUPIA I MARNUJE SWOJE
ŻYCIE. PRZEKONAŁAŚ SIĘ JUŻ? CZY NIE PATRZYŁAŚ Z KONIA W DÓŁ,
NA MIASTO, I NIE MYŚLAŁAŚ, JAK BARDZO PRZYPOMINA KOPIEC
MRÓWEK PEŁEN ŚLEPYCH STWORZEŃ WIERZĄCYCH, ŻE ICH PRZY-
ZIEMNY MAŁY ŚWIATEK JEST PRAWDZIWY? WIDZISZ OŚWIETLONE
OKNA I CHCESZ WIERZYĆ, ŻE KRYJĄ SIĘ ZA NIMI CIEKAWE HISTO-
RIE. ALE WIESZ, ŻE TAK NAPRAWDĘ SĄ ZA NIMI NUDNE DUSZYCZ-
KI, ZWYKLI KONSUMENCI ŻYWNOŚCI, KTÓRZY SWOJE INSTYNKTY
BIORĄ ZA EMOCJE, A SWE KRÓTKIE ŻYWOTY ZA ISTOTNIEJSZE OD
SZEPTÓW WIATRU.
Błękitny blask wydawał się bezdenny. Miała wrażenie, że wysy-
sa z mózgu jej własne myśli.
– Nie – szepnęła. – Nigdy tak nie myślałam.
Śmierć wyprostował się gwałtownie i odwrócił.
PRZEKONASZ SIĘ, ŻE TO POMAGA, stwierdził krótko.
– Przecież to tylko chaos – zaprotestowała Susan. – Nie ma żad-
nego sensu w tym, jak umierają ludzie. Nie ma sprawiedliwości.

HA.

– Sam się wtrąciłeś – przypomniała. – Ocaliłeś mojego ojca.

BYŁEM LEKKOMYŚLNY. ZMIENIĆ LOS JEDNEJ ISTOTY TO ZMIENIĆ ŚWIAT. PAMIĘTAM O TYM. TY RÓWNIEŻ POWINNAŚ PAMIĘTAĆ.

Wciąż stał odwrócony do niej plecami.

– Nie rozumiem, dlaczego nie mielibyśmy czegoś zmienić, jeśli świat stanie się wtedy lepszy.

HA.

– A może boisz się zmieniać świat?

Śmierć odwrócił się jeszcze. Sam widok jego twarzy sprawił, że Susan cofnęła się odruchowo.

Zbliżył się do niej powoli. Głos, kiedy się wydobył, przypominał syk.

TY MI TO ZARZUCASZ? STOISZ TAK W TEJ SWOJEJ ŚLICZNEJ SUKNI I ŚMIESZ MI TO ZARZUCAĆ? TY? TY MÓWISZ O ZMIENIANIU ŚWIATA? CZY POTRAFISZ ZNALEŹĆ W SOBIE DOŚĆ ODWAGI, BY WZIĄĆ TO NA SIEBIE? WIEDZIEĆ, CO TRZEBA ZROBIĆ, I ZROBIĆ TO, NIE OGLĄDAJĄC SIĘ NA KOSZTY? CZY GDZIEŚ NA ŚWIECIE ZNAJDZIE SIĘ CHOĆ JEDNA LUDZKA ISTOTA, KTÓRA WIE, CO TO ZNACZY OBOWIĄZEK?

Konwulsyjnie zaciskał i prostował palce.

POWIEDZIAŁEM, ŻE MUSISZ PAMIĘTAĆ... DLA NAS CZAS JEST JEDYNIE MIEJSCEM. JEST ROZCIĄGNIĘTY. ISTNIEJE TO, CO JEST, I TO, CO BĘDZIE. JEŚLI TO ZMIENISZ, NA TOBIE SPOCZNIE ODPOWIEDZIALNOŚĆ ZA TĘ ZMIANĘ. A TO ZBYT CIĘŻKIE BRZEMIĘ.

– To tylko wymówka.

Susan spojrzała gniewnie na wysoką postać w czerni. Potem odwróciła się gniewnie i pomaszerowała do drzwi.

SUSAN...

Przystanęła w połowie drogi, ale się nie obejrzała.

– Tak?

NAPRAWDĘ... KOŚCISTE KOLANA?

– Tak!

Był to prawdopodobnie pierwszy na świecie futerał na fortepian, w dodatku zrobiony z dywanu. Klif bez wysiłku zarzucił go sobie na ramię, a w drugą rękę chwycił swój worek kamieni.

– Ciężki jest? – spytał Buddy.

Klif zważył fortepian w dłoni i zastanowił się.

– Trochę – przyznał. Podłoga pod nim zatrzeszczała. – Myślicie, żeśmy powinni zdejmować te wszystkie kawałki?

– Musi działać – zapewnił Buog. – To jak z... z powozem. Im więcej się od niego odczepi, tym szybciej jedzie. Chodźcie.

Wyruszyli. Buddy starał się nie rzucać w oczy tak bardzo, jak to tylko możliwe dla człowieka w towarzystwie krasnoluda z wielkim rogiem, małpoluda i trolla niosącego fortepian w torbie.

– Chciałbym powóz – oświadczył Klif, kiedy szli ulicą w stronę Bębna. – Duży czarny powóz z libacją i w ogóle.

– Llibacją? – zdziwił się Buddy. Przyzwyczajał się już do nowego imienia.

– Herb i w ogóle.

– Aha. Lliberia.

– I w ogóle.

– A ty co byś zrobił, gdybyś miał stos złota, Buog?

Gitara w worku pobrzękiwała cicho do wtóru.

Buog zawahał się. Chciał wytłumaczyć, że dla krasnoluda cały sens posiadania stosu złota tkwi, no... w posiadaniu stosu złota. Nie trzeba nic z nim robić. Ma tylko być tak... tak kruszcowe, jak to możliwe dla złota.

– Nie wiem – powiedział. – Nigdy nie myślałem, że będę miał stos złota. A ty?

– Przysiągłem sobie, że będę najsłynniejszym muzykiem na świecie.

– Niebezpieczna jest taka przysięga – stwierdził Klif.

– Uuk.

– Czy nie tego chce każdy artysta?

– O ile wiem – rzekł Buog – każdy muzyk marzy, ale tak naprawdę marzy o tym, żeby mu płacili.

– I żeby zdobyć sławę – dodał Buddy.

– O sławie nic nie wiem. Trudno jest być sławnym i wciąż żywym. Ja chciałbym tylko codziennie grać muzykę i słyszeć, jak ktoś

133

mi mówi: „To było świetne, masz tu pieniądze, bądź jutro o tej samej porze, dobrze?".

– I to wszystko?

– To wcale nie jest mało. Chciałbym też, żeby ludzie mówili: „Potrzebny nam dobry gracz na rogu, weźmy Buoga Buogssona".

– Nie brzmi zbyt ciekawie – uznał Buddy.

– Lubię nieciekawe sytuacje. Dłużej trwają.

Dotarli Pod Bęben i bocznymi drzwiami weszli do ciemnego pokoju cuchnącego szczurami i używanym piwem. Z baru dobiegał pomruk głosów.

– Zdaje się, że przyszło dużo ludzi – zauważył Buog.

Wpadł Hibiskus.

– Jesteście gotowi, chłopcy?

– Jedna chwila – odezwał się Klif. – Nie mówiliśmy o zapłacie.

– Powiedziałem, że sześć dolarów – przypomniał Hibiskus.

– Czego się spodziewacie? Nie należycie do gildii, a stawka gildii to osiem dolarów.

– Nie prosilibyśmy cię o osiem dolarów – zapewnił Buog.

– I słusznie.

– Weźmiemy szesnaście.

– Szesnaście? Nie możecie! To prawie dwa razy tyle co gildia!

– Ale masz tam bardzo dużo klientów. Założę się, że wypożyczasz mnóstwo piwa. A my możemy przecież iść do domu.

– Pogadajmy – zaproponował Hibiskus. Objął ramieniem głowę Buoga i odprowadził go w kąt pokoju.

Buddy przyglądał się, jak bibliotekarz bada fortepian. Nigdy jeszcze nie widział, żeby muzyk zaczynał od próby zjedzenia instrumentu. Po chwili małpolud podniósł klapę i obejrzał klawisze. Spróbował kilku nut, chyba dla smaku.

Wrócił Buog. Zatarł ręce.

– No, sprawa załatwiona – rzekł. – Uff.

– Ile? – spytał Klif.

– Sześć dolarów! – odparł z dumą krasnolud.

Przez chwilę trwała cisza.

– Przepraszam – odezwał się wreszcie Buddy – ale czekalliśmy na „naście".

– Musiałem być twardy – wyjaśnił Buog. – W pewnym momencie zszedł już do dwóch dolarów.

134

Niektóre religie twierdzą, że wszechświat rozpoczął się od słowa, pieśni, tańca, fragmentu muzyki. Nasłuchujący Mnisi z Ramtopów ćwiczą swój słuch, aż potrafią na ucho określić wysokość karty do gry. Za swe zadanie uważają wsłuchiwanie się w subtelne odgłosy wszechświata, by na podstawie skamieniałych ech ustalić te pierwsze dźwięki.

Z całą pewnością, jak twierdzą, na samym początku wszystkiego rozległ się bardzo dziwny dźwięk.

Ci o najostrzejszym słuchu (ci, którzy najwięcej wygrywają w karty), którzy słuchają ech zamrożonych w amonitach i bursztynie, przysięgają, że wykryli jeszcze wcześniej jakiś cichy głos.

Podobno brzmi, jakby ktoś liczył: raz, dwa, trzy, cztery...

Najlepszy z nich, który wsłuchiwał się w bazalt, mówił, że ma wrażenie, jakby rozróżniał bardzo niewyraźnie pewne liczby, które padły jeszcze wcześniej. Zapytany, jakie to liczby, odpowiedział: „Brzmiały jak: raz, dwa".

Nikt nie zapytał, co się stało potem z tym dźwiękiem – jeśli istotnie był taki – który przywołał wszechświat do istnienia. To mitologia. W mitologii nie należy stawiać takich pytań.

Z drugiej strony Ridcully wierzył, że wszystko zaistniało przypadkiem albo też, w szczególnej sytuacji dziekana, ze złośliwości.

Starsi magowie zwykle nie pijali Pod Załatanym Bębnem, chyba że po pracy. Zdawali sobie sprawę, że dzisiaj znaleźli się tutaj w pewnym nieokreślonym, ale służbowym celu. Siedzieli więc dość sztywno przed swoimi drinkami.

Otaczał ich pierścień pustych stołków, ale niezbyt szeroki, gdyż Bęben był wyjątkowo zatłoczony.

– Dużo tu atmosfery. – Ridcully rozejrzał się po sali. – Widzę, że znowu dają prawdziwe ale. Wezmę kufel Prawdziwego Dziwnego Turbota.

Magowie przyglądali się, jak osusza kufel. Piwo w Ankh-Morpork ma szczególny smak, co pewnie wynika z jego związku z wodą. Niektórzy twierdzą, że przypomina bulion. Mylą się – bulion jest zimniejszy.

Ridcully mlasnął z satysfakcją.

– My w Ankh-Morpork wiemy, z czego się robi piwo – stwierdził.

Magowie pokiwali głowami – rzeczywiście wiedzieli. Dlatego pili gin z tonikiem.

Ridcully spojrzał wokół siebie. Zwykle o tej porze trwała tu już jakaś bójka albo przynajmniej dyskretne dźganie nożem. W tej chwili słyszał tylko gwar rozmów, a wszyscy patrzyli na niewielką scenę na końcu sali, gdzie nie działo się nic szczególnego. Scenę zasłaniała teoretycznie kurtyna, w rzeczywistości stare prześcieradło; dobiegały zza niego stuki i dudnienia.

Magowie siedzieli blisko sceny – magom zwykle jakoś dostają się dobre miejsca. Ridcully miał wrażenie, że słyszy szepty i widzi cienie za prześcieradłem.

– Pytał, jak się nazywamy.

– Klif, Buddy, Buog i bibliotekarz. Myślałem, że o tym wie.

– Nie, powinniśmy mieć jedno imię dla nas wszystkich.

– A co, brakuje ich?

– Może coś w rodzaju Wesołych Trubadurów...

– Uuk!

– Buog i Buoginki?

– Tak? A czemu nie Klif i Klifetki?

– Uuk uk Uuk-uk?

– Nie, potrzebna nam inna nazwa. Taka, co pasuje do muzyki.

– A może Złoto? Dobra krasnoludzia nazwa.

– Nie, coś innego.

– No to Srebro.

– Uuk!

– Nie sądzę, Buog, żeby metall nadawał się dlla nas na nazwę. Nie jesteśmy grupą metallową.

– A czemu to takie ważne? Jesteśmy zwykłą grupą ludzi, którzy grają muzykę.

– Nazwy są ważne.

– Gitara jest wyjątkowa. Może Grupa z Gitarą Buddy'ego?

– Uuk.

– Coś krótszego.

– Eee...

Wszechświat wstrzymał oddech.

– Grupa z Wykopem?

– Podoba mi się. Przypomina kopalnię. Nazwa w sam raz dla krasnoluda.

– Uuk!

– Może raczej z Wykrokiem? Llepiej brzmi.

– Powinniśmy też wymyślić jakąś nazwę dla muzyki.

– Na pewno prędzej czy później coś przyjdzie nam do głowy.

Ridcully zajrzał za bar.

Po drugiej stronie sali siedział Gardło Sobie Podrzynam Dibbler, najbardziej spektakularnie pechowy biznesmen w Ankh-Morpork. Próbował sprzedać komuś straszną kiełbaskę w bułce – pewny znak, że jego ostatnie absolutnie pewne przedsięwzięcie legło w gruzach. Dibbler sprzedawał swoje gorące kiełbaski tylko wtedy, gdy zawiodło wszystko inne*.

Pomachał Ridcully'emu – całkiem za darmo.

Przy sąsiednim stoliku siedział Satchmon Lemon, jeden z urzędników rekrutacyjnych Gildii Muzykantów, z dwójką asystentów, których wiedza o muzyce ograniczała się chyba do tego, ile solówek perkusyjnych może wytrzymać ludzka czaszka. Wyraz jego twarzy sugerował, że nie przyszedł tu dla zdrowia. Fakt, że przedstawiciele gildii mają groźnc miny, sugerował zwykle, że przybyli z powodu cudzego zdrowia, na ogół po to, by je odebrać.

Ridcully poczuł, że poprawia mu się nastrój. Może wieczór okaże się jednak ciekawszy, niż przypuszczał.

Pod sceną stał jeszcze jeden stolik. Ridcully prawie go nie zauważył, jednak po chwili mimowolnie wrócił do niego spojrzeniem.

Przy stoliku siedziała młoda dziewczyna, całkiem sama. Oczywiście, nie było nic niezwykłego w obecności młodych dziewcząt w Bębnie. Nawet młodych dziewcząt bez towarzystwa. Zwykle zjawiały się po to, by ów stan zmienić.

Dziwnc było to, że choć ludzie siedzieli ciasno stłoczeni na ławach, ona miała wokół siebie wolną przestrzeń. Była zresztą dość atrakcyjna, choć chuda, uznał Ridcully. Jak się nazywa taki chłopięcy styl? Ochłapczyca czy jakoś tak. Miała na sobie czarną koronkową suknię z rodzaju tych, które noszą zdrowe młode kobiety chcące wyglądać na suchotniczki. Na ramieniu siedział jej kruk.

Odwróciła głowę, zauważyła Ridcully'ego i zniknęła.

Mniej więcej.

---

* Nie chodziło o smak. Wiele hot dogów paskudnie smakuje. Dibblerowi udało się wyprodukować kiełbaskę bez żadnego smaku. Nieważne, ile by dodawać musztardy, keczupu i marynat – wciąż nie miały ani śladu smaku. Nawet midnight dogs, sprzedawane pijakom w Helsinkach, nie doszły do tego poziomu.

Był w końcu magiem. Poczuł, że oczy mu łzawią, gdy zamigotała, pojawiając się i znikając z pola widzenia.

Hm... no cóż, słyszał, że dziewczęta Zębuszek są w mieście. Pewnie też czasem mają wolny dzień, jak wszyscy.

Kątem oka dostrzegł jakiś ruch na blacie i spuścił wzrok. Śmierć Szczurów przebiegł z miseczką fistaszków.

Wrócił spojrzeniem do swoich magów. Dziekan wciąż miał na głowie swój spiczasty kapelusz. Twarz połyskiwała mu dziwnie.

– Chyba ci gorąco, dziekanie...

– Ależ skąd. Jest mi chłodno i przyjemnie, nadrektorze. Zapewniam – odparł dziekan. Coś gęstego spłynęło mu po policzku.

Wykładowca run współczesnych podejrzliwie pociągnął nosem.

– Czy ktoś tu smaży bekon? – zapytał.

– Zdejmij kapelusz, dziekanie. Zaraz poczujesz się lepiej.

– Jak dla mnie, pachnie to raczej jak w Domu Negocjowalnego Afektu pani Palm – stwierdził pierwszy prymus.

Popatrzyli na niego zdziwieni.

– Kiedyś przechodziłem obok. Przypadkiem – wyjaśnił szybko.

– Wykładowco, proszę zdjąć dziekanowi kapelusz, jeśli sam nie może – polecił Ridcully.

– Zapewniam, nadrektorze...

Kapelusz został zdjęty. Coś długiego, tłustego i niemal tego samego kształtu przechyliło się do przodu.

– Dziekanie... – wykrztusił w końcu Ridcully. – Co zrobiłeś z włosami? Wyglądają jak szpic z przodu, a z tyłu jak kaczy kuper, wybaczcie mój klatchiański. I strasznie się błyszczą.

– To smalec. Stąd ten zapach bekonu – domyślił się wykładowca.

– To prawda. A skąd ten kwiatowy aromat?

– Mrumrumrumrumrumrulawendamrumru – odparł posępnie dziekan.

– Słucham, dziekanie?

– Powiedziałem, że to z powodu olejku lawendowego, który dodałem – oświadczył dziekan bardzo głośno. – I niektórzy z nas uważają, że to znakomita fryzura, do usług. Kłopot z panem, nadrektorze, polega na tym, że nie rozumie pan ludzi w naszym wieku.

– Znaczy... znaczy o siedem miesięcy starszych ode mnie?

Tym razem dziekan się zawahał.

– Co ja mówiłem? – spytał.

– Czy brałeś pigułki z suszonej żaby, drogi kolego? – upewnił się Ridcully.

– Oczywiście, że nie. One są dla psychicznie niezrównoważonych!

– Aha. No to znamy powód.

Kurtyna poszła w górę, a raczej została szarpnięciem odsunięta na bok.

Grupa z Wykrokiem stała na scenie, mrugając w jasnym blasku pochodni.

Nikt nie klaskał. Z drugiej strony jednak nikt niczym nie rzucał. Według standardów Bębna było to wyjątkowo serdeczne przyjęcie.

Ridcully zobaczył wysokiego kędzierzawego chłopaka ściskającego coś, co przypominało niedożywioną gitarę, a może banjo, którego używano w bitwie. Obok niego stał krasnolud z rogiem bojowym. Z tyłu siedział troll z młotkami w łapach, a przed nim leżały kamienie. A z boku stał bibliotekarz przed... Ridcully wychylił się... chyba przed szkieletem fortepianu ustawionym na paru antałkach po piwie.

Chłopak wydawał się sparaliżowany wpatrzonymi w niego oczami.

– Witajcie... – powiedział. – Ehm... Witaj, Ankh-Morpork!

Ta konwersacja najwyraźniej go wyczerpała, więc zaczął grać.

Był to prosty krótki rytm, na jaki można by nie zwrócić uwagi, gdyby człowiek usłyszał go na ulicy. Po nim nastąpiła sekwencja mocnych akordów, a jeszcze potem Ridcully uświadomił sobie, że sekwencja mocnych akordów wcale nie nastąpiła po nim, bo rytm był tam przez cały czas. Żadna gitara nie jest do tego zdolna.

Krasnolud wydobył z rogu serię nut. Troll podjął rytm. Bibliotekarz opuścił obie ręce na klawiaturę fortepianu, najwyraźniej całkiem losowo.

Ridcully nigdy jeszcze nie słyszał takiego zgiełku.

A potem... potem... to już wcale nie był zgiełk.

Przypominało mu to bzdury o białym świetle, które powtarzali młodzi magowie z budynku Magii Wysokich Energii. Twierdzili, że wszystkie kolory zmieszane razem dają biały, co zdaniem Ridcully'ego było piekielnym nonsensem, bo przecież każdy wie, że jeśli zmiesza się wszystkie farby, jakie wpadną w ręce, otrzyma się coś w rodzaju zielonobrązowej mazi, która z całą pewnością nie jest ani trochę biała. Ale teraz miał niejasne pojęcie, o co im chodzi.

Cały ten zgiełk, ta mieszanina muzyki nagle połączyła się jakoś i wewnątrz niej powstała nowa muzyka.

Fryzura dziekana się trzęsła.

Cały tłum falował.

Ridcully uświadomił sobie, że wybija stopą rytm. Przycisnął ją do podłogi drugą stopą.

Patrzył, jak troll podtrzymuje rytm, waląc młotkami w kamienie, aż drżały ściany. Palce bibliotekarza przebiegły po klawiszach. Potem wyczyn powtórzyły palce jego stóp. A przez cały czas gitara krzyczała, jęczała i śpiewała melodię.

Magowie podskakiwali na krzesłach i przebierali palcami w powietrzu.

Ridcully nachylił się do kwestora i wrzasnął.

– Co?! – zawołał kwestor.

– Powiedziałem, że wszyscy tu powariowali oprócz ciebie i mnie!

– Co?!

– To ta muzyka!

– Tak! Świetna! – Kwestor zamachał uniesionymi w górę chudymi rękami.

– I nie jestem taki pewny co do ciebie!

Ridcully usiadł znowu i sięgnął po thaumometr. Wibrował szaleńczo, co wcale nie pomagało. Przyrząd nie mógł się chyba zdecydować, czy jest tu magia, czy nie.

Szturchnął mocno kwestora.

– To nie jest magia! To coś innego!

– Ma pan całkowitą rację!

Ridcully miał wrażenie, że nagle zaczął mówić w niewłaściwym języku.

– Chodzi mi o to, że jest jej za wiele!

– Tak!

Ridcully westchnął.

– Chyba pora już na pigułkę z suszonej żaby.

Z maltretowanego fortepianu wydobywał się dym. Dłonie bibliotekarza spacerowały po klawiszach niczym Casanunda w żeńskim klasztorze.

Ridcully rozejrzał się. Czuł się całkiem osamotniony.

Był jeszcze ktoś, kogo nie opętała muzyka. Satchmon wstał nagle, a wraz z nim dwaj jego asystenci. Wyjęli jakieś nabijane pałki.

140

Ridcully znał prawa gildii. Oczywiście, muszą być przestrzegane. Bez nich miasto nie mogłoby funkcjonować. A to, co słyszał, z pewnością nie było licencjonowaną muzyką... Jeśli w ogóle istniała nielicencjonowana muzyka, to właśnie była ta. Mimo to... Podwinął rękaw i przygotował szybko ognistą kulę – na wszelki wypadek.

Jeden z mężczyzn upuścił pałkę i chwycił się za stopę. Drugi odwrócił się w miejscu, jakby coś palnęło go w ucho. Kapelusz Satchmona zgiął się niczym od ciosu w głowę.

Ridcully, czując, jak straszliwie łzawi mu oko, miał wrażenie, że dostrzega tę dziewczynę od Zębuszek uderzającą Satchmona w głowę drzewcem kosy.

Był całkiem inteligentnym człowiekiem, czasami miał tylko kłopoty z przekierowaniem ciągu swych myśli na nowe tory. Kosa jakoś mu nie pasowała, przecież trawa nie ma zębów. A potem ognista kula oparzyła mu palce i wtedy – kiedy ssał je gorączkowo – uświadomił sobie, że w muzyce jest coś jeszcze. Coś dodatkowego.

– No nie – szepnął. Ognista kula spłynęła na podłogę i podpaliła but kwestora. – To żyje!

Chwycił kufel, pospiesznie dopił zawartość i z trzaskiem postawił na stole dnem do góry.

Księżyc lśnił nad klatchiańską pustynią w pobliżu kropkowanej linii. Obie strony otrzymywały dokładnie tyle samo księżycowego blasku, choć umysły, takie jak pana Clete'a, ubolewały nad tym stanem rzeczy.

Sierżant przechadzał się po ubitym piasku placu musztry. Zatrzymał się, usiadł i wyjął cygaro. Potem schylił się i potarł zapałkę o coś sterczącego z piasku, co powiedziało:

DOBRY WIECZÓR.

– Przypuszczam, że macie już dosyć, żołnierzu? – upewnił się sierżant.

CZEGO DOSYĆ, SIERŻANCIE?

– Dwa dni w piasku, bez pożywienia i wody... Sądzę, że jesteście obłąkani z pragnienia i błagacie, żeby was wykopać?

TAK. TO RZECZYWIŚCIE WYJĄTKOWO NUDNE.

– Nudne?

OBAWIAM SIĘ, ŻE TAK.
– Nudne? To nie ma być nudne! To Dziura! Powinna być strasz-liwą torturą fizyczną i psychiczną! Po jednym dniu powinieneś już być... – Sierżant zerknął dyskretnie na słowa zapisane na przegu-bie. – Powinieneś być bełkoczącym szaleńcem! Obserwuję cię przez cały dzień! Nawet nie jęknąłeś! Nie mogę tak siedzieć w swoim... tym czymś, w czym się siedzi, są tam papiery i różne takie...
GABINET.
– ...i pracować, kiedy widzę cię na placu! Nie zniosę tego!
Beau Nierób spojrzał w górę. Uznał, że winien jest sierżantowi jakiś przyjazny gest.
RATUNKU, RATUNKU. POMOCY, POMOCY, powiedział.
Sierżant odetchnął z ulgą.
TO POMAGA LUDZIOM ZAPOMNIEĆ, PRAWDA?
– Zapomnieć? Ludzie zapominają o wszystkim, kiedy trafiają do... no...
DO DZIURY.
– Właśnie tam!
AHA. CZY MOGĘ ZADAĆ JEDNO PYTANIE?
– Jakie?
ZGODZI SIĘ PAN, ŻEBYM POSIEDZIAŁ TU JESZCZE JEDEN DZIEŃ?
Kiedy sierżant otworzył usta, by odpowiedzieć, D'regowie przy-puścili atak zza najbliższej wydmy.

– Muzyka... – powtórzył Patrycjusz. – Och... powiedz coś więcej.
Rozparł się w fotelu, w pozycji sugerującej skupioną uwa-gę. Słuchanie było jego specjalnością. Wytwarzał rodzaj psychicz-nego ssania. Ludzie mówili mu różne rzeczy, byle tylko uniknąć milczenia.
Poza tym lord Vetinari, najwyższy władca Ankh-Morpork, dosyć lubił muzykę.
Ludzie zastanawiali się często, jaki rodzaj muzyki byłby dla ko-goś takiego interesujący: może silnie sformalizowana muzyka ka-meralna, może muzyka operowa z gromami i błyskawicami. W rze-

czywistości muzyka, którą lubił naprawdę, to ta, która nigdy nie jest grana. Jego zdaniem ruiną dla muzyki jest dręczenie jej z użyciem wysuszonych skór, kawałków zdechłego kota i brył metalu przekutych na druty i rury. Muzyka winna pozostać zapisana na białych stronicach, w szeregach małych kropek i kresek ustawionych między liniami. Tylko wtedy jest czysta. Kiedy ludzie zaczynają robić z nią różne rzeczy, zaraz wdaje się zgnilizna. O wiele lepiej jest siedzieć spokojnie w cichym pokoju i czytać nuty, kiedy między umysłem kompozytora i odbiorcy nie ma nic prócz linii tuszu. A kiedy grają ją spocone grubasy, ludzie z włosami w uszach, ze śliną kapiącą z końca oboju... Na samą myśl o tym aż się otrząsał. Chociaż niezbyt mocno, ponieważ nigdy nic nie robił w stopniu ekstremalnym.

A zatem...

– Co się wtedy stało? – zapytał.

– Wtedy to on zaczął śpiewać, wasza miłość – odpowiedział Drętwy Michael, licencjonowany żebrak i nieformalny informator.

– Piosenkę o Wielkich Kulach z Klejnotów.

Patrycjusz uniósł brew.

– Słucham?

– Cóś takiego. Nie bardzo żem słowa zrozumiał, a to z powodu tego, że fortepian wziął i wybuchnął.

– Och... Domyślam się, że to nieco utrudniło dalsze występy.

– Gdzie tam, małpiszon grał na tym, co się ostało. Ludzie wstali i zaczęli krzyczeć, tańczyć i tupać nogami, jakby się zaczęła plaga karaluchów.

– I powiedziałeś, że przedstawiciele Gildii Muzykantów doznali obrażeń?

– To dopiero było dziwne. Byli potem bladzi jak prześcieradło. – Drętwy Michael przypomniał sobie własną pościel. – W każdym razie jak niektóre prześcieradła...

Drętwy Michael mówił, a Patrycjusz przeglądał raporty. Z pewnością był to niezwykły wieczór. Zamieszki Pod Bębnem... cóż, to raczej normalne, choć z opisu nie wyglądało to na typową bójkę, a już na pewno nigdy nie słyszał o tańczących magach. Miał wrażenie, że rozpoznaje objawy. Tylko jedna rzecz mogła jeszcze bardziej pogorszyć sytuację.

– Powiedz – rzekł – jak na to wszystko zareagował pan Dibbler.

– Co, wasza miłość?

– To chyba proste pytanie, jeśli mogę je ocenić.

Drętwy Michael czuł już formujące się w krtani słowa „Ale skądeś wiedział, wasza miłość, że stary Dibbler tam był? Przeciem nie mówił". Zdążył się jednak zastanowić, potem znowu, i jeszcze raz, zanim je wypowiedział.

– Tylko siedział i patrzył, wasza miłość. Z otwartą gębą. A potem wyleciał na dwór.

– Rozumiem. No cóż... dziękuję, Drętwy Michaelu. Nie zatrzymuję cię dłużej.

Żebrak zawahał się.

– Paskudny Stary Ron mówił, że wasza miłość czasem płaci za informacje.

– Tak mówił? Doprawdy? Rzeczywiście tak powiedział... No, no, to ciekawe... – Vetinari zanotował coś na marginesie raportu. – Dziękuję.

– Eee...

– Nie pozwól mi cię zatrzymywać.

– Tego... niech bogowie błogosławią waszą miłość – rzucił jeszcze Drętwy Michael i biegiem pognał do drzwi.

Kiedy ucichło już tupanie butów żebraka, Patrycjusz zbliżył się do okna, splótł ręce za plecami i westchnął.

Istnieją zapewne miasta-państwa, myślał, gdzie władcy muszą się przejmować tylko drobiazgami... inwazją barbarzyńców, równowagą budżetu, skrytobójstwami, erupcją pobliskiego wulkanu... Nie ma tam ludzi radośnie otwierających drzwi do naszej rzeczywistości i wołających – metaforycznie: „Witaj, wejdź proszę, miło cię widzieć, jaki masz piękny topór, a przy okazji, może da się zarobić na tobie jakieś pieniądze, skoro już tu jesteś".

Czasami Vetinari zastanawiał się, jaki los spotkał pana Honga. Wszyscy wiedzieli, naturalnie. W sensie ogólnym. Ale nie dokładnie.

Co za miasto... Wiosną rzeka stawała w ogniu. Mniej więcej raz w miesiącu wybuchała Gildia Alchemików.

Wrócił do biurka i zanotował coś jeszcze. Trochę się obawiał, że będzie zmuszony kazać kogoś zabić.

Potem sięgnął po trzecią część *Preludium G-dur* Fondela i zaczął czytać.

Susan wróciła do zaułka, gdzie zostawiła Pimpusia. Kilku mężczyzn leżało obok na bruku, ściskając różne części siebie i jęcząc. Nie zwróciła na nich uwagi. Każdy, kto próbuje ukraść konia Śmierci, szybko rozumie znaczenie określenia „padół łez". Pimpuś miał dobre oko, więc był to zwykle niewielki, bardzo osobisty padół.

– To muzyka jego grała, nie odwrotnie – powiedziała. – Sam widziałeś. Nie jestem pewna, czy w ogóle dotykał palcami strun.

PIP.

Susan roztarła dłoń. Satchmon, jak się okazało, miał bardzo twardą głowę.

– Czy mogę ją zabić tak, żeby nie zabić jego?

PIP.

– Nie ma szans – przetłumaczył kruk. – Tylko muzyka utrzymuje go przy życiu.

– Ale dzia... on powiedział, że w końcu i tak go to zabije.

– To wielki, rozległy i cudowny wszechświat, nie ma co.

PIP.

– Ale... posłuchaj, jeżeli to taki no, pasożyt – mówiła Susan, gdy Pimpuś kłusował już ku niebu – co mu przyjdzie z zabicia swojego nosiciela?

PIP.

– Mówi, że w tym nie może ci pomóc – tłumaczył kruk. – Wysadź mnie nad Quirmem, dobrze?

– Do czego jest jej potrzebny? – zastanawiała się Susan. – Wykorzystuje go, ale po co?

– Dwadzieścia siedem dolarów! – złościł się Ridcully. – Dwadzieścia siedem dolarów, żeby was wyciągnąć. A strażnik cały czas się uśmiechał. Magowie aresztowani! Przespacerował się wzdłuż szeregu smętnych postaci.

– Pomyślcie... Jak często Straż Miejska zostaje wezwana do Bębna? Znaczy, co niby tam robiliście, waszym zdaniem?

– Mrumrumrumrumrumru – powiedział dziekan, wpatrując się w podłogę.

– Słucham?

– Mrumrumrumrutańczyliśmymrumru.

– Tańczyliście – powtórzył zimno nadrektor i zawrócił. – To miał być taniec, tak? Zderzanie się z ludźmi? Przerzucanie się nawzajem przez ramię? Kręcenie się w kółko po całej sali? Nawet trolle tak się nie zachowują (nie to, żebym miał coś przeciwko trollom, wspaniali ludzie, wspaniali), a wy jesteście podobno magami. Inni mają patrzeć na was z podziwem, ale nie dlatego, że kręcicie im salta nad głowami. Wykładowco, proszę nie myśleć, że nie zauważyłem tego małego pokazu, byłem naprawdę zdegustowany. Biedny kwestor musiał się położyć. Taniec to... w kręgu, jak wiadomo, gaiki i różne takie, zdrowe zabawy, może jakieś swobodniejsze tańce balowe... Na pewno nie wymachiwanie ludźmi dookoła niby jakiś krasnolud toporem (oczywiście solą ziemi są te krasnoludy, zawsze to powtarzam). Czy wyrażam się jasno?

– Mrumrumrumrumrumruwszyscytakrobilimrumru – powiedział dziekan, wciąż nie podnosząc głowy.

– Nie spodziewałem się, że kiedykolwiek powiem to do maga, który skończył osiemnaście lat, ale wszyscy macie rogatkę na wyjścia. Do odwołania! – huknął Ridcully.

Zakaz opuszczania terenów uniwersyteckich nie był dotkliwą karą. Magowie zwykle nie ufali powietrzu, które nie przebywało od dłuższego czasu pod dachem, żyli więc w ograniczonym terytorium pomiędzy swoimi pokojami a jadalnią. Ale teraz czuli się dziwnie.

– Mrumrunierozumiemczemumrumru – wymruczał dziekan.

Tłumaczył o wiele później, tego dnia, kiedy umarła muzyka, że to pewnie dlatego, iż nigdy nie był naprawdę młody, a przynajmniej młody, będąc dostatecznie dorosłym, by wiedzieć, że jest młody. Jak większość magów, rozpoczął naukę jako dziecko tak małe, że oficjalny spiczasty kapelusz spadał mu na uszy. A potem był już tylko... no, magiem.

Raz jeszcze zaczęło go dręczyć uczucie, że coś po drodze stracił. I jeszcze parę dni temu nie zdawał sobie z tego sprawy. Nie miał pojęcia, co to było. Chciał tylko coś robić. Nie wiedział, co takiego. Ale chciał zrobić to szybko. Chciał... Czuł się jak człowiek od urodzenia mieszkający w tundrze, który budzi się pewnego dnia z silnym pragnieniem przejażdżki na nartach wodnych. Z pewnością nie będzie tkwił w pokoju, kiedy muzyka wibruje w powietrzu...

– Mrumrumrumrumrumrumruniezostanęwdomumrumru.

146

Porywały go nieznane emocje. Chciał być nieposłuszny. Nieposłuszny niczemu, nie wyłączając prawa grawitacji. Z całą pewnością nie miał zamiaru składać swoich rzeczy przed pójściem do łóżka. Ridcully zapyta pewnie: ach, jesteś buntownikiem, tak; a przeciw czemu się buntujesz, a on wtedy powie... wtedy powie coś wartego zapamiętania. Tak właśnie zrobi! Był...

Ale nadrektor już sobie poszedł.

– Mrumrumrumrumrumru – rzekł wyzywającym tonem dziekan, buntownik bez przeszkody.

Zabrzmiało pukanie, ledwie słyszalne wśród hałasu. Klif ostrożnie uchylił drzwi i wyjrzał przez szczelinę.

– To ja, Hibiskus. Tu macie swoje piwa. Pijcie i wynoście się.

– Jak możemy się wynieść? – zapytał bezradnie Buog. – Kiedy tylko nas zobaczą, zmuszają, żebyśmy coś jeszcze zagrali.

– To mnie nie obchodzi. – Hibiskus wzruszył ramionami. – Ale jesteście mi winni dolara za piwo i dwadzieścia pięć dolarów za połamane meble...

Klif zamknął drzwi.

– Mogę z nim negocjować – zaproponował Buog.

– Nie – sprzeciwił się Buddy. – Nie stać nas na to.

Spojrzeli po sobie.

– Ale tłum nas uwielbiał – stwierdził Buddy. – Uważam, że odnieśliśmy wielki sukces. Ehm...

Klif w milczeniu odgryzł szyjkę butelki i wylał sobie piwo na głowę*.

– Myślę, że wszyscy chcielibyśmy się dowiedzieć jednego – rzekł Buog. – Coś ty tam właściwie wyprawiał?

– Uuk.

– I jeszcze – dodał krasnolud – co właściwie śpiewałeś.

– Eee...

– „Nie depcz po moich nowych niebieskich butach"? – rzucił Klif.

* Piwo trolli to siarczek amonu rozpuszczony w alkoholu. Smakuje jak sfermentowane baterie.

– Uuk.

– „Dziwny jest ten Dysk"? – zapytał Buog.

– Eee...

– „Taniec pingwina we mgle"? – mówił dalej Klif.

– Uuk?

– To taka wiesz, muzyka świata. Wariacja na temat ludowego tańca z Efebu. Pingwin to mityczny ptak bogini mądrości – wyjaśnił Buog. Spojrzał z ukosa na Buddy'ego. – A ten kawałek, kiedy powiedziałeś: „Halo, maleńka". Dlaczego?

– Eee...

– Przecież do Bębna w ogóle nie wpuszczają małych dzieci.

– Sam nie wiem. Słowa po prostu czekały – tłumaczył niepewnie Buddy. – Tak jakby należały do muzyki.

– A na dodatek poruszałeś się... tak jakoś dziwnie. Jakbyś miał kłopoty ze spodniami. Oczywiście nie jestem specjalistą od ludzi, ale zauważyłem, że niektóre damy na widowni patrzą na ciebie tak, jak krasnolud na dziewczynę, o której wie, że jej ojciec ma głęboką sztolnię i parę bogatych żył.

– No – potwierdził Klif. – Albo jak troll, kiedy myśli: Rany, patrzcie na jej warstwy.

– Jesteś pewien, że nie masz w sobie nic elfiego? – upewnił się Buog. – Raz czy dwa zachowywałeś się... elfio.

– Nie wiem, co się działo... – poskarżył się Buddy.

Gitara zajęczała.

Popatrzyli na nią.

– Zrobimy tak – rzekł Klif. – Weźmiemy ją i rzucimy do rzeki. Kto jest za, niech powie „tak". Albo „uuk", jeśli woli.

Zapadła cisza. Nikt nie próbował chwycić instrumentu.

– Ale widzicie... – zaczął Buog. – Widzicie... Oni nas tam naprawdę uwielbiali.

Zastanowili się nad tym.

– Trzeba przyznać... – zgodził się Klif. – Przez całe życie żem nie miał takiej publiczności.

– Uuuk.

– Jeśli jesteśmy tacy dobrzy – mruknął krasnolud – to czemu nie jesteśmy bogaci?

– Bo ty robisz negocjacje – zirytował się Klif. – Jak trzeba będzie zapłacić za meble, niedługo będę jeść kolację przez słomkę.

– Mówisz, że się nie nadaję? – Buog poderwał się gniewnie.

– Dobrze trąbisz na rogu. Ale żaden z ciebie finansowy mag.

– Chciałbym zobaczyć...

Ktoś zastukał do drzwi. Troll westchnął.

– To pewno znowu Hibiskus. Daj to lustro, spróbuję przyłożyć mu drugą stroną.

Buddy otworzył. Zobaczył Hibiskusa, ale za plecami niższego mężczyzny noszącego długi płaszcz i szeroki, przyjazny uśmiech.

– Ach – odezwał się uśmiech. – Ty pewnie jesteś Buddy?

– No... niby tak.

W chwilę później mężczyzna był już wewnątrz, choć zdawało się, że wcale się nie poruszył. Zatrzasnął oberżyście drzwi przed nosem.

– Dibbler jestem – przedstawił się. – G.S.P. Dibbler. Pewnie już o mnie słyszeliście?

– Uuk!

– Nie mówię do ciebie. Rozmawiam z pozostałymi.

– Nie – przyznał Buddy. – Chyba nie słyszeliśmy.

Uśmiech jeszcze się poszerzył.

– Wiem, chłopcy, że macie drobne kłopoty. Połamane meble i co tam jeszcze.

– Nawet nam nie zapłacą – poskarżył się Klif, zerkając ponuro na Buoga.

– No cóż, tak się złożyło, że może będę w stanie wam pomóc – zapewnił Dibbler. – Jestem człowiekiem interesu. Robię interesy. Widzę, chłopcy, że jesteście muzykantami. Gracie muzykę. Nie chcielibyście obciążać sobie głów sprawami pieniężnymi, prawda? To przeszkadza w procesie twórczym, mam rację? Więc może zostawicie to mnie?

– Ha – mruknął Buog, wciąż urażony oceną swoich talentów negocjacyjnych. – A co pan może załatwić?

– Hm... – zastanowił się Dibbler. – Na początek tyle, że zapłacą wam za dzisiejszy występ.

– A co z meblami? – zainteresował się Buddy.

– Och, rozwalają tu wszystko co wieczór – odparł lekceważąco Dibbler. – Hibiskus próbował was wykiwać. Pogadam z nim. Tak między nami, chłopaki, powinniście uważać na takich ludzi jak on.

Pochylił się. Gdyby uśmiechnął się jeszcze trochę szerzej, odpadłby mu czubek głowy.

– To miasto, chłopcy – rzekł – jest prawdziwą dżunglą.

– Jeśli załatwi nam wypłatę – stwierdził Buog – to ja mu ufam.

– Tak po prostu? – zdziwił się Klif.

– Ufam każdemu, kto daje mi pieniądze.

Buddy zerknął na stół. Sam nie wiedział dlaczego, ale miał wrażenie, że gdyby coś było nie w porządku, gitara by zareagowała... Może zagrała fałszywy akord? Ale ona tylko brzęczała cicho do siebie.

– Zresztą niech będzie. Jak mam przez to zachować swoje zęby, to popieram – zgodził się Klif.

– Dobrze – rzucił Buddy.

– Świetnie! Wspaniale! Razem stworzymy znakomitą muzykę. A przynajmniej wy, chłopcy, stworzycie.

Dibbler wyciągnął kartkę papieru i ołówek. W jego oczach zaryczał lew.

Gdzieś wysoko w Ramtopach Susan wjechała na Pimpusiu ponad warstwę chmur.

– Jak on może tak mówić? – zapytała. – Bawi się ludzkim życiem, a potem opowiada o obowiązku.

W Gildii Muzykantów paliły się wszystkie światła. Butelka ginu zagrała werbel na krawędzi szklanki. Potem zabębniła krótko na blacie, kiedy Satchmon ją odstawił.

– Czy ktoś wie, kim oni są, do wszystkich piekieł? – spytał pan Clete, kiedy przy drugiej próbie Satchmon zdołał chwycić szklankę. – Ktoś przecież musi wiedzieć!

– Chłopaka nie znam – odparł Satchmon. – Nikt go tu wcześniej nie widział. A ten... ten... No, zna pan trolle. Może być każdym.

– Jeden z nich to z całą pewnością bibliotekarz z uniwersytetu – stwierdził Herbert „Klawesyn" Szurnoog, bibliotekarz Gildii Muzykantów.

– Na razie możemy dać sobie z nim spokój – uznał Clete.

Jego towarzysze pokiwali głowami. Nikt nie miał ochoty próbować pobić bibliotekarza, jeśli miał pod ręką kogoś mniejszego.

– Co z krasnoludem?

– Hm...

– Ktoś mówił, że to chyba Buog Buogsson. Mieszka gdzieś przy Drodze Fedry...

– Weźcie paru chłopców i idźcie tam natychmiast – warknął Clete. – Trzeba im wyjaśnić obowiązki muzyków w tym mieście. Natychmiast. Hat, hat, hat.

Muzycy szli spiesznie przez mrok, oddalając się od gwaru Załatanego Bębna.

– Bardzo był miły – stwierdził Buog. – Nie tylko dostaliśmy nasze honorarium, ale dodał nam jeszcze dwadzieścia dolarów a konto przyszłej setki, którą zarobimy.

– On chyba powiedział – wtrącił Klif – że daje nam dwadzieścia dolarów, a oddamy z odsetkami.

– To przecież na jedno wychodzi, prawda? I mówił, że załatwi nam inne występy. Czytaliście kontrakt?

– A ty?

– Były tam bardzo małe literki – mruknął Buog. I natychmiast się rozpromienił. – Za to było ich bardzo dużo. To musi być dobry kontrakt, skoro tak dużo jest na nim napisane.

– Bibliotekarz uciekł – przypomniał Buddy. – Strasznie dużo uukał, a potem uciekł.

– Cha, cha! Potem będzie żałował. Ludzie go kiedyś zapytają, a on powie: Wiecie, odszedłem, zanim stali się sławni.

– Powie: Uuk.

– Zresztą i tak fortepian wymaga napraw.

– Jasne – zgodził się Klif. – Wiecie, kiedyś żem widział gościa, co skleja różne rzeczy z zapałek. On by to mógł naprawić.

Parę dolarów zmieniło się w dwie porcje baraniej korma i smołowe vindaloo w Ogrodach Curry, plus butelka wina tak zmieszanego z chemikaliami, że nawet Klif mógł je pić.

– Potem – rzekł Buog, kiedy siedzieli, czekając na zamówione dania – znajdziemy sobie nowe mieszkanie.

– A co ci się nie podoba w starym?

– Ma w drzwiach dziurę w kształcie fortepianu.

– Przecie żeś ją sam wyrąbał.

– Co z tego?

– Gospodarz nie będzie narzekał?

– Pewnie że będzie. Od tego są gospodarze. Zresztą wspinamy się na szczyty, chłopaki. Czuję to w swojej wodzie.

– Myślałem, że jesteś szczęśliwy, kiedy ci płacą – wtrącił Buddy.

– Owszem. Zgadza się. Ale jestem jeszcze szczęśliwszy, kiedy mi płacą dużo.

Gitara zabrzęczała. Buddy sięgnął po nią i trącił strunę.

Buog upuścił nóż.

– To brzmiało jak fortepian! – zawołał.

– Myślę, że potrafi brzmieć jak cokolwiek – odparł Buddy. – A teraz zna już fortepian.

– Magia – uznał Klif.

– Oczywiście, magia – zgodził się Buog. – Cały czas to powtarzam. Niezwykły instrument znaleziony w zakurzonym starym sklepie w burzliwą noc...

– Nie była burzliwa – przypomniał mu Klif.

– ...musi być... No tak, rzeczywiście... Ale trochę padało. Musi być choć odrobinę magiczny. Założę się, że gdybyśmy teraz wrócili, sklepu już by nie było. To by was przekonało. Wszyscy wiedzą, że rzeczy kupione w sklepach, których nie ma już następnego dnia, są wściekle tajemnicze i zesłane przez Los. Los uśmiecha się do nas. Może.

– Coś z nami robi – rzekł Klif. – Mam nadzieję, że się uśmiecha.

– A pan Dibbler obiecał, że na jutro załatwi nam wyjątkową salę.

– To dobrze – stwierdził Buddy. – Musimy grać.

– Jasne – zgodził się Klif. – Gramy. To nasza praca.

– Ludzie powinni słyszeć muzykę.

– Jasne. – Klif trochę się zdziwił. – Pewno. Oczywiście. Tego właśnie chcemy. I jeszcze żeby płacili.

– Pan Dibbler nam pomoże – zapewnił Buog, zbyt pochłonięty myślami, by zauważyć dziwny ton głosu Buddy'ego. – Musi mu się dobrze powodzić. Ma biuro przy placu Sator. Tylko najlepsze firmy mogą sobie na to pozwolić.

Wstał nowy dzień.

Ledwie zdążył zakończyć wstawanie, gdy Ridcully przeszedł szybko po zroszonej trawie uniwersyteckiego ogrodu i zastukał mocno do drzwi budynku Magii Wysokich Energii.

Na ogół unikał tego miejsca. Nie dlatego że nie rozumiał, czym naprawdę zajmują się tam młodzi magowie, ale mocno podejrzewał, że oni też nie rozumieją. Miał wrażenie, że bardzo się cieszą, kiedy mają coraz mniej i mniej pewności co do świata. Przychodzili na przykład na kolację i mówili coś w stylu: „O rany, właśnie obaliłem teorię thaumicznej imponderabilności Marrowleafa", jakby to był powód do dumy, a nie wyjątkowa nieuprzejmość.

W dodatku cały czas opowiadali o rozbiciu thaumu, najmniejszej cząstki magii. Nadrektor nie widział w tym sensu. Tyle że wszędzie dookoła będą odłamki. Co komu z tego przyjdzie? Wszechświat i tak jest marnie skonstruowany, nawet bez ludzi, którzy starają się w nim grzebać.

Drzwi się uchyliły.

– Ach, to pan, nadrektorze.

Ridcully pchnął drzwi i otworzył je szerzej.

– Dzień dobry, Stibbons. Cieszę się, że tak wcześnie już pracujesz.

Myślak Stibbons, najmłodszy członek ciała profesorskiego, zamrugał, patrząc na jasne niebo.

– To już rano? – zdziwił się.

Ridcully przecisnął się obok niego do wnętrza MWE. Dla tradycyjnego maga było to obce terytorium. Nigdzie nie widział ani czaszki, ani cieknącej świecy; ten akurat pokój wyglądał jak laboratorium alchemika, które uległo nieuniknionemu wybuchowi i wylądowało w kuźni.

Nie podobała mu się też szata Stibbonsa. Miała odpowiednią długość, ale kolor spranej bladej zieleni, mnóstwo kieszeni, kołków i kaptur z brzegiem obszytym króliczym futrem. Nie było na niej żadnych cekinów, klejnotów ani mistycznych symboli. Ani jednego... tylko ciemna plama w miejscu, gdzie przeciekało pióro.

– Wychodziłeś ostatnio? – spytał Ridcully.

– Nie, nadrektorze. Ehm... A powinienem? Byłem zajęty pracą

przy moim urządzeniu Zrób To Większe. Wie pan, pokazywałem przecież...*

– Tak, tak. – Ridcully rozejrzał się niespokojnie. – Kto tu jeszcze pracuje?

– No... jestem ja, Stez Straszny, Skazz i Wielki Wariat Drongo. Chyba...

Ridcully zamrugał niepewnie.

– Co to za jedni? – zdziwił się. A potem z głębin pamięci wypłynęła przerażająca odpowiedź. Tylko pewien bardzo szczególny gatunek używał takich imion. – Studenci?

– Co? Tak. – Myślak cofnął się. – To chyba nic złego, prawda? Znaczy... przecież jesteśmy na uniwersytecie.

Ridcully podrapał się za uchem. Ten młodzik ma rację, naturalnie. Trzeba wpuszczać tych drani, nie da się tego zakazać. Osobiście starał się ich unikać, gdy tylko mógł – podobnie jak reszta wykładowców. Czasem nawet uciekali przed nimi albo chowali się za drzwiami, gdy tylko ich widzieli. Podobno wykładowca run współczesnych wolał raczej ukryć się w szafie, niż rozpocząć wykład.

– Lepiej ich sprowadź – polecił. – Chyba straciłem swoje ciało.

– Nigdy bym się nie domyślił, nadrektorze – odparł uprzejmie Myślak.

– Co?

– Słucham?

Spojrzeli na siebie z pełnym niezrozumieniem – dwa umysły podążające w przeciwnych kierunkach i czekające, żeby ten drugi ustąpił.

– Ciało profesorskie – wyjaśnił w końcu Ridcully. – Dziekana i całą resztę. Zupełnie wypadli z trasy. Nie kładli się całą noc, grali na gitarach i co tam jeszcze. Dziekan zrobił sobie płaszcz ze skóry.

– Cóż, skóra to bardzo praktyczny i funkcjonalny materiał...

– Nie kiedy on go używa – rzekł posępnie Ridcully.

---

* Chociaż bez oszałamiających rezultatów. Stibbons przez całe tygodnie szlifował soczewki i dmuchał szkło, aż w końcu zbudował urządzenie, które pokazywało gigantyczną liczbę maleńkich zwierzątek żyjących w kropli wody z rzeki Ankh.
Nadrektor popatrzył i stwierdził, że wszystko, w czym może istnieć tak wiele życia, musi być zdrowe.

[...Dziekan odstąpił. Wypożyczył manekin krawiecki od pani Whitlow, gospodyni.

Dokonał pewnych zmian w projekcie jarzącym mu się w myślach. Przede wszystkim mag z samej głębi swej duszy czuje niechęć do noszenia szat, które nie sięgają przynamniej do kostek. Dlatego miał do dyspozycji całkiem dużo skóry. Dość miejsca na wszystkie ćwieki.

Zaczął od: DZIEKAN.

To ledwie zaczęło wypełniać przestrzeń. Po krótkim namyśle dodał: ZRODZONY BY i zostawił wolne miejsce, bo nie był całkiem pewien, do czego został zrodzony. ZRODZONY BY JEŚĆ SOLIDNE KOLACJE jakoś nie wydawało się odpowiednie.

Po dłuższym namyśle spróbował ŻYĆ SZYBO KUM RZEĆ MODOŁ. Widział, że nie jest to całkiem poprawnie; przygotowując dziury pod ćwieki, odwrócił materiał na lewą stronę i trochę stracił orientację, w jakim kierunku się przesuwa.

Oczywiście, nie miało znaczenia, w jakim kierunku się człowiek porusza, byle nie stać w miejscu. O to właśnie chodzi w muzyce wykrokowej...]

– ...A runy współczesne siedzi w swoim pokoju i wali w bębny. Cała reszta kupiła sobie gitary, a to, co kwestor zrobił z dołem swojej szaty, jest naprawdę dziwaczne – opowiadał Ridcully. – Jeszcze bibliotekarz. Włóczy się wszędzie i podkrada różne rzeczy. I nikt w ogóle nie słucha, co mówię.

Przyjrzał się studentom. Był to niepokojący widok, nie tylko z powodu naturalnego wyglądu studentów. Oto bowiem miał przed sobą ludzi, którzy – kiedy ta przeklęta muzyka zmuszała wszystkich do tupania nogami – przez całą noc siedzieli tu i pracowali.

– A co wy właściwie robicie? – zainteresował się nagle. – Ty... jak ci na imię?

Przyszły mag, wskazany oskarżycielskim palcem nadrektora, skulił się nerwowo.

– Eee... Um... Wielki Wariat Drongo – odparł, mnąc w dłoniach rondo kapelusza.

– Wielki. Wariat. Drongo – powtórzył Ridcully. – Tak się nazywasz, co? To masz wyszyte na koszuli?

– Em... Nie, panie nadrektorze.

– A co?

– Adrian Rzepiszcz, nadrektorze.

– Więc dlaczego mówią o panu Wielki Wariat Drongo, panie Rzepiszcz?

– Eee... Tego...

– Raz wypił cały kufel shandy – wyjaśnił Stibbons, który miał dość przyzwoitości, by zrobić zakłopotaną minę.

Ridcully obrzucił go wystudiowanie obojętnym wzrokiem. Cóż, muszą wystarczyć.

– No dobrze, moi drodzy – rzekł. – Co o tym powiecie?

Wyjął spod szaty kufel po piwie z Załatanego Bębna, z podstawką umocowaną do otworu kawałkiem sznurka.

– Co pan tam ma, nadrektorze? – zdziwił się Stibbons.

– Kawałek muzyki, mój chłopcze.

– Muzyki? Przecież nie można w ten sposób złapać muzyki.

– Chciałbym być takim mądrym spryciarzem jak ty i wszystko wiedzieć – burknął Ridcully. – Ta wielka kolba... Ta, co tam stoi. Ty, Wielki Wariacie Adrianie, otwórz ją i bądź gotów zatrzasnąć pokrywkę, kiedy powiem. Gotów, Wariacki Adrianie? Już!

Gdy tylko Ridcully zerwał podstawkę, zabrzmiał krótki, gniewny akord. Nadrektor szybko opróżnił kufel. Wariat Drongo Adrian, absolutnie przerażony, zatrzasnął pokrywkę.

Wtedy usłyszeli... Usłyszeli uparty cichy rytm odbijający się od wewnętrznych ścian szklanej kolby.

Studenci zajrzeli do środka.

Coś tam było... Jakby ruch powietrza...

– Złapałem ją wczoraj wieczorem Pod Bębnem.

– To niemożliwe – stwierdził Myślak. – Nie można w ten sposób chwytać muzyki.

– Przecież to nie klatchiańska mgła, mój chłopcze.

– I od wczoraj znajdowała się w tym kuflu?

– W samej rzeczy.

– Ale tak się nie da!

Myślak wyglądał na całkiem załamanego. Istnieją ludzie, którzy rodzą się z instynktowną wiarą, że wszechświat jest wytłumaczalny.

Ridcully poklepał go po ramieniu.

– Nie sądziłeś chyba, że życie maga będzie łatwe, co?

Myślak popatrzył na kolbę, po czym z determinacją zacisnął wargi.

– Słusznie! Rozpracujemy to! Pewnie ma to jakiś związek z częstotliwością. Tak jest! Stez Straszny, przynieś kryształową kulę! Skazz, skocz po szpulkę stalowego drutu! To musi być częstotliwość!

Grupa z Wykrokiem przespała noc w schronisku dla samotnych mężczyzn w bocznej alejce przy Błyskotnej. Fakt ten zainteresowałby z pewnością czterech egzekutorów Gildii Muzykantów siedzących przed fortepianokształtną dziurą w ścianie przy Drodze Fedry.

Susan szła przez komnaty Śmierci, wrząc nieco z gniewu i odrobiny lęku, która czyni gniew jeszcze gorszym.

Jak ktoś w ogóle może nawet myśleć w ten sposób? Jak może komuś wystarczać rola personifikacji ślepej mocy? Nadeszła pora na pewne zmiany...

Jej ojciec starał się dokonać zmian. Ale tylko dlatego, że był – szczerze mówiąc – trochę ckliwy.

Królowa Keli ze Sto Lat nadała mu tytuł diuka Sto Helit. Susan wiedziała, co to znaczy: diuk pochodził od dawnego określenia „wodza wojennego". Ale jej ojciec z nikim nie walczył. Miała wrażenie, że cały swój czas poświęcał na podróże od jednego nędznego miasta-państwa do drugiego, na całych Równinach Sto, i tylko rozmawiał z ludźmi, starając się ich przekonać do rozmów z innymi ludźmi. O ile Susan pamiętała, nigdy nikogo nie zabił, choć mógł kilku polityków zagadać na śmierć. Jej zdaniem nie było to zajęcie odpowiednie dla wodza. To prawda, ostatnio nie wybuchały te wszystkie głupie drobne wojny, ale to... jak by tu... to nie był sposób na bohaterskie życie.

Przeszła przez salę życiomierzy. Nawet te na najwyższych półkach grzechotały cicho, gdy je mijała.

Będzie ratować życia. Dobrych można ocalić, źli mogą umierać młodo. I wszystko się jakoś wyrówna. Jeszcze mu pokaże. A co do odpowiedzialności, cóż... ludzie zawsze dokonywali zmian. Na tym polega bycie człowiekiem.

Otworzyła kolejne drzwi i wkroczyła do biblioteki.

To pomieszczenie było nawet większe niż sala życiomierzy. Regały wyrastały niczym skalne urwiska, a sklepienie kryło się we mgle.

Oczywiście, tłumaczyła sobie, dziecinną byłaby wiara, że może wkroczyć, machając kosą niby czarodziejską różdżką, i w ciągu jednej nocy uczynić świat lepszym. To wymaga czasu. Dlatego zacznie od czegoś małego i będzie posuwać się coraz wyżej.

Wyciągnęła rękę.

– Nie będę mówiła głosem – oznajmiła. – To tylko zbędny efekt dramatyczny, właściwie trochę głupi. Po prostu chcę dostać księgę Impa y Celyna. Dziękuję bardzo.

Wokół niej trwała biblioteczna krzątanina. Miliony książek wciąż się pisało, budząc tym szelest jakby stada karaluchów.

Pamiętała, jak siedziała na kolanach, a raczej na poduszce leżącej na kolanach, bo same kolana były wykluczone. Patrzyła, jak kościsty palec sunie za literami tworzącymi się na stronicy. Nauczyła się czytać własne życie...

– Czekam – powiedziała z naciskiem.

Zacisnęła pięści.

IMP Y CELYN, rozkazała.

Książka zmaterializowała się przed nią. Susan zdążyła ją złapać, zanim upadła na podłogę.

– Dziękuję.

Przerzuciła strony jego życia, do ostatniej. Potem cofnęła się szybko, aż znalazła jego szczegółowo opisany zgon w Bębnie. Wszystko tam było, i było nieprawdziwe. On nie zginął. Książka kłamała. Albo też – wiedziała, że to o wiele dokładniejsza interpretacja sytuacji – książka mówiła prawdę, ale rzeczywistość kłamała.

Ważniejsze jednak, że od chwili jego śmierci książka pisała muzykę. Stronę po stronie pokrywały równe pięciolinie. Gdy Susan patrzyła, serią starannych pętli wyrysował się klucz wiolinowy.

Czego chciała? Dlaczego ocaliła mu życie?

Było niezwykle ważne, by to Susan go ocaliła. Czuła tę pewność niczym igłę kompasu w umyśle. To było absolutnie konieczne. Nigdy nie spotkała go twarzą w twarz, nie zamieniła z nim ani słowa, był tylko przypadkową osobą, ale to jego musiała uratować.

Dziadek mówił, że nie powinna robić takich rzeczy. Ale co on mógł wiedzieć o czymkolwiek? Nigdy nie żył...

Blert Wheedown robił gitary. Była to spokojna praca dająca wiele satysfakcji. Na wyprodukowanie przyzwoitego egzemplarza on i Gibbsson, jego uczeń, potrzebowali około pięciu dni, jeśli tylko dysponował właściwie leżakowanym drewnem. Był człowiekiem sumiennym, który wiele lat poświęcił doskonaleniu jednego typu instrumentu muzycznego. Sam zresztą był nieprzeciętnym gitarzystą.

Według jego obserwacji, gitarzyści dzielili się na trzy kategorie. Byli więc tacy, których uważał za prawdziwych muzyków; pracowali w Operze albo w jednej z niewielkich prywatnych orkiestr. Byli śpiewacy ludowi, którzy nie umieli grać, ale to w niczym nie przeszkadzało, gdyż śpiewać też zwykle nie umieli. I wreszcie byli – hm, hm... – trubadurzy i inne zawadiackie typy; uważali, że gitara, podobnie jak czerwona róża w zębach, pudełko czekoladek czy strategicznie umieszczona para skarpet, jest tylko kolejną bronią w wojnie płci. Ci w ogóle nie grali, jeśli nie liczyć jednego czy dwóch akordów, ale byli stałymi klientami. Skacząc przez okno sypialni w ucieczce przed rozwścieczonym mężem, kochanek zwykle najmniej przejmuje się pozostawionym za sobą instrumentem.

Blert sądził, że widział już wszystkie odmiany.

Chociaż... dzisiaj z samego rana sprzedał kilka gitar magom. To niezwykłe. Niektórzy kupili nawet podręcznik gitarzysty Blerta.

Brzęknął dzwonek.

– Słucham... – Blert spojrzał na klienta i dokonał gigantycznego wysiłku umysłowego – ...pana?

Nie chodziło tylko o skórzaną kamizelę. Nie chodziło tylko o bransolety z ćwiekami. Nie chodziło tylko o miecz. Nie chodziło tylko o hełm z kolcami. Chodziło o skórę i ćwieki, i miecz, i hełm. Ten klient w żaden sposób nie mógł należeć do pierwszej ani drugiej kategorii, uznał Blert.

Przybysz wszedł niepewnie, konwulsyjnie zaciskając i prostując palce. Wyraźnie nie czuł się swobodnie w sytuacjach wymagających dialogu.

– Tu sklep z gitarami? – spytał.

Blert spojrzał znacząco na produkty wiszące na ścianach i pod sufitem.

– Eee... tak?

– Chcem jednom.

Co do kategorii trzeciej, nie wyglądał na kogoś, kto przejmuje się czekoladkami i różami. Czy nawet „cześć".

– Ehm... – Blert chwycił pierwszą z brzegu i wyciągnął przed siebie. – Taką?

– Chcem takom, co robi blam-Blam-blamma-BLAM-blammm--oooiiieee. Wiesz?

Blert spojrzał na gitarę.

– Nie jestem pewien, czy to potrafi.

Dwa wielkie łapska z czarnymi obwódkami za paznokciami wyjęły mu gitarę z rąk.

– Przepraszam, trzyma ją pan odwrotnie...

– Masz lustro?

– Eee... Nie.

Włochata łapa uniosła się wysoko, a potem opadła na struny.

Blert nie chciałby nigdy więcej przeżywać tych dziesięciu sekund po raz drugi. Ludziom nie powinno się pozwalać na takie traktowanie bezbronnych instrumentów muzycznych. Czuł się jak ktoś, kto wychował małego kucyka, karmił go i oporządzał jak należy, zaplatał mu ogon w warkoczyki, wypuszczał na łąkę z króliczkami i stokrotkami, a teraz patrzy, jak dosiada zwierzaka pierwszy jeździec z ostrogami i pejczem.

Zbir grał tak, jakby czegoś szukał. Nie znalazł, ale kiedy ucichł ostatni fałszywy akord, jego twarz przybrała desperacki wyraz człowieka, który postanowił szukać nadal.

– Dobra – stwierdził. – Ile?

Gitara kosztowała piętnaście dolarów. Ale muzyczna dusza Blerta zbuntowała się. Warknął.

– Dwadzieścia pięć dolarów.

To właśnie warknął.

– Taa, dobra. To wystarczy?

Gdzieś z kieszeni został wydobyty nieduży rubin.

– Nie mam reszty – rzekł Blert. Jego muzyczna dusza wciąż protestowała, ale umysł człowieka interesu wkroczył do akcji i rozprosto-

160

wał ramiona. – Ale... ale dorzucę mój podręcznik gitarzysty, pasek
i parę kostek, zgoda? – zaproponował. – Są tu obrazki, gdzie położyć palce i w ogóle. Bierze pan?

– Taa. Dobra.

Barbarzyńca wyszedł. Blert przyglądał się leżącemu na dłoni
rubinowi.

Zadzwonił dzwonek.

Ten nie był aż tak tragiczny. Mniej ćwieków i hełm tylko z dwoma kolcami.

Blert ukrył klejnot w dłoni.

– Nie powiesz chyba, że chcesz kupić gitarę.

– Tak. Take, co robi uouiiooouuiiioouuuungngngng.

Blert rozejrzał się nerwowo.

– Tutaj mam taką – rzekł, chwytając najbliższy instrument.
– Nie wiem nic o uooiiioouuiii, ale to jest mój podręcznik gitarzysty, a tutaj pas i kilka kostek, razem trzydzieści dolarów, i wiesz co
jeszcze? Dorzucę za darmo miejsce między strunami. I co?

– Biere. Eee... Masz lustro?

Dzwonek zadzwonił.

I znowu.

Godzinę później Blert oparł się o futrynę drzwi swego warsztatu. Na twarzy miał maniakalny uśmiech, a rękami podtrzymywał
pas, by ciężar pieniędzy w kieszeniach nie ściągnął mu spodni.

– Gibbsson!

– Tak, szefie?

– Pamiętasz te gitary, które robiłeś? Kiedy dopiero się uczyłeś?

– Te, o których pan mówił, że brzmią jak kot, co wychodzi do
toalety z zaszytym zadkiem, szefie?

– Wyrzuciłeś je?

– Nie, szefie. Pomyślałem, że je zachowam, a za pięć lat, kiedy
będę potrafił już zrobić porządny instrument, wyciągnę je, by się
porządnie pośmiać.

Blert otarł czoło. Z chusteczki wypadło kilka drobnych złotych
monet.

– A gdzie je schowałeś, tak z ciekawości?

– W szopie, szefie. Razem z tym wypaczonym drewnem, co to
pan mówił, że przyda się nam jak syrena w balecie.

– Przynieś je tutaj, dobrze? I to drewno.

– Ale pan mówił...

– Przynieś też piłę. A potem skocz na miasto i kup, bo ja wiem, parę garnców czarnej farby. I cekiny.

– Cekiny, szefie?

– Dostaniesz je w warsztacie krawieckim pani Cosmopilite. Sprawdź też, czy nie ma tych błyszczących ramtopowych kryształów. Aha, zapytaj, czy mogłaby nam pożyczyć swoje największe lustro.

Blert znowu podciągnął spodnie.

– Później idź do doków, wynajmij jakiegoś trolla i powiedz mu, żeby stanął w kącie, i jeśli ktokolwiek jeszcze wejdzie tu i spróbuje zagrać... – Urwał na chwilę, ale zaraz sobie przypomniał. – Spróbuje zagrać *Ścieżkę do raju*, tak to chyba nazywali... to ma urwać mu głowę.

– Czy nie powinien najpierw ich ostrzec? – zapytał Gibbsson.

– To właśnie będzie ostrzeżenie.

Minęła godzina.

Ridcully znudził się, więc posłał Steza Strasznego do kuchni po jakąś przekąskę. Myślak i dwaj pozostali krzątali się wokół kolby, robili coś z kryształową kulą i drutem. A teraz...

Drut był rozpięty między dwoma gwoździami wbitymi w blat. Wibrował szybko, wygrywając interesujący rytm.

W powietrzu nad nim wisiały wielkie, zielone falujące linie.

– Co to jest? – zainteresował się Ridcully.

– Tak właśnie wygląda dźwięk – wyjaśnił Myślak.

– Wygląda dźwięk – powtórzył Ridcully. – To już coś. Nigdy jeszcze nie widziałem dźwięku, który by tak wyglądał. Więc do tego, chłopcy, używacie magii? Żeby popatrzeć na dźwięk? Wiecie, mamy w spiżarni trochę dobrego sera, może pójdziemy i posłuchamy, jak pachnie?

Myślak westchnął.

– Tak wyglądałby dźwięk, gdyby pańskie uszy były oczami.

– Naprawdę? – ucieszył się Ridcully. – Zadziwiające.

– Wygląda na bardzo skomplikowany – tłumaczył Myślak. – Prosty, jeśli spojrzeć z pewnej odległości, ale z bliska niezwykle złożony. Niemal...

– Żywy – dokończył stanowczo Ridcully.

– Ehm...

To chrząknął student znany jako Skazz. Ważył chyba poniżej stu funtów i miał najdziwniejszą fryzurę, jaką Ridcully w życiu widział. Składała się z frędzli długich włosów dookoła głowy. Tylko wystający czubek nosa zdradzał, w którą stronę patrzy. Gdyby kiedyś zrobił mu się bąbel z tyłu głowy, wszyscy by myśleli, że Skazz idzie w niewłaściwym kierunku.

– Słucham, panie Skazz?

– Eee... Kiedyś coś o tym czytałem.

– To niezwykłe. Jak pan tego dokonał?

– Słyszał pan o Nasłuchujących Mnichach z Ramtopów? Twierdzą, że istnieje dźwiękowe tło wszechświata. Tak jakby echo pewnego dźwięku.

– To się wydaje rozsądne. Cały wszechświat, który nagle powstaje, musi spowodować wielki wybuch.

– To echo nie musi nawet być bardzo głośne – wtrącił Stibbons. – Musi tylko rozbrzmiewać wszędzie równocześnie. Czytałem tę książkę. Napisał ją stary Riktor Licznik. Twierdzi, że mnisi wciąż słuchają dźwięku, który nigdy nie cichnie.

– Jak dla mnie, to on powinien być całkiem głośny – uznał Ridcully. – Musi być, żeby dał się usłyszeć z daleka. Kiedy wiatr wieje w złą stronę, nie słychać nawet dzwonów z Gildii Skrytobójców.

– Nie musi być głośny, żeby wszędzie być słyszalny – zaprotestował Myślak. – A to z tej przyczyny, że w tamtym punkcie wszędzie znajdowało się całe w jednym miejscu.

Ridcully spojrzał na niego tak, jak ludzie czasem na iluzjonistów, którzy właśnie wyjęli im z ucha jajko.

– Wszędzie było całe w jednym miejscu?

– Tak.

– No to gdzie było wszędzie indziej?

– Też w jednym miejscu.

– Tym samym?

– Tak.

– Zgniecione w coś bardzo małego?

Ridcully zaczynał zdradzać pewne niepokojące objawy. Gdyby był wulkanem, żyjący w pobliżu tubylcy zaczynaliby się już rozglądać za jakąś poręczną dziewicą.

– Cha, cha... Można równie dobrze powiedzieć, że zgniecione w coś bardzo wielkiego – odparł Myślak, który zawsze wpadał w pułapkę. – A to dlatego, że dopóki nie powstał wszechświat, nie istniała przestrzeń. Więc cokolwiek wtedy istniało, było wszędzie.

– To samo wszędzie, jakie mamy dzisiaj?

– Tak.

– Dobrze. Proszę dalej.

– Riktor uważał, że najpierw pojawił się dźwięk. Jeden wielki, skomplikowany akord. Najgłośniejszy, najbardziej złożony dźwięk w historii. Tak złożony, że nie mógł zagrać wewnątrz wszechświata; nie bardziej niż można otworzyć skrzynię łomem, który jest w niej zamknięty. Jeden potężny akord, który... można powiedzieć... wgrał wszystko do istnienia. Rozpoczął muzykę, jeśli pan woli.

– Takie jakby ta-dam? – upewnił się Ridcully.

– Tak przypuszczam.

– Myślałem, że wszechświat powstał, bo jakiś bóg pociął innemu sprzęt małżeński i zrobił z tego wszechświat. Zawsze wydawało mi się to dość sensowne. Znaczy, coś takiego łatwo można sobie wyobrazić.

– No cóż...

– A teraz mówisz, że ktoś dmuchnął w wielką trąbę i jesteśmy?

– Nie wiem o żadnym kimś.

– Takie głosy nie powstają same z siebie. Tego jestem pewny.

Ridcully odprężył się lekko, przekonany, że rozsądek w końcu zwyciężył. Poklepał Stibbonsa po ramieniu.

– Trzeba to jeszcze dopracować, młody człowieku – rzekł. – Stary Riktor miał trochę... no wiesz, nierówno pod sufitem. Uważał, że wszystko sprowadza się do liczb.

– Ale niech pan zauważy, że wszechświat rzeczywiście ma pewne rytmy – odparł Stibbons. – Dzień i noc, światło i ciemność, życie i śmierć...

– Krem z kury i grzanki...

– Nie każda metafora dopuszcza szczegółową analizę.

Ktoś zastukał do drzwi – to wrócił Stez Straszny z tacą kanapek. Za nim weszła pani Whitlow, gospodyni.

Ridcully otworzył usta.

Pani Whitlow dygnęła.

– Dzień dhobry, whasza miłość – powiedziała.

Podskoczył jej koński ogon. Zaszeleściły wykrochmalone halki.

Ridcully powoli zamknął usta, ale tylko po to, by zapytać:

– Co pani zrobiła ze...

– Przepraszam, pani Whitlow – wtrącił pospiesznie Myślak. – Czy podawała pani dziś śniadanie któremuś z profesorów?

– Thak jest, panie Stibbons – potwierdziła gospodyni. Jej obfite i tajemnicze łono zafalowało pod swetrem. – Żaden z dżenthelmenów nie zszedł do jadalni, więc kazałam zanieść im tace do pokhojów. Daddi-o.

Spojrzenie Ridcully'ego zsuwało się coraz niżej. Nigdy dotąd nie myślał o pani Whitlow jak o kimś posiadającym nogi. Oczywiście, w teorii kobieta musiała się na czymś przemieszczać, ale...

Para grubych kolan wystawała spod szerokiego grzyba spódnic. Niżej były białe skarpetki.

– Pani włosy... – zaczął chrapliwie.

– Czy coś z nimi nie tak? – zaniepokoiła się pani Whitlow.

– Ależ skąd – zapewnił ją Myślak. – Bardzo dziękujemy.

Zamknął za nią drzwi.

– Pstrykała palcami, kiedy odchodziła. Tak jak pan mówił.

– To nie jedyne, co pstryknęło – odparł wciąż drżący Ridcully.

– Widział pan jej buty?

– Chyba mniej więcej w tym miejscu moje oczy zamknęły się ochronnie.

– Jeśli to naprawdę jest żywe – stwierdził Stibbons – to jest bardzo zaraźliwe.

Ta akurat scena miała miejsce w wozowni ojca Crasha, jednak podobne działy się w całym mieście.

Crash nie był Crashem od urodzenia. Był synem bogatego handlarza sianem i karmą. Pogardzał jednak ojcem za to, że jest jak martwy od szyi w górę, całkowicie pochłonięty sprawami materialnymi, pozbawiony wyobraźni, a w dodatku płaci synowi tygodniowo śmieszne trzy dolary kieszonkowego.

Ojciec Crasha zostawił konie w wozowni. W tej chwili oba usiłowały wcisnąć się w kąt – po bezowocnych próbach wybicia kopytami dziury w ścianie.

– Myślę, że tym razem prawie to miałem – stwierdził Crash.

Pył zbożowy opadał ze stryszku, a korniki wyruszały na poszukiwanie lepszego domu.

– To nie był taki dźwięk, jaki słyszeliśmy wczoraj Pod Bębnem – ocenił krytycznie Jimbo. – Trochę podobny, ale coś się nie zgadza... znaczy, nie gra.

Jimbo był najlepszym przyjacielem Crasha i bardzo chciał się stać jednym z równych gości.

– Na początek wystarczy – odparł Crash. – Ty i Noddy weźmiecie gitary. A Scum... Scum zagra na bębnach.

– Nie wiem jak – poskarżył się Scum. Naprawdę miał tak na imię.

– Nikt nie wie, jak się gra na bębnach. Tu nie ma nic do wiedzenia – tłumaczył cierpliwie Crash. – Po prostu walisz w nie pałeczkami.

– No tak, ale co będzie, jeśli tak jakby spudłuję?

– To usiądź bliżej. – Crash wyprostował się. – Ale najważniejsze, takie naprawdę ważne jest... jak będziemy się nazywać.

 Klif rozejrzał się.

– Chyba żeśmy obejrzeli wszystkie domy i niech mnie licho, jeśli żem gdzieś widział imię „Dibbler" – burknął.

Buddy pokiwał głową. Większą część placu Sator zajmował front Niewidocznego Uniwersytetu, pozostało jednak dość miejsca na kilka innych budynków. Należały do rodzaju mającego przy wejściu mosiężne tabliczki. Rodzaju sugerującego, że nawet wytarcie butów o słomiankę będzie człowieka drogo kosztować.

– Witajcie, chłopcy.

Odwrócili się wszyscy. Dibbler uśmiechał się do nich znad tacy prawdopodobnie kiełbasek i bułek. Obok stało kilka worków.

– Przepraszamy za spóźnienie – powiedział Buog. – Ale nigdzie nie mogliśmy znaleźć pańskiego biura.

Dibbler szeroko rozłożył ręce.

– To jest moje biuro – oświadczył z dumą. – Plac Sator! Tysiące stóp kwadratowych powierzchni! Znakomita komunikacja! Kwitnący handel! Przymierzcie je – dodał, otwierając jeden z worków. – Musiałem rozmiar ocenić na oko.

Były czarne, uszyte z taniej bawełny. Jedna miała rozmiar XXXXL.

– Koszulka ze słowami? – zdziwił się Buddy.

– „Grupa z Wykrokiem" – odczytał powoli Klif. – Zaraz, to przecież my!

– Po co nam to potrzebne? – spytał Buog. – Przecież wiemy, kim jesteśmy.

– Reklama – wyjaśnił Dibbler. – Zaufajcie mi. – Włożył do ust brązowy wałek i zapalił koniec. – Noście je dziś wieczorem. Czy nie znalazłem wam lokalu?

– Znalazł pan? – spytał Buddy.

– Przecież powiedziałem.

– Nie, pan nas zapytał – odparł Buog. – A skąd mamy wiedzieć?

– Czy jest tam ta cała liberia po bokach? – upewnił się Klif.

Dibbler znowu nabrał tchu.

– To świetne miejsce i zbierze się świetna publiczność. A poza tym dostaniecie... – Spojrzał na ich szczere, otwarte twarze. – Dziesięć dolarów powyżej stawek gildii. Co wy na to?

Buog rozciągnął wargi w radosnym uśmiechu.

– Znaczy, na każdego?

Dibbler raz jeszcze przyjrzał się im z satysfakcją.

– Ależ... nie – powiedział. – Tak nie można. Dziesięć dolarów do podziału. Znaczy, bądźcie poważni. Musicie się pokazywać...

– Już o tym żeśmy mówili – przypomniał sobie Klif. – Gildia Muzykantów skoczy nam do gardła.

– Nie w tym lokalu. Gwarantuję.

– Więc gdzie to jest? – chciał wiedzieć Buog.

– A jesteście gotowi?

Zamrugali niepewnie. Dibbler uśmiechnął się radośnie i dmuchnął kłębem brudnego dymu.

– Grota!

Rytm nie ustawał...

Oczywiście, nieuniknione były pewne mutacje...

Gortlick i Hammerjug byli autorami piosenek, członkami Gildii Muzykantów z terminowo opłaconymi składkami. Pisali pieśni dla krasnoludów na wszelkie okazje.

Niektórzy twierdzą, że nie jest to trudna praca – wystarczy zapamiętać, jak się pisze „złoto", jednak to nieco cyniczna opinia. Teksty wielu krasnoludzich pieśni zawierają głównie wersy w rodzaju „Złoto, złoto, złoto"*, ale wszystko polega na intonacji. Krasnoludy znają tysiące słów oznaczających „złoto", ale użyją dowolnego z nich w trudnej sytuacji – na przykład kiedy zobaczą złoto, które nie należy do nich.

Mieli niewielkie biuro przy alei Blaszanej Pokrywki, gdzie zwykle siedzieli po dwóch stronach kowadła i tworzyli popularne piosenki, przy których wesoło się kopie.

– Gort...

– Co?

– Co powiesz na to?

Hammerjug odchrząknął.

Jestem twardy i zły, i jestem twardy i zły, i jestem twardy i zły, i jestem twardy i zły,

I ja razem z kolegami możemy zbliżać się do was w kapeluszach włożonych tyłem do przodu, bardzo groźnie,

Yo!

Gortlick w zadumie przygryzł koniec swego kompozytorskiego młotka.

– Niezły rytm – pochwalił. – Ale nad tekstem trzeba popracować.

– Chodzi ci o więcej „złoto, złoto, złoto"?

– Ta-ak. Myślałeś już, jak to nazwiesz?

– No... eee... rab. Muzyka rabowa.

– Dlaczego rabowa?

Hammerjug zrobił zakłopotaną minę.

– Trudno powiedzieć – przyznał. – Taka myśl jakoś mnie naszła.

Gortlick pokręcił głową. Krasnoludy były rasą ryjącą i kopiącą. Rabunek to często stosowana technika pracy, ale czy to się nada na muzykę? Chyba wiedział, co lubią jego rodacy.

– Dobra muzyka musi mieć w sobie coś wybuchowego – stwierdził. – Bez wybuchu nic nie osiągniesz.

---

* No dobrze – teksty wszystkich krasnoludzich pieśni. Oprócz tej o Hejho.

– Ale spokojnie, tylko spokojnie – mówił Dibbler. – To przecież największy lokal w Ankh-Morpork. Dlatego tam. Nie bardzo rozumiem, o co wam chodzi...

– Grota? – wrzasnął Buog. – Należy do trolla Chryzopraza, o to nam chodzi!

– Mówią, że jest ojcem chrzestnym w Brekcji – dodał Klif.

– Chwileczkę... nikt mu niczego nie udowodnił...

– Tylko dlatego, że ciężko coś udowadniać, kiedy wydłubią ci dziurę w głowie i wcisną do niej twoje stopy!

– Ależ skąd te uprzedzenia? Tylko dlatego, że jest trollem... – zaczął Dibbler.

– Ja żem jest trollem! Dlatego mogę być uprzedzony do trolli, jasne? A z niego jest twarda zyła macierzysta! Podobno jak znaleźli gang d'Olomita, żaden z nich nie miał zębów.

– Ale co to jest Grota? – dopytywał się Buddy.

– Miejsce trolli – wyjaśnił Klif. – Mówią...

– Będzie świetnie – przerwał mu Dibbler. – Po co te zmartwienia?

– To również kasyno gry*!

– Za to gildia tam nie zagląda. Przynajmniej jeżeli wie, co jest dla niej dobre.

– A ja też wiem, co jest dla mnie dobre! – krzyknął Buog. – Jestem prawdziwym ekspertem w tej kwestii. I dla mnie dobre jest niezaglądanie do trollowej nory!

– Pod Bębnem rzucali w ciebie toporami – przypomniał rozsądnie Dibbler.

– Tak, ale tylko dla zabawy. Nikt tak naprawdę nie celował.

– Zresztą – dodał Klif – tylko trolle i strasznie głupi młodzi ludzie tam zaglądają. Oni myślą, że sprytnie jest pić w trollowym barze. Nie zbierzemy publiczności.

Dibbler postukał palcem w bok nosa.

– Wy gracie – rzekł. – Ja załatwiam publiczność. To moja robota.

– Drzwi nie są dość duże, żebym się w nich zmieścił – burknął Buog.

– To wielkie drzwi.

---

* Gry hazardowe trolli są jeszcze prostsze od australijskich. Do najpopularniejszych należy Jedna w Górę, polegająca na rzucaniu w górę monety i obstawianiu, czy spadnie z powrotem.

– Ale dla mnie za małe, bo jeśli spróbuje mnie pan tam zawlec, musi pan wciągnąć też całą ulicę, tak się będę jej trzymał.

– Bądźcie rozsądni...

– Nie! – wrzasnął Buog. – I wrzeszczę w imieniu nas wszystkich!

Gitara jęknęła.

Buddy przerzucił ją z pleców tak, żeby chwycić normalnie, i zagrał kilka akordów. To ją trochę uspokoiło.

– Wydaje mi się, że... tego... jej się podoba ten pomysł.

– Podoba jej się ten pomysł – powtórzył Buog, odrobinę cichszej. – To świetnie. A wiesz, co robią z krasnoludami, które trafią do Groty?

– Potrzebujemy pieniędzy – przypomniał mu Buddy. – A nie zrobią nam chyba nic gorszego niż gildia, jeśli zagramy gdziekolwiek indziej. I musimy grać.

Popatrzyli na siebie.

– Wiecie, chłopcy... – Dibbler wypuścił kółko z dymu. – Powinniście teraz znaleźć jakieś miłe, spokojne miejsce i posiedzieć tam do wieczora. Odpocząć trochę.

– Racja – stwierdził Klif. – Ja żem nie myślał, że przez cały czas będę nosił te kamienie...

Dibbler uniósł palec.

– Aha – rzekł. – O tym też pomyślałem. Nie chcecie chyba marnować waszych talentów na wleczenie za sobą sprzętu. Tak sobie powiedziałem. I wynająłem wam pomocnika. Bardzo tanio, tylko dolar dziennie, odciągnę to bezpośrednio z waszych wypłat, więc nie musicie się przejmować. Poznajcie Asfalta.

– Kogo? – zdziwił się Buddy.

– To ja – odezwał się worek obok Dibblera.

Rozchylił się trochę i nagle okazało się, że to wcale nie worek, ale jakiś... jak gdyby pognieciony... jakby ruchomy stos...

Buddy poczuł, że oczy mu łzawią. To coś wyglądało na trolla, ale było niższe od krasnoluda. Nie było jednak mniejsze od krasnoluda – niedostatki wzrostu Asfalt nadrabiał szerokością oraz – skoro już o tym mowa – zapachem.

– Dlaczego on taki niski? – zdziwił się Klif.

– Słoń na mnie usiadł – wyjaśnił ponuro Asfalt.

Buog wytarł nos.

– Tylko usiadł?

Asfalt miał już na sobie koszulkę z napisem „Grupa z Wykrokiem". Była trochę ciasna na piersi, ale za to sięgała prawie do ziemi.

– Asfalt się wami zaopiekuje – poinformował Dibbler. – Nie ma takiej rzeczy, której by nie wiedział o show biznesie.

Asfalt uśmiechnął się szeroko.

– Ze mną nic wam nie grozi – zapewnił. – Pracowałem już ze wszystkimi, nie bujam. Byłem wszędzie, robiłem wszystko.

– Moglibyśmy przejść się na Fronty – zaproponował Klif. – Będzie pusto, bo uniwersytet ma wakacje.

– Dobry pomysł – pochwalił Dibbler. – Ja mam jeszcze to i owo do zorganizowania. Zobaczymy się wieczorem. W Grocie, o siódmej.

I odszedł.

– Wiecie, co w nim było zabawnego? – zapytał Buog.

– Co?

– To, jak palił tę kiełbaskę. Ciekawe, czy wiedział.

Asfalt chwycił torbę Klifa i bez wysiłku przerzucił ją sobie przez ramię.

– Idziemy, szefie.

– Słoń na tobie usiadł? – spytał Buddy, kiedy szli przez plac.

– Tak. W cyrku. Czyściłem im boksy.

– I od tego zrobiłeś się taki niski?

– Nie. Nie zrobiłem się, dopóki słoń nie usiadł na mnie trzy, cztery razy – wyjaśnił niski, płaski troll. – Nie wiem czemu. Sprzątałem po nich spokojnie, aż nagle zapadła ciemność.

– Ja tam rzuciłbym taką robotę już po pierwszym razie – stwierdził Buog.

– Nie. – Asfalt uśmiechnął się z satysfakcją. – Nie mogłem tak postąpić. Show-biznes mam w duszy.

Myślak przyjrzał się temu, co zbudowali.

– Ja też tego nie rozumiem – przyznał. – Ale... wygląda na to, że możemy ją złapać w tę strunę, a dzięki temu struna odgrywa muzykę od nowa. Taki jakby ikonograf dla dźwięku.

Umieścili strunę w drewnianym, pięknie rezonującym pudle. Wygrywało w kółko te same kilka taktów.

– Skrzynka muzyki! – zawołał Ridcully. – A niech mnie!

– Chciałbym przekonać muzyków – mówił dalej Stibbons – żeby zagrali przed całym zestawem takich strun. Może wtedy uda nam się schwytać całą muzykę.

– Ale po co? Po co?

– No... gdyby odtwarzać muzykę ze skrzynek, muzycy nie byliby więcej potrzebni.

Ridcully zawahał się. Ta wizja miała liczne zalety. Świat bez muzyków rzeczywiście wydawał się bardziej interesujący. W jego opinii byli bandą niechlujów. Bardzo niehigieniczni...

Z ociąganiem pokręcił głową.

– Nie ten rodzaj muzyki – rzekł. – Tę muzykę chcemy powstrzymać, a nie robić jej więcej.

– A co właściwie jest w niej groźnego? – zaciekawił się Myślak.

– Jest... Nie widać tego? – zdziwił się Ridcully. – Powoduje, że ludzie dziwnie się zachowują. Noszą śmieszne ubrania. Są nieuprzejmi. Nie robią tego, co się im powie. Tak nie może być. Poza tym... pamiętaj o panu Hongu.

– Na pewno jest wyjątkowo niezwykła – przyznał Stibbons. – Możemy zdobyć jej trochę więcej? W celach badawczych? Nadrektorze?

Ridcully wzruszył ramionami.

– Pójdziemy za dziekanem.

 – Na miłość bogów – szepnął Buddy w ogromnej, pełnej ech pustce. – Nic dziwnego, że nazywają to Grotą. Jest wielka.

– Czuję się tu jak krasnolud – stwierdził Buog.

Asfalt przeszedł na front sceny.

– Raz, dwa, raz, dwa – zawołał. – Raz. Raz. Raz, dwa, raz, dw...

– Trzy – podpowiedział uprzejmie Buddy.

Asfalt przerwał, wyraźnie zakłopotany.

– Robiłem próbę, no wiecie, żeby sprawdzić... Próbę – mamrotał. – Próbę... tego.

– Nigdy nie wypełnimy takiej hali – zaniepokoił się Buddy.

Buog zajrzał do pudła stojącego z boku sceny.

– My nie, ale one mogą – powiedział. – Popatrzcie tylko.

Rozwinął afisz. Pozostali zbliżyli się zaciekawieni.

– To jest obraz nas – zdziwił się Klif. – Ktoś nas namalował.

– Wściekle wyglądamy.

– Nieźle wyszedł Buddy – zauważył Asfalt. – Kiedy tak wywija gitarą.

– Skąd się tam wzięła błyskawica i cała reszta? – zapytał Buddy.

– Nigdy nie wyglądam tak wściekle, nawet kiedy naprawdę jestem wściekły – poskarżył się Buog.

– „Nowe brzmienie na naszej scenie" – odczytał Klif, marszcząc czoło z wysiłku.

– „Grupa z Wykrokiem" – jęknął Buog. – No nie! Tam piszą, że będziemy tutaj i w ogóle! Jesteśmy zgubieni.

– „Bądź tam, jeśli nie jesteś miękkim stworzeniem w skorupie" – dokończył Klif. – Tego żem nie zrozumiał.

– W pudle są dziesiątki takich rolek – oznajmił Buog. – To afisze. Wiecie, co to znaczy? Że kazał je porozlepiać w różnych miejscach. A skoro już o tym mowa, to kiedy Gildia Muzykantów nas dorwie...

– Muzyka jest wolna – przerwał mu Buddy. – Musi być za darmo.

– Co? Nie w tym krasnoludzim mieście.

– Przynajmniej powinna być. – Buddy ustąpił trochę. – Ludzie nie powinni płacić, żeby grać muzykę.

– Racja! Chłopak ma rację! Zawsze to powtarzam. Czy nie to zawsze powtarzam? Zawsze powtarzam, nie ma co.

Dibbler wynurzył się z cienia za kulisami. Towarzyszył mu troll, który – jak odgadł Buddy – musiał być Chryzoprazem. Nie był specjalnie duży ani nawet urwisty. Wyglądał wręcz gładko i ślisko, jak kamyk znaleziony na plaży. Nie pozostał na nim nawet ślad mchu.

Nosił też ubranie. Ubrania – jeśli nie liczyć mundurów czy odzieży roboczej – nie cieszyły się popularnością wśród trolli, które nosiły zwykle tylko przepaskę biodrową, żeby schować pod nią pewne elementy. To właściwie wszystko. Ale Chryzopraz miał na sobie garnitur. Wyglądał na marnie skrojony; w rzeczywistości był świetnie skrojony, ale każdy troll – nawet zupełnie bez ubrania – wygląda na źle skrojonego.

Kiedy Chryzopraz przybył do Ankh-Morpork, okazało się, że ma zdolności do nauki. Zaczął od ważnej lekcji: bicie ludzi to rozbój. Płacenie innym, żeby bili w jego imieniu, to dobry interes.

– Chłopcy, poznajcie Chryzopraza – powiedział Dibbler. – To mój stary przyjaciel. On i ja znamy się od bardzo dawna. Mam rację, Chryz?

– W samej rzeczy. – Chryzopraz obdarzył Dibblera ciepłym, przyjaznym uśmiechem, jak rekin łososia, z którym wygodnie mu płynąć w tym samym kierunku... na razie. Dostrzegalna w kącikach ust gra krzemowych mięśni sugerowała też, że pewnego dnia pewni ludzie pożałują słowa „Chryz".

– Pan Gardło mówi, że wy, chłopaki, najlepsza rzecz od czasu krojony chleb – zwrócił się do grupy. – Wy dostali wszystko, co potrzebowali?

W milczeniu kiwnęli głowami. Ludzie starali się nie odzywać do Chryzopraza, by nie powiedzieć czegoś, co mogłoby go urazić. Oczywiście, nie dowiedzieliby się tego od razu. Dowiedzieliby się później, kiedy w jakimś ciemnym zaułku jakiś głos za ich plecami powiedziałby: „Pan Chryzopraz jest naprawdę zirytowany".

– Wy pójdą teraz i odpoczną w wasza garderoba – mówił dalej troll. – Wy chcą jedzenie albo picie, wy tylko powiedzą.

Miał na palcach pierścienie z diamentami. Klif nie mógł oderwać od nich wzroku.

Garderoba znajdowała się obok wychodka i była do połowy zastawiona beczkami z piwem. Buog oparł się o drzwi.

– Nie trzeba mi tych pieniędzy – oświadczył. – Niech tylko pozwolą mi ujść stąd z życiem, o nic więcej nie proszę.

– E uisz ęę autui... – zaczął Klif.

– Próbujesz mówić z zamkniętymi ustami, Klif – zauważył Buddy.

– Powiedziałem, że nie musisz się martwić. Masz niewłaściwy rodzaj zębów.

Ktoś zapukał do drzwi i Klif z rozmachem zakrył dłonią usta. Stukanie jednak, jak się okazało, było dziełem Asfalta, który przyniósł zastawioną tacę.

Miał na niej trzy rodzaje piwa. Miał nawet kanapki z wędzonym szczurem, z odkrojoną skórką i ogonem. I miskę najlepszego antracytowego koksu pokrytego popiołem.

– Dobrze pogryź – mruknął Buog, gdy Klif chwycił miskę. – To może być twoja ostatnia okazja.

– Może nikt nie przyjdzie i pozwolą nam iść do domu? – wyraził nadzieję Klif.

Buddy przebiegł palcami po strunach. Pozostali przerwali jedzenie, kiedy akordy wypełniły pokój.

– Magia. – Klif pokręcił głową.

– Nie martwcie się, chłopaki – uspokoił ich Asfalt. – Gdyby były jakieś problemy, to ci drudzy będą się z nimi gryźli.

Buddy przestał grać.

– Jacy drudzy?

– To właściwie zabawne – odparł mały troll. – Nagle wszyscy próbują grać muzykę z wykrokiem. Pan Dibbler zaangażował na koncert jeszcze jeden zespół. Żeby rozgrzać publiczność, tak jakby.

– Kto to?

– Nazywają się Szaleństwo.

– A gdzie są?

– No więc, to jest tak... zauważyliście, że wasza garderoba jest obok wychodka?

Za obszarpaną kurtyną na scenie Groty Crash usiłował nastroić gitarę. W tej stosunkowo łatwej procedurze przeszkadzało mu kilka drobiazgów. Przede wszystkim Blert zrozumiał, czego oczekują klienci, i błagając swych przodków o wybaczenie, zaczął poświęcać więcej uwagi przyklejaniu błyszczących kawałków niż normalnemu działaniu instrumentu. Wyrażając to inaczej: wbił tuzin gwoździ i przywiązał do nich struny. Z drugiej strony niewiele to zmieniło, ponieważ sam Crash miał muzyczny talent zatkanego nozdrza.

Spojrzał na Jimba, Noddy'ego i Scuma. Jimbo, obecnie gitarzysta basowy (Blert, śmiejąc się histerycznie, użył grubszej deski i drutu z ogrodzenia), niepewnie podniósł rękę.

– O co chodzi, Jimbo?

– Jedna struna mi się zerwała.

– To co? Masz przecież jeszcze pięć.

– Tak. Ale nie umiem grać na pięciu.

– Na sześciu też nie umiałeś. Więc teraz twoja ignorancja się zmniejszyła.

Scum zajrzał za kurtynę.

– Crash...

– Tak?

– Tam są setki ludzi! Całe setki! I dużo ich też ma gitary. Wywijają nimi.

Szaleństwo wsłuchało się w hałas dobiegający z drugiej strony kurtyny. Crash nie miał zbyt wielu szarych komórek i często musiały machać do siebie, by zwrócić uwagę koleżanek. Mimo to przeżył moment zwątpienia, czy dźwięk, jaki uzyskało Szaleństwo – choć to dobry dźwięk – był tym, jaki słyszał zeszłej nocy Pod Bębnem. Tamten dźwięk budził w nim pragnienie, by krzyczeć i tańczyć, podczas gdy ten drugi budził chęć, by... no cóż, szczerze mówiąc, chęć, by wrzeszczeć i rozbić perkusję Scuma na głowie jej właściciela.

Noddy także zerknął za kurtynę.

– Słuchajcie, tam jest grupa ma... Wydaje mi się, że to magowie, siedzą w pierwszym rzędzie – powiedział. – Chyba... właściwie jestem pewien, że to magowie, ale... to znaczy...

– Przecież łatwo poznać, głupku – burknął Crash. – Noszą spiczaste kapelusze.

– Jeden z nich ma... spiczaste włosy.

Pozostali członkowie Szaleństwa przysunęli po oku do szczeliny.

– Wygląda jak... jakby róg jednorożca zrobiony z włosów...

– A co on ma napisane z tyłu szaty? – zdziwił się Jimbo.

– Tam pisze ZRODZONY DO RUN – wyjaśnił Crash, który czytał najszybciej z całej grupy i wcale nie musiał używać palca.

– Ten chudy ma na sobie rozszerzaną szatę – zauważył Noddy.

– Musi być stary...

– I wszyscy przynieśli gitary! Myślicie, że przyszli tu nas posłuchać?

– Na pewno – potwierdził Noddy.

– To wrażliwa publiczność – uznał Jimbo.

– Zgadza się, wrażliwa – przyznał Scum. – Eee... A co to znaczy wrażliwa?

– To znaczy, że... że wróży.

– Fakt. Wygląda, jakby źle wróżyła.

Crash zdusił wątpliwości.

– Wychodzimy – rozkazał. – Pokażemy im, o co naprawdę chodzi w muzyce wykrokowej!

Asfalt, Klif i Buog siedzieli w kącie garderoby. Nawet tutaj słyszeli ryk tłumu.

– Dlaczego on nic nie mówi? – szepnął Asfalt.

– Nie wiem – mruknął Buog.

Buddy siedział wpatrzony w przestrzeń, tuląc w ramionach gitarę. Od czasu do czasu bardzo delikatnie stukał w pudło, w rytm myśli, jakie sączyły mu się przez głowę.

– Czasami to mu się zdarza – wyjaśnił Klif. – Siedzi tak i gapi się na powietrze...

– Hej, oni tam coś krzyczą – przerwał im Buog. – Posłuchajcie tylko!

Ryk tłumu nabrał rytmu.

– Brzmi to jak „wyk-rok, wyk-rok, wyk-rok" – stwierdził Klif.

Drzwi otworzyły się gwałtownie, a do garderoby na wpół wbiegł, na wpół wpadł Dibbler.

– Musicie wyjść na scenę! – krzyknął. – Natychmiast!

– Myślałem, że chłopcy z Sanitariatu... – zaczął Buog.

– Nawet nie pytaj! – rzekł Dibbler. – Chodźcie! Inaczej rozniosą lokal!

Asfalt podniósł kamienie.

– Gotów – powiedział.

– Nie – rzekł nagle Buddy.

– Co jest? – zdziwił się Dibbler. – Nerwy?

– Nie. Muzyka powinna być za darmo. Tak jak powietrze i niebo.

Buog odwrócił głowę. W głosie Buddy'ego pobrzmiewała delikatna sugestia rezonansu.

– Pewnie, pewnie, zawsze to mówiłem – zgodził się Dibbler. – Gildia...

Buddy wyprostował nogi i wstał.

– Przypuszczam, że ludzie musieli płacić, żeby się tu dostać. Prawda? – zapytał.

Buog zerknął na pozostałych. Nikt chyba tego nie zauważył, ale słowa Buddy'ego pobrzękiwały, dźwięczały jak struny.

– Ach, to... Oczywiście. Trzeba pokryć wydatki. Są wasze honoraria... i podłoga się zużywa... ogrzewanie i oświetlenie... amortyzacja...

Ryk rozlegał się coraz głośniej. Pojawiła się w nim dodatkowa składowa tupania.

Dibbler przełknął ślinę. Jego twarz przybrała wyraz człowieka, który gotów jest ponieść najwyższą ofiarę.

– Mógłbym... może zapłacić wam więcej... może dolara... – wykrztusił, a każde słowo musiało walczyć, by wydostać się z twierdzy jego umysłu.

– Jeśli teraz wejdziemy na scenę, to chcę, żebyśmy wystąpili jeszcze raz – oświadczył Buddy.

Buog podejrzliwie przyglądał się gitarze.

– Co? Żaden problem. Szybko załatwię... – zaczął Dibbler.

– Za darmo.

– Za darmo? – Słowa przemknęły się poza zęby Dibblera, nim zdążył zamknąć usta. Zmobilizował się błyskawicznie. – Nie chcecie zapłaty? Oczywiście, jeśli to...

Buddy nie poruszył się nawet.

– Chodzi mi o to, że my nie dostajemy pieniędzy, a ludzie nie muszą płacić za to, że słuchają. Tylu ludzi, ile to tylko możliwe.

– Za darmo?

– Tak!

– A gdzie tu miejsce na zysk?

Pusta butelka po piwie zadygotała na stoliku i roztrzaskała się o podłogę. Troll zajrzał przez drzwi – a przynajmniej jego część zajrzała. Nie mógłby wejść do środka, nie wyrywając przy tym futryny, ale nie wyglądał, jakby miał się przed tym zawahać.

– Pan Chryzopraz mówić: Co się dzieje? – warknął groźnie.

– Ehm...

– Pan Chryzopraz nie lubić czekać.

– Wiem, już...

– On być smutny, kiedy czekać...

– No dobrze! – wrzasnął Dibbler. – Za darmo! Ale gardło sobie tym podrzynam. Zdajecie sobie sprawę?

Buddy zagrał jakiś akord. Zdawało się, że muzyka pozostawia za sobą w powietrzu drobne iskierki.

– Idziemy – rzucił cicho.

– Znam to miasto – mamrotał do siebie Dibbler, kiedy Grupa z Wykrokiem ruszyła na wibrującą scenę. – Wystarczy powiedzieć, że coś jest za darmo, a zlecą się ich tysiące...

Będą chcieli coś zjeść, odezwał się głos w jego głowie. Aż brzęknął.

Będą chcieli się napić.

Będą chcieli kupić koszulki Grupy z Wykrokiem.

Wargi Dibblera bardzo powoli rozciągnęły się w uśmiechu.

– Darmowy festiwal – stwierdził. – Oczywiście! To nasz obywatelski obowiązek. Muzyka powinna być za darmo. A kiełbaski w bułce będą po dolarze, musztarda dodatkowo. Może po dolar pięćdziesiąt. A i tak gardło sobie przy tym podrzynam.

 Za kulisami krzyki publiczności tworzyły lity mur dźwięku.

– Dużo ich tam – stwierdził Buog. – Jeszcze nigdy w życiu nie grałem dla tylu naraz.

Asfalt układał na scenie kamienie Klifa. Dostał burzliwe oklaski i sporo gwizdów.

Buog zerknął na Buddy'ego. Chłopak ani na chwilę nie wypuścił z rąk gitary. Krasnoludy nie mają skłonności do głębokich przemyśleń, ale Buog uświadomił sobie nagle, że chciałby się znaleźć daleko stąd, najlepiej w jaskini.

– Powodzenia, chłopaki – odezwał się cichy głos za jego plecami.

Jimbo bandażował Crashowi rękę.

– Eee... Dzięki – odpowiedział Klif. – Co ci się stało?

– Czymś w nas rzucili – wyjaśnił Crash.

– Czym?

– Chyba Noddym.

Widoczny fragment twarzy Crasha rozpromienił się nagle w szerokim i strasznym uśmiechu.

– Ale dokonaliśmy tego! Zagraliśmy im muzykę z wykrokiem! A ten kawałek, kiedy Jimbo roztrzaskał gitarę... Uwielbiali to!

– Roztrzaskał gitarę?

– Tak – potwierdził Jimbo z dumą prawdziwego artysty. – O Scuma.

Buddy zamknął oczy. Klif miał wrażenie, że widzi otaczające go bardzo delikatne lśnienie, jakby rzadką mgiełkę. Unosiły się w niej maleńkie punkciki światła.

Czasami Buddy wydawał się bardzo elfi.

Ze sceny zszedł Asfalt.

– Wszystko gotowe.

Spojrzeli na Buddy'ego.

Stał nieruchomo z zamkniętymi oczami, jakby zasnął na stojąco.

– Czyli... Wychodzimy tam, prawda? – upewnił się Buog.

– Tak, wychodzimy – powtórzył Klif. – Zgadza się, Buddy?

Powieki Buddy'ego uniosły się nagle.

– Zróbmy krok – szepnął.

Klif sądził dotąd, że jest głośno, ale kiedy wyszedł na scenę, hałas uderzył go niczym maczuga.

Buog chwycił róg. Klif usiadł i uniósł młotki.

Buddy stanął na środku i – ku zdumieniu Klifa – znieruchomiał, wpatrzony we własne stopy.

Oklaski zaczęły przycichać.

Aż wreszcie umilkły zupełnie. Wielką salę wypełniła cisza setek ludzi równocześnie wstrzymujących oddech.

Buddy poruszył palcami.

Zagrał trzy proste akordy.

Uniósł głowę.

– Witaj, Ankh-Morpork!

Klif poczuł, że muzyka wzbiera w nim, że pcha go do tunelu ognia, iskier i podniecenia. Uderzył młotkami. I zabrzmiała muzyka z wykrokiem.

 G.S.P. Dibbler stał na ulicy, żeby nie słyszeć wykrokowej muzyki. Palił cygaro i obliczał zyski na odwrocie zaległego rachunku za czerstwe bułki.

Po kolei. Przede wszystkim musi to być gdzieś na dworze, żeby nie płacić za najem... Jakieś dziesięć tysięcy ludzi, jedna kiełbaska w bułce na każdego po dolar pięćdziesiąt, nie, powiedzmy dolar siedemdziesiąt pięć, musztarda dziesięć pensów dodatkowo... dziesięć tysięcy koszulek Grupy z Wykrokiem po pięć dolarów sztuka, nie, lepiej po dziesięć dolarów... i jeszcze wynajem miejsca pod stragany innych handlarzy, bo przecież ludzi, którzy lubią wykrokową muzykę, można namówić, żeby kupili wszystko...

Słyszał, że ulicą zbliża się koń. Nie zwracał na niego uwagi, dopóki nie zabrzmiał damski głos.

– Jak się tam dostać?

– Nie ma szans – odparł Dibbler, nie odwracając głowy. Nawet plakaty Grupy z Wykrokiem. Ludzie proponowali po trzy dolary za same plakaty, a troll Kreduła może wypuścić setkę za...

Uniósł głowę. Koń, wspaniały biały rumak, przyglądał mu się bez zainteresowania.

Dibbler rozejrzał się niespokojnie.

– Gdzie ona poszła?

 Paru trolli stało tuż za drzwiami wejściowymi. Susan ich zignorowała. Oni też ją zignorowali.

Na widowni Stibbons rozejrzał się w obie strony i ostrożnie otworzył drewnianą skrzynkę.

Naciągnięta wewnątrz struna zaczęła wibrować.

– To się nie zgadza! – krzyknął Ridcully'emu do ucha. – To wbrew prawom rozchodzenia się dźwięku!

– Może to nie są prawa! – wrzasnął Ridcully. Ludzie oddaleni o stopę już go nie słyszeli. – Może to tylko wskazówki!

– Nie! Muszą być jakieś prawa!

Ridcully spostrzegł, że rozentuzjazmowany dziekan próbuje wdrapać się na scenę. Wielkie trollowe stopy Asfalta wylądowały mu ciężko na palcach.

– O... dobry ruch, nie ma co – stwierdził.

Nagłe świerzbienie na karku kazało mu się obejrzeć.

Wprawdzie w Grocie panował ścisk, ale zdawało się, że po sali przesuwa się krąg pustki. Ludzie napierali na siebie, lecz granice pustki były niewzruszone jak mur.

A w środku kręgu była dziewczyna, którą widział w Bębnie. Szła przez salę, lekko unosząc skraj sukni.

Ridcully poczuł, że łzawią mu oczy.

Zrobił krok naprzód i skoncentrował się. Jeśli człowiek się skoncentruje, zdolny jest niemal do wszystkiego. Każdy mógł wejść do wnętrza kręgu, gdyby tylko zmysły skłonne były przyznać, że taki krąg w ogóle istnieje. Wewnątrz jego obwodu muzyka zdawała się trochę przytłumiona.

Stuknął dziewczynę w ramię. Obejrzała się zaskoczona.

– Dobry wieczór – odezwał się Ridcully. – Jestem Mustrum Ridcully, nadrektor Niewidocznego Uniwersytetu. I bardzo chciałbym wiedzieć, kim ty jesteś.

– Eee... – Dziewczynę na moment ogarnęła panika. – No... formalnie rzecz biorąc... chyba jestem Śmiercią.

– Formalnie?

– Tak. Ale w tej chwili nie na służbie.

– Miło mi to słyszeć.

Ze sceny rozległ się pisk – Asfalt rzucił wykładowcę run współczesnych w publiczność, która przyjęła to oklaskami.

– Nie powiem, że często widywałem Śmierć – rzekł Ridcully. – Ale przy tych nielicznych okazjach zauważyłem, że był raczej... no, był, przede wszystkim, nie była... w dodatku o wiele chudszy.

– To mój dziadek.

– Aha. Ach... naprawdę? Nie wiedziałem nawet, że miał... – Ridcully urwał nagle. – No, no, coś podobnego. Twój dziadek? A ty prowadzisz rodzinną firmę?

– Przestań gadać, głupi człowieku – przerwała mu Susan. – Jak śmiesz traktować mnie tak protekcjonalnie? Widzisz go? – Wskazała scenę, gdzie Buddy był właśnie w połowie riffu. – On wkrótce zginie z powodu... z powodu głupoty. I jeśli nic na to nie możesz poradzić, odejdź!

Ridcully spojrzał na scenę. A kiedy znów odwrócił głowę, Susan zniknęła. Z wysiłkiem wytężył wzrok i miał wrażenie, że dostrzega ją kawałek dalej. Jednak teraz, gdy wiedziała już, że jej szuka, nie miał żadnej szansy.

Asfalt pierwszy wrócił do garderoby. Jest coś bardzo smutnego w pustej garderobie. Jest jak wyrzucona bielizna, którą zresztą przypomina pod wieloma względami. Też widziała gorączkową aktywność. Mogła być świadkiem podniecenia i całego zakresu ludzkich namiętności. A teraz niewiele z nich pozostało oprócz lekkiego zapachu.

Niski troll rzucił na podłogę worek kamieni i odgryzł szyjki kilku butelek piwa.

Wszedł Klif. Dotarł na środek pomieszczenia i przewrócił się, uderzając o podłogę wszystkimi częściami ciała naraz. Buog przekroczył go i siadł na beczce.

Spojrzał na butelki. Zdjął hełm. Wylał do niego piwo. A potem pozwolił, by głowa opadła mu do przodu.

Buddy usiadł w kącie, oparty o ścianę.

Na końcu zjawił się Dibbler.

– Co mogę powiedzieć? Co mogę powiedzieć?

– Niech pan nas nie pyta – odparł Klif, wciąż wyciągnięty na podłodze. – Skąd mamy wiedzieć?

– To było wspaniałe – oświadczył Dibbler. – Co się dzieje z krasnoludem? Topi się?

Buog wyciągnął rękę, nie patrząc złapał następną butelkę, utłukł szyjkę i wylał sobie piwo na głowę.

– Panie Dibbler – odezwał się Klif.

– Tak?

– Myślę, że musimy porozmawiać. Tylko my, znaczy. Grupa. Jeśli to panu nie przeszkadza.

Dibbler przyjrzał się im po kolei. Buddy siedział zapatrzony w ścianę, Buog bulgotał wewnątrz hełmu, a Klif wciąż leżał na podłodze.

– Zgoda – rzekł, po czym dodał radośnie: – Wiesz, Buddy, ten darmowy występ... Świetny pomysł. Zaraz wezmę się za organizację. I możcie zagrać, jak tylko wrócicie z trasy. Otóż to. No...

Odwrócił się, by wyjść, i wpadł na rękę Klifa, która nagle zablokowała drzwi.

– Trasa? Jaka trasa?

Dibbler cofnął się lekko.

– Och, parę miejsc. Quirm, Pseudopolis, Sto Lat... – Spojrzał zdziwiony. – Nie tego chcieliście?

– Później porozmawiamy – rzucił Klif.

Wypchnął Dibblera za drzwi i zatrzasnął je.

Piwo ściekało z brody Buoga.

– Trasa? Jeszcze trzy noce takie jak ta?

– O co chodzi? – zdziwił się Asfalt. – Było świetnie! Wszyscy krzyczeli. Zrobiliście pełne dwie godziny. Musiałem skopywać ich ze sceny! Nigdy jeszcze nie czułem się...

Ucichł nagle.

– To właśnie problem – wyjaśnił Klif. – Wchodzę na scenę, siadam i nawet nie wiem, co będziemy robić, a potem Buddy gra coś na tej swojej... na tej rzeczy... a ja zaczynam bam-Bam-czcza-czcza-BAM-bam. Nie wiem, co gram. Samo włazi mi do głowy i spływa na ręce.

– Właśnie – zgodził się Buog. – Ze mną jest tak samo. Mam wrażenie, że wydobywam z tego rogu coś, czego nigdy tam nie wkładałem.

– To nie jest porządne granie – dodał Klif. – O to mi chodzi. Bardziej jakby na nas coś grało.

– Od dawna jesteś w show-biznesie? – Buog zwrócił się do Asfalta.

– Tak. Byłem wszędzie, robiłem wszystko. I wszystko widziałem.

– A widziałeś kiedy taką publiczność?

– Widziałem, jak w Operze rzucają kwiaty i klaszczą...

– Ha! Tylko kwiaty? Jakaś kobieta rzuciła na scenę swoje... swoją odzież.

– Zgadza się! Wylądowały mi na głowie.

– Kiedy panna Va Va Voom wykonywała taniec piór w Klubie Skunksa przy Browarnej, to jak doszła do ostatniego pióra, cała publika rzuciła się na scenę...

– To wyglądało podobnie?

– Nie – przyznał troll. – Uczciwie powiem, że nigdy jeszcze nie widziałem publiczności takiej... wygłodniałej. Nawet na pannę Va Va Voom, a tamci byli dość głodni, słowo daję. Oczywiście, nikt wtedy nie rzucał bielizny na scenę. To raczej ona zrzucała ją ze sceny.

– I jeszcze coś – mruknął Klif. – W tym pokoju jest czterech ludzi, ale mówi tylko trzech.

Buddy uniósł głowę.

– Muzyka jest ważna – wymamrotał.

– To nie muzyka – sprzeciwił się Buog. – Muzyka nie robi z ludźmi takich rzeczy. Przez muzykę nie czują się, jakby przeszli przez zgrzeblarkę. Tak się spociłem, że lada dzień będę musiał zmienić kamizelkę. – Potarł nos. – Przyglądałem się publiczności i myślałem: zapłacili pieniądze, żeby się tutaj dostać. Założę się, że było tego więcej niż dziesięć dolarów.

Asfalt podniósł wąski pasek papieru.

– Znalazłem ten bilet na podłodze – powiedział.

Buog przeczytał.

– Dolar pięćdziesiąt? – zdumiał się. – Sześciuset ludzi po dolar pięćdziesiąt każdy? To przecież... To czterysta dolarów.

– Dziewięćset – poprawił go Buddy tym samym obojętnym głosem. – Ale pieniądze nie są ważne.

– Pieniądze nie są ważne? Stale to powtarzasz. Co z ciebie za muzyk?

Z zewnątrz wciąż słyszeli stłumiony ryk.

– Chciałbyś po tym wrócić do gry dla paru ludzi w jakiejś piwnicy? – zapytał Buddy. – Kto jest najsławniejszym w historii graczem na rogu, Buog?

– Brat Charnel – odparł natychmiast krasnolud. – Wszyscy to wiedzą. Ukradł złoto z ołtarza w świątyni Offlera, przekuł je na róg i grał czarodziejską muzykę, dopóki bogowie go nie złapali i nie wyrwali mu...

– Zgadza się. Ale gdybyś wyszedł teraz i zapytał tych ludzi, kto jest najsławniejszym graczem na rogu, pamiętaliby o jakimś oszukańczym mnichu, czy krzyczeli: Buog Buogsson?

– Oni by... – Buog zawahał się i urwał.

– No właśnie – rzucił Buddy. – Pomyśl o tym. Muzyk musi być słyszany. Nie możesz się teraz wycofać. Nie możemy przestać.

Buog pogroził palcem gitarze.

– To przez nią! – zawołał. – Jest niebezpieczna!

– Poradzę z nią sobie.

– Tak, ale jak to się skończy?

– Nie jest ważne, jak skończysz – oświadczył Buddy. – Ważne, jak tam dotrzesz.

– Jak dla mnie, to elfie słowa...

Drzwi otworzyły się gwałtownie.

– Tego... – powiedział Dibbler. – Wiecie, chłopcy, jeśli nie wrócicie i nie zagracie czegoś, to wpadliśmy w głębokie brązowe...

– Nie mogę grać – odparł Buog. – Straciłem oddech z powodu braku pieniędzy.

– Powiedziałem przecież: dziesięć dolarów. Prawda?

– Dla każdego – wtrącił Klif.

Dibbler, który nie liczył na to, że zejdzie poniżej stu, machnął tylko ręką.

– To ma być wdzięczność, tak? – zapytał. – Chcecie, żebym sobie gardło poderżnął?

– Możemy pomóc. Wystarczy, że pan poprosi.

– No dobrze już, dobrze. Trzydzieści dolarów – zgodził się Dibbler. – Nie wystarczy już na herbatę dla mnie.

Klif zerknął na Buoga, który wciąż przetrawiał uwagi o najsławniejszym graczu na rogu.

– Na widowni jest dużo krasnoludów i trolli – poinformował Klif.

– „Cień bardzo wysokiej góry"? – zaproponował Buog.

– Nie – sprzeciwił się Buddy.

– To co?

– Coś wymyślę.

Publiczność wylewała się na ulicę. Magowie zebrali się wokół dziekana. Wszyscy pstrykali palcami.

– Uella-uella-uella – podśpiewywał radośnie dziekan.

– Minęła północ! – oznajmił wykładowca run współczesnych, pstrykając palcami. – A mnie to wcale nie obchodzi! Co teraz robimy?

– Może chodźmy coś zjeść – zaproponował dziekan.

– Rzeczywiście – zgodził się kierownik Katedry Studiów Nieokreślonych. – Straciliśmy kolację.

– Straciliśmy kolację? – zdumiał się pierwszy prymus. – O rany! To właśnie jest wykrokowa muzyka. I wcale się tym nie przejmujemy.

– Nie. Chodziło mi... – Dziekan urwał. Teraz, kiedy się lepiej zastanowił, nie był całkiem pewien, o co mu właściwie chodziło. – Stąd na uniwersytet czeka nas długi spacer – powiedział. – Moglibyśmy zatrzymać się gdzieś na kawę albo co.

– Może pączka czy dwa – dodał wykładowca run współczesnych.

– I jeszcze kawałek ciasta – wtrącił kierownik studiów nieokreślonych.

– Ja mam ochotę na szarlotkę – oświadczył pierwszy prymus.

– I kawałek ciasta.

– Kawa – rzekł z mocą dziekan. – Tak. Bar kawowy. Zgadza się.

– Co to jest bar kawowy? – zapytał pierwszy prymus.

– Dają tam coś oprócz kawy, czy trzeba szukać baru pączkowego? – chciał wiedzieć wykładowca run współczesnych.

Stracona kolacja, do tej chwili zapomniana, zaczynała narastać pustką w żołądkach.

Dziekan spojrzał z dumą na swą lśniącą, nową skórzaną szatę. Wszyscy powtarzali, jak dobrze wygląda. Podziwiali ZRODZONY DO RUN. Włosy też miał odpowiednie. Myślał, czyby nie zgolić brody, ale zostawiając te boczne kawałki, bo to wydawało się odpowiednie. A kawa... tak, kawa też się w tym mieściła. Kawa pasowała do tego wszystkiego.

I muzyka. Muzyka była tam także. Była wszędzie.

Ale było również coś jeszcze. Czegoś brakowało. Nie był pewien, co to jest, ale wiedział, że pozna to, kiedy zobaczy.

 W zaułku za Grotą panowała ciemność; tylko obdarzeni najbystrzejszym wzrokiem mogliby zauważyć kilka postaci przyciśniętych do muru.

Rzadkie błyski światła na zmatowiałych cekinach wskazywały tym, którzy znają się na tych sprawach, że ludzie ci to Chór Bliskiej Harmonii Grishama Frorda, egzekucyjna grupa uderzeniowa Gildii. W przeciwieństwie do większości osób zatrudnianych przez pana Clete'a, ci tutaj faktycznie mieli pewne talenty muzyczne.

Obejrzeli też występ grupy.

– Du-op, uu, du-op, uu, du-op... – mówił ten chudy.

– Bubububuch – powiedział wysoki. Zawsze jest jeden wysoki.

– Clete ma rację. Jeśli będą ściągać tyle publiczności, wszyscy inni wypadną z interesu – stwierdził Grisham.

– Ooo tak – zgodził się basista.

– Kiedy wyjdą przez te drzwi... – jeszcze trzy noże wysunęły się z pochew – ...załatwcie sprawę bez zbędnego pośpiechu.

Usłyszeli kroki na schodach. Grisham skinął głową.

– Eee... Raz. Eee. Dwa. Eee... Raz, dwa, trz...

PANOWIE...

Odwrócili się równocześnie. Za nimi stała czarna postać trzymająca w dłoniach lśniącą kosę.

Susan uśmiechnęła się przerażająco.

ZACZĄĆ OD GÓRY?
– Ooo nie – jęknął basista.

 Asfalt odsunął rygiel i wyszedł w chłód nocy.
– Zaraz... – zdziwił się. – Co to było?
– Co co było? – nie zrozumiał Dibbler.
– Wydawało mi się, że słyszę, jak ktoś ucieka... – Troll postąpił naprzód. Coś brzęknęło, więc schylił się i podniósł jakiś przedmiot.
– A ktokolwiek to był, zgubił to...
– Jakiś drobiazg, taki czy inny – przerwał mu Dibbler. – Idziemy, chłopcy. Dzisiaj nie musicie wracać do jakiejś budy. Dzisiaj śpicie u Gritza!
– To hotel dla trolli, prawda? – zapytał podejrzliwie Buog.
– Trollowaty. – Dibbler z irytacją machnął ręką.
– Wiecie, był żem tam kiedyś, jak żem grał w kabarecie! – zawołał Klif. – Wszystko tam mają! Woda leci z kurka prawie w każdym pokoju! Są takie rury głosowe, żebyś mógł wrzasnąć o jedzenie prosto do kuchni, a potem pokojowi w prawdziwych butach przynoszą je prosto do pokoju! Obsługa!
– Korzystajcie. Stać was na to, chłopcy.
– A potem mamy tę trasę, tak? – spytał ostro Buog. – Na nią też nas stać?
– Och, pomogę wam – zapewnił wielkodusznie Dibbler. – Jutro ruszacie do Pseudopolis, to wam zajmie dwa dni, i z powrotem przez Sto Lat i Quirm. Wrócicie tu w środę na Festiwal. Świetny pomysł z tym Festiwalem. Trzeba podarować coś społeczeństwu. Zawsze popierałem dawanie różnych rzeczy społeczeństwu. To dobre dla... dla... dla społeczeństwa. Wszystko tu zorganizuję, zanim wrócicie, zgoda? A potem... – Jedną ręką objął ramię Buddy'ego, drugą głowę Buoga.
– Genoa! Klatch! Mers-bat! Chimera! Howondaland! Może nawet Kontynent Przeciwwagi, niedługo mają go znowu odkryć, otwiera wielkie możliwości dla odpowiednich ludzi! Z waszą muzyką i moim bezbłędnym wyczuciem interesu świat jest dla nas jak mięczak! A teraz idźcie już z Asfaltem, macie najlepsze pokoje, nic nie jest za dobre dla moich chłopaków. Prześpijcie się i nie myślcie o rachunku...
– Dziękujemy – wtrącił Buog.

– ...możecie zapłacić rano.

Grupa z Wykrokiem powlokła się w stronę najlepszego hotelu.

Dibbler usłyszał jeszcze pytanie Klifa:

– Co to jest mięczak?

– To takie dwie miseczki zestalonego węglanu wapnia, a między nimi takie słonawe, śliskie, rybowate zwierzątko.

– Brzmi smakowicie. Nie trzeba chyba zjadać tego czegoś w środku?

Kiedy zniknęli, Dibbler przyjrzał się nożowi, który znalazł Asfalt. Były na nim cekiny.

Tak. Wysłanie gdzieś chłopców na parę dni to stanowczo rozsądne posunięcie.

Na swojej pozycji w rynnie nad ulicą Śmierć Szczurów bełkotał coś do siebie.

 Ridcully wyszedł powoli z Groty. Jedynie niewielkie zaspy wykorzystanych biletów na schodach świadczyły o niedawno minionych godzinach muzyki.

Czuł się jak człowiek, który ogląda zawody, ale nie zna reguł. Na przykład ten chłopak śpiewał... co to było? „Uu... O co tyle hałasu?". Ostatecznie mógł to zrozumieć, w przypadku dziekana pytanie wydawało się całkiem logiczne. Ale dlaczego wszyscy się cieszyli, zamiast poważnie i uczciwie pomyśleć nad odpowiedzią? Potem, o ile dobrze pamiętał, była piosenka o tym, żeby nie deptać komuś po nowych butach. Trzeba przyznać, całkiem rozsądna sugestia, nikt przecież nie chce, żeby deptali mu po nogach, ale czemu piosenka prosząca ludzi, by tego unikali, wywołała taką reakcję, tego Ridcully nie potrafił zrozumieć.

A co do dziewczyny...

Podbiegł Myślak, przyciskając do piersi skrzynkę.

– Mam prawie wszystko, nadrektorze.

Ridcully spojrzał ponad jego ramieniem i zobaczył Dibblera, wciąż trzymającego tacę z niesprzedanymi koszulkami Grupy z Wykrokiem.

– Tak? Świetnie, panie Stibbons (niegadajniegadajniegadaj) – odparł. – Doskonale się składa, możemy wracać do domu.

– Dobry wieczór, nadrektorze – odezwał się Dibbler.

– O... witaj, Gardło. Nie zauważyłem cię po ciemku.

– Co jest w tej skrzynce?

– Ależ nic, nic takiego...

– To zadziwiające – oświadczył Stibbons, przepełniony bezkierunkowym entuzjazmem prawdziwych odkrywców i idiotów. – Możemy pochwycić aargh, aargh, aargh.

– Coś takiego, ależ ze mnie niezdara – zawstydził się Ridcully, gdy młody mag chwycił się za kostkę. – Może ja wezmę ten... absolutnie niewinny... aparat...

Ale skrzynka wysunęła się Myślakowi z rąk. Uderzyła o bruk, nim Ridcully zdążył ją złapać. Pokrywa odskoczyła.

Muzyka wylała się w noc.

– Jak to zrobiliście? – zdumiał się Dibbler. – To magia?

– Muzyka pozwala się pochwycić, dzięki czemu można jej znowu słuchać – wyjaśnił Myślak. – I uważam, że zrobił pan to umyślnie, nadrektorze.

– Można jej znowu słuchać? – upewnił się Dibbler. – Jak? Wystarczy otworzyć skrzynkę?

– Tak – potwierdził Myślak.

– Nie – zaprzeczył Ridcully.

– Ależ można – upierał się Myślak. – Pokazywałem panu, nadrektorze. Nie pamięta pan?

– Nie.

– Dowolną skrzynkę? – spytał Dibbler głosem przyduszonym pieniędzmi.

– Tak, ale w środku trzeba umieścić napiętą strunę, żeby muzyka miała gdzie zamieszkać i auu, auu, auu!

– Nie mam pojęcia, skąd u mnie te nagłe skurcze mięśni – usprawiedliwiał się Ridcully. – Chodźmy, panie Stibbons, nie marnujmy już cennego czasu pana Dibblera.

– Ależ wcale go nie marnujecie – zapewnił Dibbler. – Skrzynki pełne muzyki, tak?

– Tę zabieramy – oświadczył nadrektor. – Jest elementem ważnego eksperymentu magicznego.

Pociągnął Myślaka za sobą, co nie było łatwe, gdyż młody człowiek szedł zgięty wpół i rzęził.

– Dlaczego pan... to zrobił...?

– Panie Stibbons, wiem, że jest pan człowiekiem poszukującym zrozumienia wszechświata. Oto bardzo istotna zasada: nie należy wręczać małpie kluczy do plantacji bananów. Czasami wtedy można wręcz zobaczyć nieszczęśliwy wypadek, czekający tylko... no nie! Puścił Myślaka i gestem ręki wskazał w głąb ulicy.

– Masz jakieś teorie na ten temat, młody człowieku?

Coś złocistobrązowego i lepkiego wylewało się na ulicę z miejsca, które – za wzgórzami substancji – było zapewne kawiarnią. Gdy patrzyli, rozległ się brzęk szkła i brązowa substancja zaczęła się sączyć z okna na piętrze.

– Czy to jakaś potworna emanacja z Piekielnych Wymiarów? – spytał Myślak.

– Nie przypuszczam. Pachnie jak kawa.

– Kawa?

– W każdym razie jak kawowa pianka. Dlaczego właściwie mam przeczucie, że gdzieś tam w środku znajdziemy magów?

Z piany wynurzyła się jakaś postać, ociekająca brązowymi bąbelkami.

– Kto idzie?! – zawołał Ridcully.

– O tak! Czy ktoś zapisał numer tego wozu drabiniastego? Jeszcze pączka, skoro pan tak łaskaw! – odparł wesoło przybysz i runął w pianę.

– Według mnie głos był kwestora – stwierdził Ridcully. – Idziemy, chłopcze. To tylko bąbelki.

Zagłębił się w pianę.

Po chwili wahania Myślak zrozumiał, że stawką w tej grze jest honor młodego pokolenia magów. Ruszył za nadrektorem.

Niemal natychmiast zderzył się z kimś w bąbelkowej mgle.

– Ehm... Przepraszam...

– Kto to?

– To ja, Stibbons. Przyszedłem was ratować.

– Świetnie. Którędy na zewnątrz?

– Eee...

W kawowej chmurze dało się słyszeć kilka wybuchów i głośne puknięcie. Myślak zamrugał nerwowo. Poziom bąbelków opadał.

Pojawiły się spiczaste kapelusze, niczym zatopione kłody w wysychającym jeziorze. Podszedł Ridcully – piana ściekała mu z głowy.

– Działo się tu coś wyjątkowo głupiego – oświadczył. – Zamierzam cierpliwie poczekać, aż dziekan się przyzna.

– Nie rozumiem, dlaczego nadrektor zakłada, że to akurat ja – wymamrotała kawowo zabarwiona kolumna.

– W takim razie kto?

– Dziekan powiedział, że kawa powinna być z pianką – oświadczyła góra pianki o pierwszoprymusowskich kształtach. – Rzucił parę prostych czarów i wydaje mi się, że wszystkich nas trochę poniosło.

– Aha. Jednak ty, dziekanie.

– No tak, rzeczywiście, ale to zwykły przypadek – burknął niechętnie dziekan.

– Wynocha stąd wszyscy – rozkazał nadrektor. – W tej chwili wracać na uniwersytet.

– Naprawdę nie rozumiem, dlaczego od razu zakłada się moją winę tylko dlatego, że czasami rzeczywiście to moja wina...

Piana opadła jeszcze trochę, odsłaniając parę oczu pod krasnoludzim hełmem.

– Przepraszam bardzo – odezwał się głos spod bąbelków. – Ale kto za to wszystko zapłaci? Razem będzie cztery dolary, uprzejmie dziękuję.

– Kwestor ma pieniądze – zaznaczył pospiesznie Ridcully.

– Już nie – poprawił go pierwszy prymus. – Kupił siedemnaście pączków.

– Cukier? – zmartwił się Ridcully. – Pozwoliliście mu jeść cukier? Przecież wiecie, że od tego robi się, no... trochę zabawny. Pani Whitlow obiecała, że odejdzie, jeśli znowu puścimy go w pobliże cukru. – Zaganiał wilgotnych magów do drzwi. – Spokojnie, mój poczciwcze, możesz nam ufać, jesteśmy magami. Rano każę ci przysłać jakieś pieniądze.

– Ha! I spodziewacie się pewnie, że uwierzę?

To była męcząca noc. Ridcully odwrócił się tylko i machnął ręką w kierunku ściany. Trzasnęły oktarynowe iskry, a w kamieniu wypaliły się słowa WINIEN JESTEM 4 DOLERY.

– Ależ oczywiście, żaden kłopot – zapewnił krasnolud i zanurkował z powrotem w pianę.

– Nie sądzę, żeby pani Whitlow się bardzo zmartwiła – uznał wykładowca run współczesnych, chlupiąc w mroku. – Widziałem ją z kilkoma dziewczętami na, tego, na koncercie. No wiecie, te z kuchni: Molly, Polly i ta, no... Dolly. Wszystkie, eee, wrzeszczały.

– Moim zdaniem muzyka nie była aż tak fatalna – stwierdził nadrektor.

– Ale nie... jak by to... nie w cierpieniu, nie, tak bym tego nie nazwał. – Wykładowca zaczerwienił się wyraźnie. – A kiedy ten młody człowiek zrobił... hm... kiedy zaczął kołysać biodrami o tak...

– Bardzo elfi styl, moim zdaniem – wtrącił Ridcully.

– I tego... Wydaje mi się, że rzuciła na scenę swoje... swoje... no... rzeczy. Podspodnie.

To uciszyło nawet Ridcully'ego, przynamniej na chwilę. Każdy z magów nagle i pilnie zajął się własnymi myślami.

– Jak to? Pani Whitlow? – upewnił się kierownik Katedry Studiów Nieokreślonych.

– Tak.

– Swoje...?

– Tak, ehm, tak myślę.

Ridcully widział kiedyś schnącą na sznurze bieliznę pani Whitlow. Zrobiło to na nim duże wrażenie. Nie sądził, że na świecie jest aż tyle różowej gumki.

– Naprawdę ona? – odezwał się dziekan głosem brzmiącym tak, jakby wracał z bardzo daleka.

– Ja, tego... Jestem prawie pewien.

– Moim zdaniem to niebezpieczne – uznał Ridcully. – Mogło kogoś poważnie zranić. A teraz wszyscy na uniwersytet i weźmiecie zimną kąpiel. Po kolei.

– Poważnie? – zapytał kierownik studiów nieokreślonych.

Nie wiadomo czemu żaden nie potrafił przestać o tym myśleć.

– Zajmijcie się czymś pożytecznym i znajdźcie kwestora – polecił surowo Ridcully. – Kazałbym wam się wytłumaczyć rano władzom uniwersytetu, ale niestety, to wy jesteście władzami uniwersytetu...

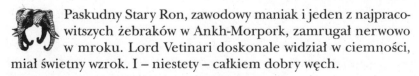

Paskudny Stary Ron, zawodowy maniak i jeden z najpracowitszych żebraków w Ankh-Morpork, zamrugał nerwowo w mroku. Lord Vetinari doskonale widział w ciemności, miał świetny wzrok. I – niestety – całkiem dobry węch.

– I co wtedy nastąpiło? – zapytał, starając się odwracać twarz od starego żebraka. Choć bowiem Paskudny Stary Ron był niskim, przygarbionym człowieczkiem, zapachem wypełniał cały świat. Paskudny Stary Ron był fizycznym schizofrenikiem. Istniał jako Paskudny Stary Ron i jako zapach Paskudnego Starego Rona, który przez lata rozwinął się do takiego poziomu, że miał oddzielną osobowość. Każdego stać na zapach, który unosi się za nim jeszcze długo po wyjściu, ale zapach Paskudnego Starego Rona potrafił zjawić się gdzieś o kilka minut przed nim. Wyewoluował w coś tak uderzającego, że nie był już doświadczany nosem – który natychmiast zamykał się w odruchu samoobrony. Ludzie odgadywali, że zbliża się Paskudny Stary Ron, na podstawie sposobu, w jaki zaczynała się im topić woskowina w uszach.

– Demoniszcza, na drugą stronę, mówiłem im, niech ich piekliszcze...

Patrycjusz czekał. Wędrującym myślom Paskudnego Starego Rona trzeba zostawić czas, nim znajdą się w tej samej okolicy co jego język.

– ...szpiegowali mnie magią, mówię im, fasolówa, a potem wszyscy tańczyli, jasne, a jeszcze potem dwóch magów stało se na ulicy, a jeden opowiadał o łapaniu muzyki w skrzynki, a pan Dibbler się zaciekawił, ale potem wybuchła kawiarnia i wszyscy wrócili se na uniwersytet, na demoniszcza, demoniszcza, niech kto zrozumie, bo ja nie.

– Wybuchła kawiarnia, tak?

– Kawowa piana dookoła, waszamość... demo...

– Tak, tak. I tak dalej. – Patrycjusz machnął szczupłą dłonią. – I to wszystko, co masz mi do powiedzenia?

– No niby... de...

Paskudny Stary Ron pochwycił wzrok Patrycjusza i opanował się. Nawet we własnym, wysoce zindywidualizowanym normalnym stanie umysłu wiedział, kiedy mizerne szczęście może go opuścić. Jego zapach spacerował po pokoju, czytał dokumenty i oglądał obrazy.

– Mówią – powiedział – że doprowadza wszystkie kobiety do szaleństwa. – Pochylił się. Patrycjusz się odchylił. – Mówią, że kiedy ruszył biodrami o tak... pani Whitlow rzuciła swoje... jak im tam... na scenę.

Patrycjusz uniósł brew.

– „Jak im tam”?

– No wie waszamość. – Paskudny Stary Ron kreślił rękami niewyraźne linie w powietrzu.

– Dwie poszewki na poduszki? Dwa worki mąki? Parę bardzo szerokich spo... Aha. Rozumiem. Coś podobnego. Były jakieś ofiary?

– Nie wim, nie wim, waszamość. Ale coś tam wim.

– Co takiego?

– Drętwy Michael mówi, że waszamość czasem płaci za informacje.

– Tak, słyszałem. Naprawdę nie mam pojęcia, skąd się biorą takie plotki. – Patrycjusz wstał i otworzył okno. – Będę musiał jakoś się tym zająć.

Po raz kolejny Paskudny Stary Ron przypomniał sam sobie, że choć jest prawdopodobnie obłąkany, to nie jest jednak aż takim wariatem.

– Tylko tyle mam, waszamość – oświadczył, wyciągając coś z przerażających zakamarków swych łachmanów. – Są na tym napisy, waszamość.

Był to afisz w jaskrawych barwach podstawowych. Nie mógł być zbyt stary, ale godzina czy dwie pod kamizelką Paskudnego Starego Rona wyraźnie dodała mu lat. Patrycjusz rozwinął go pincetą.

– Ci tam to portret tych muzycznych grajków – wyjaśnił Paskudny Stary Ron. – A to jest napis. A tu jest jeszcze trochę napisu, waszamość. Pan Dibbler i troll Kreduła je teraz wieszają, ale zabrałem jeden, bo żem pogroził, że chuchnę na każdego, jak mi nie dadzą.

– Jestem pewien, że podziałało natychmiast – przyznał Vetinari.

Zapalił świecę i uważnie przeczytał napisy na afiszu. W obecności Paskudnego Starego Rona wszystkie płomyki miały niebieskawy odcień.

– „Darmowy Festiwal Muzyki Wykrokowej".

– Znaczy się, nie trzeba płacić, żeby wejść – wyjaśnił uprzejmie Paskudny Stary Ron. – Piekliszcze z demoniszczami.

Vetinari czytał dalej.

– „W Rajd Parku, w przyszłą środę". No, no... Otwarta publiczna przestrzeń, naturalnie. Zastanawiam się, czy przyjdzie dużo ludzi.

– Mnóstwo, waszamość. Całe setki nie dostały się do Groty.

– A grupa tak wygląda? Ze zmarszczonymi czołami?

– Spoconymi, waszamość, jak ich ostatnio widziałem.

– „Bądź tam, jeśli nie jesteś miękkim stworzeniem w skorupie"
– przeczytał Patrycjusz. – To jakiś okultystyczny szyfr? Jak myślisz?
– Nie wim, waszamość – zapewnił Paskudny Stary Ron. – Mózg
mi się robi strasznie powolny, jak mi się chce pić.
– „Są Absolutnye Nyemożlywi do Zobaczenya! I daleko stąd!"
– czytał z uwagą Vetinari. Uniósł głowę. – Och, przepraszam. Na
pewno uda mi się znaleźć kogoś, kto poda ci coś chłodnego i od-
świeżającego.

Paskudny Stary Ron zakaszlał. Słowa te brzmiały jak całkowicie szczera propozycja, ale nie wiedzieć czemu, wcale już nie był
spragniony.

– W takim razie nie pozwól mi, żebym cię zatrzymywał. I bardzo
ci dziękuję.
– Ehm...
– Tak?
– Ehm... Nic.
– To dobrze.

Kiedy Ron zdemoniszczył się i spiekliszczył po schodach na dół,
Patrycjusz w zadumie postukał w afisz swoim piórem. Wpatrywał
się w ścianę.

Pióro odbijało się od słowa „Darmowy".

Wreszcie potrząsnął małym dzwoneczkiem. Młody urzędnik
zajrzał do pokoju.

– Ach, jesteś, Drumknott... Idź i powiedz szefowi Gildii Muzykantów, że chciałby zamienić ze mną parę słów.

– Eee... Pan Clete siedzi już w poczekalni, wasza lordowska
mość.

– Czy niezwykłym przypadkiem nie ma ze sobą jakiegoś afisza?
– Istotnie, wasza lordowska mość.
– A czy jest bardzo zagniewany?
– Tak jest w samej rzeczy, wasza lordowska mość. Chodzi o ja-
kiś festiwal. Żąda, żeby do niego nie dopuścić.
– Nie do wiary...
– I domaga się, żebyś, panie, przyjął go natychmiast.
– Aha. W takim razie zostaw go na... powiedzmy dwadzieścia
minut, a potem wprowadź.
– Tak, wasza lordowska mość. Ciągle powtarza, że chciałby się
dowiedzieć, co wasza lordowska mość zamierza z tym zrobić.

– Dobrze. Mogę więc zadać mu to samo pytanie.

Patrycjusz usiadł za biurkiem. *Si non confectus, non reficiat.* Tak brzmiała dewiza rodu Vetinari. Wszystko działa, jeśli tylko człowiek pozwoli, by się zdarzyło.

Sięgnął po plik zapisów nutowych i zaczął słuchać *Preludium do Nokturnu na motywie Bubbli* Salamiego.

Po chwili z irytacją podniósł głowę.

– Nie chcę cię zatrzymywać – rzucił.

Zapach ulotnił się.

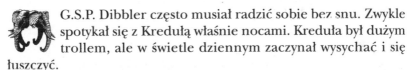

PIP!

– Nie bądź głuptasem. Przecież tylko ich postraszyłam. Nie zrobiłam im krzywdy. Co komu z posiadania mocy, jeśli nie wolno jej używać?

Śmierć Szczurów ukrył w łapkach czubek nosa. Ze szczurami* było o wiele, wiele łatwiej.

G.S.P. Dibbler często musiał radzić sobie bez snu. Zwykle spotykał się z Kredułą właśnie nocami. Kreduła był dużym trollem, ale w świetle dziennym zaczynał wysychać i się łuszczyć.

Inne trolle patrzyły na niego z góry, gdyż pochodził z rodziny osadowej, a zatem należał do bardzo niskiej klasy. Nie przeszkadzało mu to. Był bardzo dobroduszną osobą.

* Szczury są gatunkiem znanym z historii Ankh-Morpork. Krótko przed objęciem władzy przez Patrycjusza miasto nawiedziła straszliwa plaga szczurów. Rada miejska próbowała z nią walczyć, oferując dwadzieścia pensów za każdy szczurzy ogon. To na tydzień czy dwa zredukowało liczbę szkodników. A potem nagle ludzie stali w kolejkach, ze szczurzymi ogonami w rękach, skarbiec miejski pustoszał i nikt właściwie nie pracował. W dodatku wydawało się, że szczurów wcale nie ubywa. Lord Vetinari wysłuchał uważnie, kiedy przedstawiono mu sytuację, po czym rozwiązał problem jednym historycznym zdaniem, które wiele mówi o nim samym, o bezsensie wypłacania nagród, a także o naturalnym instynkcie Ankh-Morporkian, działającym bezbłędnie we wszystkich sytuacjach, gdy mają do czynienia z pieniędzmi: „Opodatkujcie szczurze fermy".

Zajmował się wykonywaniem rozmaitych zleceń dla ludzi, którzy potrzebowali czegoś nietypowego, i to szybko, bez zobowiązań. I oczywiście którzy mieli dość brzęczącej monety.

Ta sprawa była rzeczywiście nietypowa.

– Zwykłe skrzynki? – upewnił się.

– Z pokrywkami – uzupełnił Dibbler. – Jak ta, którą sam zrobiłem. I w środku rozpięty kawałek drutu.

Inni spytaliby pewnie „po co?" albo „dlaczego?", ale Kreduła nie tak zarabiał na życie. Sięgnął po skrzynkę i obrócił ją w dłoniach.

– Ile ich? – spytał.

– Na początek wystarczy dziesięć. Ale myślę, że później będzie potrzebne więcej. O wiele, wiele więcej.

– Ile jest dziesięć? – spytał troll.

Dibbler uniósł obie dłonie z wyprostowanymi palcami.

– Zrobię po dwa dolary sztuka – oświadczył Kreduła.

– Chcesz, żebym gardło sobie poderżnął?

– Dwa dolary.

– Dolar za sztukę teraz i dolar pięćdziesiąt przy następnym zamówieniu.

– Dwa dolary.

– No dobrze, niech ci będzie. Dwa dolary za każdą. To razem dziesięć dolarów, tak?

– Tak.

– Ale gardło sobie tym podrzynam.

Kreduła rzucił skrzynkę pod ścianę. Odbiła się od podłogi, aż odskoczyła pokrywka.

Jakiś czas później szarobrązowy kulawy kundelek, poszukujący czegokolwiek jadalnego, wbiegł do warsztatu i usiadł na chwilę, zaglądając do wnętrza skrzynki.

Potem poczuł się trochę jak idiota, więc odszedł.

Ridcully zaczął się dobijać do drzwi budynku Magii Wysokich Energii w chwili, gdy miejskie zegary wybijały drugą. Podtrzymywał Myślaka, który spał na stojąco.

Nadrektor nie myślał szybko ani błyskotliwie. Ale zawsze w końcu docierał do celu.

Drzwi uchyliły się, ukazując włosy Skazza.

– Patrzysz na mnie? – upewnił się Ridcully.

– Tak, nadrektorze.

– No to nas wpuść, bo rosa przemaka mi już przez podeszwy. Ridcully rozglądał się uważnie, pomagając prowadzić Myślaka.

– Chciałbym wiedzieć, jaka to praca trzyma was, chłopcy, po całych nocach bez snu. Kiedy ja byłem w waszym wieku, magia nigdy nie wydawała mi się aż tak ciekawa. Przynieś trochę kawy dla pana Stibbonsa, dobrze? A potem sprowadź kolegów.

Skazz wyszedł, a Ridcully został sam, jeśli nie liczyć drzemiącego Myślaka.

– Co oni właściwie tu robią? – mruknął. Nigdy tak naprawdę nie próbował się tego dowiedzieć.

Skazz pracował przy długim stole pod ścianą.

Nadrektor rozpoznał od razu nieduży drewniany dysk. W koncentrycznych kręgach ustawiono na nim niewielkie podłużne kamyki, a latarnia z zapaloną świecą stała na obrotowym ramieniu, tak by dało się ją przesuwać wokół dysku.

Był to podróżny komputer druidów, rodzaj przenośnego kamiennego kręgu, coś, co nazywali kneetopem. Kwestor posłał kiedyś po taki sprzęt. Na pudle było napisane „Dla Kapłana w Pośpiechu". Nigdy nie udało się go porządnie uruchomić i teraz był wykorzystywany jako podpórka pod drzwi. Ridcully nie rozumiał, jaki to w ogóle ma związek z magią. W końcu taki krąg to niewiele więcej niż kalendarz, a bardzo porządny kalendarz można dostać już za osiem pensów.

Bardziej tajemniczo wyglądała plątanina szklanych rur za dyskiem. Nad nią właśnie pracował Skazz, przy jego krześle leżały odłamki pogiętych rurek i naczyń oraz strzępy kartonu.

Rury wydawały się żywe.

Ridcully pochylił się...

W rurach były mrówki.

Tysiącami krzątały się za szkłem, biegając przez skomplikowane układy małych spiral. W panującej ciszy ich pancerzyki wydawały ledwie słyszalny, nieustający szelest.

Na poziomie oczu nadrektor zauważył szczelinę. Na kawałku papieru ktoś wypisał słowo WEJŚCIE i przykleił do szkła.

Na blacie leżał podłużny kartonik, akurat pasujący kształtem do szczeliny. Miał wycięte dziurki.

Były tam dwie okrągłe dziurki, potem cały układ okrągłych dziurek i znowu dwie okrągłe dziurki. Na kartce ktoś nabazgrał ołówkiem „2 + 2".

Ridcully należał do ludzi, którzy pociągną za każdą dźwignię tylko po to, by się przekonać, do czego służy.

Wsunął kartkonik do narzucającej się szczeliny...

Natychmiast szelest uległ zmianie. Mrówki pomaszerowały przez rurki, niektóre niosły chyba jajeczka...

Zabrzmiał cichy, głuchy dźwięk i po drugiej stronie szklanego labiryntu wypadł kartonik. Miał wybite cztery okrągłe dziurki.

Ridcully wciąż mu się przyglądał, kiedy, przecierając oczy, zbliżył się Myślak.

– To nasz mrówczy licznik – wyjaśnił.

– Dwa dodać dwa równa się cztery – powiedział nadrektor.

– No, no... w życiu bym się nie domyślił.

– Potrafi też liczyć inne sumy.

– Chcesz mi wmówić, młody człowieku, że mrówki umieją liczyć?

– Ależ skąd! Nie pojedyncze mrówki. Trochę trudno to wytłumaczyć. Ta karta z dziurkami, widzi pan, blokuje niektóre rurki, ale przepuszcza mrówki przez inne i... – Myślak westchnął. – Sądzimy, że uda się na tym robić także inne rzeczy.

– Na przykład jakie?

– E... tego właśnie próbujemy się dowiedzieć.

– Próbujecie się dowiedzieć? Kto to zbudował?

– Skazz.

– I dopiero teraz sprawdzacie, co to robi?

– No... uważamy, że potrafi dokonywać całkiem złożonych obliczeń. Jeżeli tylko wepchniemy do środka dostatecznie wiele owadów. Mrówki wciąż się krzątały po wielkiej szklanej konstrukcji.

– Kiedy byłem dzieckiem, miałem szczura – powiedział Ridcully, ustępując wobec niepojętego. – Cały czas spędzał w kołowrotku. Biegł i biegł, bez przerwy. To jest trochę podobne, tak?

– W bardzo szerokim sensie – zgodził się ostrożnie Myślak.

– Miałem też mrówczą farmę... – wspominał Ridcully. – Te małe demony nigdy nie potrafiły wykopać prostego korytarza. – Opanował się. – A teraz proszę zawołać swoich kolegów.

– Po co?

– Na szkolenie.

– Nie będziemy badać muzyki?

– W odpowiednim czasie – odparł Ridcully. – Ale najpierw musimy z kimś porozmawiać.

– Z kim?

– Nie jestem pewien. Dowiemy się, jak już zobaczymy, że przyszedł. Albo przyszła...

Buog rozejrzał się po pokoju. Właściciele hotelu przed chwilą wyszli, po odegraniu kanonicznej sceny „to je okno, sie naprawde otwira, to je pompa, leci z niej woda, jak sie pomacha tum wajchom, a to jestem ja i czekam na jakieś piniondze".

– No, to kończy sprawę – rzekł. – To zakłada na sprawę żelazny hełm, ot co. Przez całą noc gramy wykrokową muzykę, a dostajemy pokój, który tak wygląda?

– Przytulny jest – zauważył Klif. – Wiesz, trolle nie mają wiele do czynienia z tymi... rozkoszami życia.

Buog rzucił okiem w kierunku swoich stóp.

– Leży na podłodze i jest miękki – powiedział. – Jak mogłem głupio pomyśleć, że to dywan? Niech ktoś przyniesie mi miotłę. Nie, lepiej niech ktoś przyniesie mi łopatę. A potem miotłę.

– To nam wystarczy – odezwał się Buddy.

Odłożył gitarę i wyciągnął się na klocu drewna, który najwyraźniej był jednym z łóżek.

– Klif – rzucił Buog. – Możemy zamienić słówko? – Grubym kciukiem wskazał drzwi.

Wyszli na korytarz.

– Robi się niedobrze – stwierdził Buog.

– No.

– Prawie się nie odzywa, kiedy nie jest na scenie.

– No.

– Spotkałeś kiedy zombi?

– Znam golema, pana Dorfla z Długiej Wieprzowiny.

– Jego? To prawdziwy zombi?

– No. Ma święte słowo na głowie. Żem widział.

– Fuj! Poważnie? A ja kupuję od niego kiełbaski...

– Mniejsza... Co z tymi zombi?

– ...po smaku nie do poznania. Myślałem, że jest naprawdę niezłym kiełbaśnikiem...

– Co żeś chciał powiedzieć o zombi?

– ...zabawne, zna się kogoś przez lata, aż nagle okazuje się, że stoi na glinianych nogach...

– Zombi... – powtórzył cierpliwie Klif.

– Co? Aha. Tak. Chodzi o to, że on się tak zachowuje – wyjaśnił Buog. Przypomniał sobie kilku zombi z Ankh-Morpork. – W każdym razie tak jak zombi powinny się zachowywać.

– No. Wiem, o co ci chodzi.

– I obaj znamy przyczynę.

– No. E... a jaką?

– Gitara.

– Ach, ona. No.

– Kiedy jesteśmy na scenie, to ona rządzi...

Gitara leżała w ciemnym pokoju obok łóżka Buddy'ego. Jej struny wibrowały delikatnie w rytm słów wypowiadanych przez krasnoluda.

– No dobra. Co możemy zrobić? – zapytał Klif.

– Jest z drewna. Dziesięć sekund z toporem i po kłopocie.

– Nie jest żem pewien. To nie zwyczajny instrument.

– Był takim miłym dzieciakiem, kiedyśmy go poznali – westchnął Buog. – Jak na człowieka.

– No to co robimy? Nie wierzę, żeby dało się mu ją zabrać.

– Może by go namówić...

Krasnolud umilkł. Uświadomił sobie, że słyszy brzęczące echo własnego głosu.

– To draństwo nas podsłuchuje! – szepnął. – Wyjdźmy na dwór.

Zatrzymali się kawałek dalej na ulicy.

– Nie rozumiem, jak może podsłuchiwać – oświadczył Klif. – Instrument jest po to, żeby jego słuchać.

– Struny słuchają – odparł krótko Buog. – To nie jest zwyczajny instrument.

Klif wzruszył ramionami.

– Jest sposób, żeby się przekonać.

Poranna mgła przesłoniła ulice. Wokół uniwersytetu, dzięki lekkiemu magicznemu promieniowaniu tła, układała się w niezwykłe formy. Po bruku sunęły zjawy o dziwnych kształtach.

Dwie z nich były Klifem i Buogiem.

– To tutaj – rzekł krasnolud – Jesteśmy.

Popatrzył na ślepy mur.

– Wiedziałem! – zawołał. – Nie mówiłem? Magia! Ile już razy słyszeliśmy takie historie? Stoi sobie tajemniczy sklep, którego nikt wcześniej nie widział, ktoś wchodzi do środka i kupuje jakiś zardzewiały rupieć, po czym okazuje się...

– Buog...

– ...że to talizman albo butelka pełna dżina, a kiedy się zaczynają kłopoty, ten ktoś wraca, ale sklep...

– Buog!

– ...zniknął w tajemniczy sposób i wrócił do tego wymiaru, skąd przybył... Tak? O co chodzi?

– Jesteśmy nie po tej stronie ulicy. Sklep stoi tam.

Buog spojrzał gniewnie na ścianę, po czym tupiąc gniewnie, przeszedł przez ulicę.

– Każdy może się pomylić.

– No.

– To nie unieważnia niczego, co powiedziałem.

Buog szarpnął drzwi i ku swemu zdumieniu odkrył, że nie są zamknięte.

– Minęła druga w nocy! Jaki sklep muzyczny jest otwarty o drugiej w nocy?

Zapalił zapałkę.

Wokół rozciągał się zakurzony cmentarz instrumentów muzycznych. Wyglądało, jakby stado prehistorycznych zwierząt utonęło w nagłym wylewie wód i potem skamieniało.

– Co to jest to, co wygląda jak wąż? – szepnął Klif.

– Nazywa się wąż.

Buog czuł lekki niepokój. Prawie przez całe życie był muzykiem i nienawidził widoku martwych instrumentów. A te tutaj były martwe. Nie należały już do nikogo. Nikt na nich nie grał. Były jak ciała bez życia, ludzie bez duszy. Coś, co w sobie miały, odeszło. Każdy z nich reprezentował muzyka, którego opuściło szczęście.

203

Zauważyli jakieś światło w gaju fagotów. Staruszka spała głęboko w fotelu na biegunach. Na kolanach miała robótkę na drutach, jej ramiona okrywał szal.

– Buog...

Krasnolud podskoczył.

– Co? Słucham?

– Po co tu weszliśmy? Przecież już wiemy, że sklep istnieje...

– Łapy pod sufit, chuligani!

Buog zamrugał, kiedy bełt kuszy ukłuł go w czubek nosa. Podniósł ręce. Staruszka przeszła od drzemki do pozycji strzeleckiej, wyraźnie omijając wszystkie etapy pośrednie.

– Wyżej nie dam rady – wyjaśnił. – Tego... drzwi były otwarte, widzi pani, więc...

– Więc pomyśleliście sobie, że obrabujecie bezbronną starowinkę?

– Ależ skąd, ależ skąd. Mieliśmy nawet zamiar...

– Należę do organizacji Sąsiedzkich Samouroków. Wystarczy jedno moje słowo, a będziecie skakać dookoła i szukać księżniczki z zamiłowaniem do płazów!

– Myślę, że już wystarczy – wtrącił Klif.

Opuścił rękę i zamknął kuszę w swej potężnej dłoni. Ścisnął. Kawałki drewna wyciekły mu między palcami.

– Jesteśmy nieszkodliwi – zapewnił. – Żeśmy przyszli w sprawie instrumentu, który w zeszłym tygodniu sprzedała pani naszemu przyjacielowi.

– Jesteście ze straży?

Buog skłonił się.

– Nie, droga pani. Jesteśmy muzykami.

– I to niby powinno mnie uspokoić, tak? O jaki instrument wam chodzi?

– Coś w rodzaju gitary.

Staruszka przekrzywiła głowę. Zmrużyła oczy.

– Nie przyjmę jej z powrotem – ostrzegła. – Została uczciwie sprzedana. W dobrym stanie. Sprawna.

– Chcemy tylko zapytać, skąd ją pani wzięła.

– Znikąd jej nie wzięłam. Zawsze tu była. Nie dmuchaj w to!

Buog niemal upuścił flet, który wyciągnął ze stosu staroci.

– Bo będziemy tu mieć szczurów po kolana – dokończyła staruszka. Odwróciła się do trolla. – Zawsze tu była – powtórzyła.

– Miała wypisaną kredą jedynkę – przypomniał Buog.

– Zawsze była – upierała się kobieta. – Odkąd mam ten sklep.

– Kto ją przyniósł?

– Skąd mogę wiedzieć? Nigdy nie pytam o imiona. Ludzie tego nie lubią. Nadaję tylko numer.

Buog zerknął na flet. Do instrumentu ktoś przywiązał pożółkłą karteczkę z nagryzmolonym numerem 431.

Popatrzył na półki za ladą. Zauważył różową muszlę – też miała numer. Zwilżył językiem wargi i wyciągnął rękę...

– Jeśli zatrąbisz, to lepiej, żebyś miał pod ręką dziewicę na ofiarę, a także wielki kocioł owoców drzewa chlebowego i żółwiego mięsa – uprzedziła go staruszka.

Obok leżała trąba. Była zdumiewająco czysta i błyszcząca.

– A to? – zapytał Buog. – Pewnie kiedy dmuchnę, świat się skończy i niebo runie na ziemię, co?

– Zabawne, że to mówisz – mruknęła kobieta.

Buog opuścił rękę. Nagle coś innego zwróciło jego uwagę.

– Wielkie nieba! – zawołał. – Wciąż tu jest? Zupełnie zapomniałem.

– Co to? – zapytał Klif i spojrzał tam, gdzie wskazywał krasnolud.

– To?

– Mamy trochę pieniędzy. Czemu nie?

– Owszem. Może pomóc. Ale pamiętasz, co mówił Buddy: nie znajdziemy...

– To wielkie miasto. Jeśli nie znajdziesz czegoś w Ankh-Morpork, nie znajdziesz nigdzie.

Buog podniósł pół pałeczki perkusyjnej i spojrzał w zadumie na gong, na wpół przysypany stojakami na nuty.

– Nie próbowałabym – rzekła staruszka. – Jeżeli nie chcesz, żeby z ziemi wyskoczyło siedemset siedemdziesiąt siedem szkieletów wojowników.

Buog wskazał palcem.

– Weźmiemy to.

– Dwa dolary.

– Zaraz, dlaczego w ogóle mamy płacić? Przecież nie należy do pani...

– Płać – przerwał mu Klif. – Żadnych negocjacji.

Buog niechętnie podał pieniądze, zabrał worek, który wręczyła mu staruszka, i wymaszerował ze sklepu.

– Ma pani tu zadziwiający towar – stwierdził Klif, przyglądając się gongowi.

Kobieta wzruszyła ramionami.

– Mój kolega jest trochę zdenerwowany, bo wziął panią za właścicielkę jednego z tych tajemniczych sklepów, o jakich opowiadają bajki – ciągnął Klif. – Wie pani, tych co to dziś są, a jutro znikają bez śladu. I szukał pani po drugiej stronie ulicy, cha, cha!

– Moim zdaniem to głupie – odparła staruszka tonem zniechęcającym do jakichkolwiek dalszych przejawów niestosownej serdeczności.

Klif raz jeszcze spojrzał na gong, wzruszył ramionami i podążył za Buogiem.

Kobieta odczekała, aż ich kroki ucichną we mgle. Potem otworzyła drzwi i rozejrzała się po ulicy. Najwyraźniej usatysfakcjonowana dostatkiem pustki, wróciła za ladę i sięgnęła po ukrytą pod blatem tajemniczą dźwignię. Oczy na moment rozbłysły jej zielenią.

– Niedługo własną głowę zapomnę – mruknęła i szarpnęła.

Sklep zniknął. Po chwili zmaterializował się na nowo po przeciwnej stronie ulicy.

Buddy leżał nieruchomo i wpatrywał się w sufit. Jak smakowało jedzenie? Trudno było sobie przypomnieć. Jadł jakieś posiłki przez ostatnie kilka dni, musiał przecież coś jeść, ale zupełnie nie pamiętał smaku. W ogóle mało co pamiętał oprócz tego, że grał. Buoga i pozostałych słyszał, jakby mówili zza grubej kotary.

Asfalt gdzieś sobie poszedł.

Buddy zsunął się z twardego posłania i poczłapał do okna.

Mroki Ankh-Morpork były ledwie widoczne w szarym, byle jakim świetle przedświtu. Przez otwarte okno dmuchał wietrzyk.

Kiedy się odwrócił, na środku pokoju stała młoda kobieta.

Przytknęła palec do warg.

– Nie próbuj wołać tego małego trolla – powiedziała. – Jest na dole i je kolację. Zresztą i tak by mnie nie zobaczył.

– Jesteś moją muzą?

Susan zmarszczyła czoło.

– Chyba wiem, o co ci chodzi. Widziałam obrazki. Było ich osiem, a prowadziła je... ta... Cantaloupe. Podobno chronią ludzi. Efebianie wierzą, że zsyłają natchnienie muzykom i malarzom, ale one oczywiście nie ist... – Przerwała i poprawiła się zgodnie z logiką: – W każdym razie nigdy ich nie spotkałam. Mam na imię Susan. Przyszłam tu, gdyż...

Ucichła.

– Cantaloupe? – zdziwił się Buddy. – Jestem prawie pewien, że to nie była Cantaloupe.

– Wszystko jedno.

– Jak się tu dostałaś?

– Ja... słuchaj, lepiej usiądź. Dobrze. No więc... wiesz, że pewne rzeczy... jak te muzy, o których mówiłeś... ludzie wierzą, że pewne zjawiska są reprezentowane przez ludzi?

Wyraz chwilowego zrozumienia zmienił rysy zdumionej twarzy Buddy'ego.

– Tak jak Wiedźmikołaj reprezentuje ducha zimowego festiwalu?

– Właśnie. I ja... tak jakby pracuję w tym interesie. Nie jest specjalnie ważne, co konkretnie robię.

– To znaczy, że nie jesteś człowiekiem?

– Ależ jestem. Tylko że... wykonuję obowiązki. Jeśli wolisz myśleć o mnie jako o muzie, to chyba będzie w porządku. Przyszłam, żeby cię ostrzec.

– Muza od muzyki wykrokowej?

– Niezupełnie, ale posłuchaj... Czekaj, dobrze się czujesz?

– Nie wiem.

– Wyglądasz tak jakoś wyblakle. Posłuchaj mnie: ta muzyka jest niebezpieczna...

Buddy wzruszył ramionami.

– Wiem, o co ci chodzi. O Gildię Muzykantów. Pan Dibbler powiedział, żeby się nimi nie przejmować. Wyjeżdżamy z miasta na...

Susan tupnęła i chwyciła gitarę.

– O to mi chodzi!

Struny zadrżały i jęknęły pod jej dłonią.

– Nie dotykaj jej!

– Ona cię opętała – oświadczyła Susan, rzucając gitarę na łóżko. Buddy pochwycił ją i zagrał akord.

– Wiem, co chcesz powiedzieć! – zawołał. – Wszyscy to mówią. Tamci dwaj uważają, że ona jest zła! Ale to nieprawda!

– Może nie jest zła, ale nie jest właściwa. Nie tutaj i nie teraz.

– Możliwe, ale radzę z nią sobie.

– Nie możesz sobie z nią poradzić. To ona radzi sobie z tobą.

– A w ogóle to kim ty jesteś, żeby się rządzić? Nie muszę przyjmować pouczeń od Wróżki Zębuszki!

– Słuchaj, przecież ona cię zabije! Jestem tego pewna!

– Więc powinienem przestać grać, tak?

Susan zawahała się.

– Nie, właściwie nie. Bo wtedy...

– A niby czemu mam słuchać tajemniczych okultystycznych kobiet? Ty prawdopodobnie w ogóle nie istniejesz! I możesz sobie lecieć z powrotem do swojego zaczarowanego zamku! Jasne?

Susan na moment odjęło mowę. Pogodziła się już z nieodwracalną tępotą większej części ludzkości, zwłaszcza tej połowy, która chodzi twardo i goli się rankiem, ale poczuła się też urażona. Nikt jeszcze nigdy nie rozmawiał w ten sposób ze Śmiercią. A jeśli nawet, to krótko.

– No dobrze. – Wyciągnęła rękę i dotknęła jego ramienia. – Ale spotkamy się znowu i... i wtedy ci się to nie spodoba. Ponieważ, powiem ci szczerze, tak się składa, że jestem...

Jej twarz zmieniła się nagle. Miała wrażenie, że spada w przepaść, a jednocześnie stoi nieruchomo. Pokój przepłynął obok niej i zniknął w ciemności, wirując wokół przerażonej twarzy Buddy'ego.

Ciemność eksplodowała i pojawiło się światło.

Światło cieknących świec.

 Buddy pomachał ręką w pustej przestrzeni, gdzie przed chwilą stała Susan.

– Jesteś tu jeszcze? Gdzie zniknęłaś? Kim jesteś?!

Klif rozejrzał się.

– Zdawało mi się, że żem coś słyszał – wymamrotał. – Zauważył żeś pewno, że niektóre instrumenty to nie były normal...

– Wiem – przerwał mu Buog. – Żałuję, że nie spróbowałem tego szczurzego fletu. Zgłodniałem trochę.

– Znaczy, to były mity...

– Tak.

– No to jak to się stało, że trafiły do sklepu z używanym sprzętem muzycznym?

– Nigdy nie zastawiłeś swoich kamieni?

– Pewno – odparł Klif. – Każdy to robi od czasu do czasu. Bywa, że nic innego ci nie zostaje, jeżeli chcesz zobaczyć następny posiłek.

– No i masz. Sam sobie odpowiedziałeś. To coś, co każdy pracujący muzyk w końcu zrobi, wcześniej czy później.

– Niby tak... ale to coś, co Buddy... wiesz, to miało wypisany numer jeden...

– Tak.

Buog przyjrzał się tabliczce z nazwą ulicy.

– Chytrych Rzemieślników – przeczytał. – Jesteśmy na miejscu. Patrz, połowa warsztatów jest ciągle otwarta, nawet o tej porze. – Poprawił worek na ramieniu. Coś wewnątrz trzasnęło. – Ty sprawdzisz tamtą stronę, a ja tę.

– Dobra. Ale wiesz, numer jeden... Nawet ta muszla miała numer pięćdziesiąt dwa. Czyja to była gitara?

– Nie wiem – odparł Buog, pukając do pierwszych drzwi. – Ale mam nadzieję, że właściciel nigdy po nią nie wróci.

– To był właśnie rytuał AshkEnte – tłumaczył Ridcully. – Całkiem łatwy do wykonania. Trzeba tylko pamiętać, żeby użyć świeżego jajka.

Susan zamrugała.

Na podłodze ktoś wykreślił krąg. Za nim poruszały się dziwaczne, nieziemskie kształty – chociaż, kiedy dostosowała układ postrzegania, zdała sobie sprawę, że to całkiem zwyczajni studenci.

– Kim jesteście? – zapytała. – Co to za miejsce? W tej chwili pozwólcie mi odejść!

Przeszła do obwodu kręgu i odbiła się od niewidzialnej ściany. Studenci przyglądali się jej jak ludzie, którzy wprawdzie słyszeli o gatunku „kobieta", ale nie oczekiwali, że znajdą się tak blisko jednego z okazów.

– Żądam, żebyście mnie wypuścili! – Spojrzała gniewnie na Ridcully'ego. – Czy to nie pan jest tym magiem, którego widziałam wczoraj w nocy?

– To prawda – przyznał nadrektor. – A to jest rytuał AshkEnte. Przywołuje do kręgu Śmierć, a on... czy też ona, zależnie od sytuacji... nie może odejść, dopóki na to nie pozwolimy. Strasznie dużo o tym mówią w tej oto książce napisanej z takimi zabawnymi długimi esami. Tłumaczą różne przyzwania i zaklęcia, ale to właściwie tylko na pokaz. Jak już trafisz do środka, zostajesz tam. Muszę zauważyć, że twój poprzednik przyjmował to z większym wdziękiem.

Susan rozglądała się uważnie. Krąg wyczyniał jakieś sztuczki z jej pojęciem przestrzeni. Uznała, że to nieuczciwe.

– Mówcie więc, po co mnie wezwaliście.

– Tak już lepiej. Bardziej się trzyma scenariusza – pochwalił Ridcully. – Widzisz, mamy prawo zadawać ci pytania. A ty musisz na nie odpowiedzieć. Zgodnie z prawdą.

– Jakie pytania?

– Może usiądziesz? Napijesz się czegoś?

– Nie.

– Jak sobie życzysz. Ta nowa muzyka... Opowiedz nam o niej.

– Przywołaliście Śmierć, żeby zapytać o coś takiego?

– Nie jestem pewien, kogo przywołaliśmy – odparł Ridcully.

– Czy ona jest żywa?

– Ja... Myślę, że tak.

– Czy żyje w jakimś konkretnym miejscu?

– Wydaje się, że mieszkała w jednym instrumencie, ale teraz chyba się rozprzestrzenia. Mogę już iść?

– Nie. Czy można ją zabić?

– Nie wiem.

– Czy powinna tu być?

– Co?

– Czy powinna tu być? – powtórzył cierpliwie Ridcully. – Czy to coś, co powinno się zdarzyć?

210

Susan nagle poczuła się ważna. Magowie byli podobno bardzo mądrzy – przecież samo to słowo pochodzi od starożytnego określenia mędrca*. Ale teraz ją musieli pytać o różne sprawy. Słuchali jej. Oczy błysnęły jej z dumy.

– Ja... Nie wydaje mi się. Pojawiła się tutaj wskutek jakiegoś wypadku. To nie jest dla niej właściwy świat.

Ridcully był wyraźnie zadowolony z siebie.

– Tak przypuszczałem. To niewłaściwe, powiedziałem. Ona zmusza ludzi, żeby starali się być tacy, jacy nie są. Jak możemy ją powstrzymać?

– Chyba nie możecie. Nie jest wrażliwa na magię.

– To fakt. Magia nie działa na muzykę. Żadną muzykę. Ale coś pewnie będzie w stanie ją zatrzymać. Myślak, pokaż jej swoją skrzynkę.

– Eee... Już. Tu jest.

Uniósł wieko. Z wnętrza wypłynęła muzyka, trochę metaliczna, ale wciąż rozpoznawalna.

– Brzmi trochę jak pająk złapany w pudełko, prawda? – rzucił Ridcully.

– Nie można odtworzyć takiej muzyki na kawałku struny w skrzynce – stwierdziła Susan. – To wbrew naturze.

Myślak odetchnął z ulgą.

– To samo mówiłem – powiedział. – Ale ona i tak się odtwarza. Chce tego.

Susan wpatrywała się w skrzynkę. Uśmiech pojawił się na jej twarzy. Nie było w nim radości.

– Ona niepokoi ludzi – dodał Ridcully. – I jeszcze... Popatrz na to. – Wyjął spod szaty i rozwinął rulon papieru. – Przyłapałem jakiegoś chłopaka, który usiłował to nakleić na naszej bramie. Co za bezczelność! Zabrałem mu to i kazałem uciekać w podskokach, co... – spojrzał z dumą na czubki swych palców – ...okazało się wyjątkowo odpowiednią techniką. Piszą tu o jakimś festiwalu muzyki z wykrokiem. Skończy się to przedarciem tu potworów z innego wymiaru, wspomnicie moje słowa. Takie właśnie rzeczy często się zdarzają w tej okolicy.

– Przepraszam bardzo – wtrącił Wielki Wariat Adrian ciężkim od podejrzeń głosem. – Nie chciałbym sprawiać kłopotu, oczywiście, ale

* Z dawnego *mai-gus*, dosł. ktoś, kto w głębi jest bardzo sprytny.

czy to jest Śmierć, czy nie? Widziałem obrazki i wcale nie był do niej podobny.

– Wykonaliśmy rytuał jak trzeba – odparł Ridcully. – I ona przybyła.

– Niby tak, ale mój ojciec jest rybakiem i nie tylko śledzie znajduje w swoich śledziowych sieciach – powiedział Skazz.

– Właśnie. To może być ktokolwiek – dodał Stez Straszny. – Wydawało mi się, że Śmierć jest wyższy i bardziej kościsty.

– To tylko jakaś dziewczyna, która pcha nos w nie swoje sprawy – uznał Skazz.

Susan rzuciła im gniewne spojrzenie.

– Nie ma nawet kosy – zauważył Stez.

Susan skoncentrowała się. W jej dłoni pojawiła się nagle kosa; klinga o błękitnym ostrzu wydawała dźwięk, jakby ktoś przejechał palcem po brzegu kieliszka.

Studenci odstąpili.

– Zawsze jednak uważałem, że pora już na jakąś zmianę – zapewnił szybko Stez.

– Słusznie. Czas, by dziewczęta także zyskały dostęp do zawodu – dodał Skazz.

– Jak śmiecie traktować mnie z wyższością?

– Mają rację – uznał Myślak. – Nie ma powodu, by Śmierć był rodzaju męskiego. Kobiety potrafią niemal dorównać mężczyznom w pracy.

– Doskonale sobie radzisz – zapewnił Ridcully i uśmiechnął się do Susan.

Odwróciła się do niego. Jestem Śmiercią, pomyślała, przynajmniej formalnie, a to tylko stary grubas, który nie ma prawa wydawać mi żadnych poleceń. Spojrzę na niego groźnie i szybko zrozumie powagę sytuacji.

Spojrzała.

– Moja droga – powiedział Ridcully. – Pozwolisz, że zaproszę cię na śniadanie?

 Załatany Bęben rzadko bywał zamknięty. Zwykle zdarzały się spokojniejsze godziny około szóstej rano, jednak Hibiskus nie kończył pracy, dopóki ktoś chciał jeszcze drinka.

A ktoś chciał bardzo dużo drinków. Ktoś niezbyt wyraźny, mimo że stał tuż przy barze. Zdawało się, że spływa z niego piasek. O ile Hibiskus mógł to stwierdzić, sterczało też kilka strzał produkcji klatchiańskiej.

Pochylił się.

– Czy ja już pana gdzieś widziałem?

BYWAM TU CAŁKIEM CZĘSTO, RZECZYWIŚCIE. W ZESZŁYM TYGODNIU, W ŚRODĘ, NA PRZYKŁAD.

– Ha! To była niezła bójka. Wtedy zadźgali biednego starego Vince'a.

TAK.

– Sam się o to prosił, kiedy kazał się nazywać Vincentem Niezniszczalnym.

OWSZEM. W DODATKU MYLNIE.

– Straż twierdzi, że to było samobójstwo.

Śmierć pokiwał głową. Wejście Pod Załatany Bęben i przedstawienie się jako Vincent Niezniszczalny według standardów Ankh-Morpork naturalnie było samobójstwem.

TEN DRINK MA W ŚRODKU LARWĘ.

Barman zerknął na szklankę.

– Nie larwę, drogi panie. To jest robak.

AHA. TO LEPIEJ?

– On powinien tam być, drogi panie. To przecież mexical. Wkładają do środka robaka, żeby pokazać, jaki to mocny trunek.

TAK MOCNY, ŻE TOPIĄ SIĘ W NIM ROBAKI?

Barman poskrobał się po głowie. Nigdy się nad tym nie zastanawiał.

– To po prostu coś, co ludzie piją – wyjaśnił niezbyt składnie.

Śmierć podniósł butelkę do tego, co w normalnej sytuacji byłoby poziomem oczu. Robak obracał się żałośnie.

JAK TO JEST? – zapytał.

– Tak jakby...

NIE DO CIEBIE MÓWIŁEM.

 – Śniadanie? – powtórzyła Susan. – To znaczy: ŚNIADANIE?

– Chyba już nadchodzi właściwa pora – odparł nadrektor.

– Wiele czasu minęło, odkąd ostatni raz jadłem śniadanie z czarującą młodą damą.

– Na bogów, wszyscy jesteście siebie warci!

– No dobrze, skreślam „czarującą" – rzekł spokojnie Ridcully.

– Ale wróble ćwierkają na drzewach, słońce zagląda przez mur, czuję zapachy z kuchni, a okazja zjedzenia posiłku ze Śmiercią nie zdarza się każdemu. Nie grasz w szachy, prawda?

– Gram znakomicie – odparła zdziwiona Susan.

– Tak myślałem. No dobrze, chłopcy. Wracajcie do poszturchiwania wszechświata. Proszę tędy, madame.

– Nie mogę opuścić kręgu!

– Ależ możesz, jeśli cię zaproszę. To kwestia uprzejmości. Nie wiem, czy kiedyś tłumaczono ci tę koncepcję.

Sięgnął przez krąg i ujął ją za rękę. Zawahała się, ale przestąpiła wyrysowaną kredą linię. Poczuła niewyraźne mrowienie.

Studenci cofnęli się pospiesznie.

– No już, bierzcie się do roboty – rzucił Ridcully. – Proszę, madame.

Susan nigdy jeszcze nie doświadczyła osobistego uroku. Ridcully miał go sporo, z rodzaju, do którego należą także skrzące się oczy.

Szła za nim przez ogrody do Głównego Holu.

Stoły były już nakryte do śniadania, ale nikt nie zajmował miejsc. Wielki kredens rozkwitał miedzianymi pokrywami półmisków niby las grzybami jesienią. Trzy dość młode służące czekały cierpliwie obok.

– Zwykle sami sobie nakładamy – wyjaśnił Ridcully swobodnym tonem, unosząc pokrywę. – Kelnerzy i cała reszta robią tyle hała... To jakiś żart, prawda?

Szturchnął zawartość półmiska i skinął na służącą.

– Która ty jesteś? – zapytał. – Molly, Polly czy Dolly?

– Molly, proszę pana. – Służąca dygnęła. Drżała lekko. – Czy coś się stało?

– Ało-uo-uo-uo stauo-uo-uooo – powiedziały dwie pozostałe służące.

– Gdzie są wędzone śledzie? Co to takiego? Wygląda jak krowi placek w bułce!

– Pani Whitlow udzieliła instrukcji kucharce – wyjaśniła nerwowo Molly. – To jest...

– ...je-je-jee...
– ...to jest burger.
– Coś podobnego – burknął Ridcully. – A czemuż to masz na głowie ul zrobiony z włosów, jeśli wolno spytać? Wyglądasz z tym jak zapałka.
– Ale, proszę pana, my...
– Poszłyście na koncert wykrokowej muzyki, tak?
– Tak, proszę pana.
– Aa-aa.
– Ale, no... Ale nie rzucałyście niczego na scenę?
– Nie, proszę pana!
– Gdzie pani Whitlow?
– Leży w łóżku. Przeziębiła się, proszę pana.
– Wcale mnie to nie dziwi. – Ridcully zwrócił się do Susan. – Bawią się w jakieś głupoburgery, niestety.
– Na śniadanie jadam tylko musli – zastrzegła Susan.
– Mamy owsiankę. Podajemy ją kwestorowi, gdyż nie jest ekscytująca. – Nadrektor uniósł kolejną pokrywkę. – Tak, ciągle tu jest – stwierdził z zadowoleniem. – Istnieją rzeczy, których wykrokowa muzyka nie może zmienić, a jedną z nich jest owsianka. Zaraz ci naleję.
Usiedli naprzeciwko siebie przy długim stole.
– Czy to nie miłe? – zagaił Ridcully.
– Śmieje się pan ze mnie. – Susan zerknęła na niego podejrzliwie.
– Ależ skąd. Doświadczenie mówi mi, że tym, co wpada zwykle w sieci na śledzie, są śledzie. Jednak... a mówię to jako śmiertelnik, klient, mogłabyś powiedzieć... interesuje mnie, jak doszło do tego, że Śmierć jest nagle nastoletnią dziewczyną zamiast ożywionym natomem, którego znamy i... znamy?
– Natomem?
– To inna nazwa szkieletu. Prawdopodobnie pochodzi od anatomii.
– To mój dziadek.
– Aha. Fakt, wspominałaś o tym. Więc to prawda?
– Brzmi trochę niemądrze, kiedy tłumaczę to komuś innemu.
Ridcully pokręcił głową.
– Powinnaś choć na pięć minut zająć moje stanowisko. A potem możesz mówić, co jest niemądre.

Wyjął z kieszeni ołówek i ostrożnie uniósł górną połowę bułki na talerzu.

– Na tym czymś jest ser – stwierdził oskarżycielsko.

– Ale on gdzieś zniknął, a ja nagle odkryłam, że odziedziczyłam wszystko, choć przecież wcale nie prosiłam. Dlaczego ja? Dlaczego muszę jeździć po świecie z tą bezsensowną kosą? Nie tego oczekiwałam od życia!

– Z całą pewnością nie jest to kariera, do jakiej zachęcają ulotki reklamowe.

– Właśnie!

– I przypuszczam, że nie masz wyjścia?

– Nie wiemy, dokąd odszedł. Albert twierdzi, że bardzo był czymś zmartwiony, ale nie chce powiedzieć, o co chodzi.

– Coś takiego! Co mogłoby zmartwić Śmierć?

– Albert boi się chyba, że dziadek może zrobić coś... niemądrego.

– No nie... Chyba nie aż tak niemądrego, mam nadzieję. Czy to w ogóle możliwe? To by było... śmierciobójstwo pewnie. Albo bójstwobójstwo.

Ku zdumieniu Susan Ridcully poklepał ją po ręku.

– Jestem przekonany, że możemy spać spokojnie, wiedząc, że ty przejęłaś interes.

– To takie... bałaganiarskie! Dobrzy ludzie głupio umierają, źli ludzie dożywają późnego wieku... Nie ma żadnej organizacji. Nie ma w tym sensu. Nie ma żadnej sprawiedliwości. Na przykład ten chłopak...

– Jaki chłopak?

Susan ze zdumieniem i przerażeniem poczuła, że się rumieni.

– Po prostu chłopak – odparła. – Miał zginąć całkiem bezsensownie, chciałam go uratować, ale wtedy muzyka go uratowała. A teraz pakuje go to w najróżniejsze kłopoty, i tak ja muszę go ratować, i właściwie nie wiem dlaczego.

– Muzyka? – zdziwił się Ridcully. – Czy on nie gra na czymś w rodzaju gitary?

– Tak! Skąd pan wie?

Ridcully westchnął.

– Kiedy człowiek jest magiem, ma instynkt do takich spraw. – Znowu ukłuł swojego burgera. – Sałata, nie wiem po co – mruknął. – I jeden bardzo, ale to bardzo cienki plasterek marynowanego ogórka.

Upuścił górną część bułki.

– Ta muzyka jest żywa – oznajmił.

Coś, co stukało od wewnątrz w mózg Susan, domagając się jej uwagi, teraz postanowiło skorzystać z butów.

– O boże! – zawołała.

– A który z nich? – spytał uprzejmie Ridcully.

– To takie oczywiste! Wchodzi do pułapek. Zmienia ludzi. Sprawia, że chcą grać muzy... Muszę iść. – Susan poderwała się szybko.

– Ehm. Dziękuję za owsiankę.

– Nawet nie ruszyłaś.

– Nie, ale... ale dobrze się przyjrzałam.

Zniknęła.

Po jakimś czasie Ridcully pochylił się i pomachał w miejscu, gdzie przed chwilą siedziała. Na wszelki wypadek.

Potem sięgnął pod szatę i wydobył afisz zawiadamiający o Darmowym Festiwalu. Wielkie paskudne stwory z mackami – oto prawdziwy problem. Wystarczy zebrać w jednym miejscu odpowiednio dużo magii, a osnowa wszechświata rozsunie się pod obcasem. Akurat takim jak u butów dziekana, które – co zauważył – miały od pewnego czasu niezwykle jaskrawe ubarwienie.

Skinął na służące.

– Dziękuję wam, Molly, Polly i Dolly. Możecie już sprzątnąć to wszystko.

– O-o.

– Tak, tak. Bardzo dziękuję.

Ridcully czuł się dość samotnie. Spodobała mu się ta dziewczyna. Wydawała się jedyną osobą w okolicy, która nie była lekko obłąkana albo całkowicie zajęta czymś, czego on – Ridcully – nie rozumiał.

Wolno wrócił do gabinetu, ale nie mógł się skupić z powodu stukania młotkiem w kwaterze dziekana. Drzwi stały otworem.

Mieszkania starszych magów były sporymi apartamentami, składały się z gabinetu, pracowni i sypialni. Dziekan przykucnął nad paleniskiem w kąciku warsztatowym. Miał na twarzy maskę z przydymionymi szkłami, a w ręku młotek. Pracował pilnie. Tryskały iskry.

Pocieszający widok, uznał nadrektor. Może to już koniec tej bzdurnej muzyki wykrokowej i powrót do realnej magii.

– Wszystko w porządku, dziekanie? – zapytał.

Dziekan odsunął szkła i kiwnął głową.

– Już prawie kończę, nadrektorze.

– Usłyszałem w korytarzu, jak pan hałasuje – wyjaśnił Ridcully, by jakoś zacząć rozmowę.

– Aha. Pracuję nad kieszeniami.

Ridcully zdumiał się. Pewna liczba co trudniejszych zaklęć wymagała gorąca i walenia młotem, ale kieszenie to coś nowego.

Dziekan uniósł parę spodni.

Nie były, ściśle rzecz biorąc, tak spodniaste jak zwyczajne spodnie: starsi magowie miewali zwykle solidne pięćdziesiąt cali w talii i długość nogawki około dwudziestu pięciu cali. Kształt spodni sugerował więc kogoś, kto siedział na murze i będzie potrzebował królewskiej pomocy, żeby zebrać go z powrotem w całość.

Miały ciemnoniebieski kolor.

– Bił je pan młotkiem? – zdziwił się Ridcully. – Pani Whitlow znowu przesadziła z krochmalem?

Przyjrzał się uważnie.

– Nitował je pan?

Dziekan rozpromienił się.

– Te spodnie – rzekł – są tym, co się liczy.

– Znowu pan mówi o muzyce z wykrokiem? – spytał podejrzliwie Ridcully.

– Chodzi o to, że są ostre.

– To trochę utrudnia chodzenie, prawda? Chyba nie chce ich pan włożyć?

– Czemu nie? – Dziekan zaczął zdejmować szatę.

– Mag w spodniach? Nie na moim uniwersytecie. To bez sensu. Ludzie zaczną wygadywać różne rzeczy.

– Zawsze chce mnie pan powstrzymać od wszystkiego, na czym mi zależy!

– Skąd ten ton?

– Jak to? Nigdy pan nie słucha tego, co mówię, nadrektorze, więc nie widzę powodu, żebym to ja słuchał, co pan mówi.

Ridcully rozejrzał się ponuro.

– Straszny tu bałagan! – huknął. – Proszę to posprzątać, ale już!

– Akurat!

– W takim razie koniec z muzyką wykrokową, młody człowieku!
Ridcully zatrzasnął za sobą drzwi.
Potem otworzył je szarpnięciem.
– I nigdy nie dałem panu zgody, żeby pomalować tu ściany na
czarno – dodał.
Znowu trzasnęły drzwi.
I znowu się otworzyły.
– A spodnie i tak na pana nie pasują!
Dziekan wybiegł na korytarz, wymachując młotkiem.
– Niech pan mówi, co się panu podoba! – krzyknął. – Kiedy historia zechce nadać im imię, na pewno nie nazwą ich nadrektorami!

Była ósma rano – czas, kiedy pijący usiłują albo zapomnieć,
kim są, albo przypomnieć sobie, gdzie mieszkają. Pozostali bywalcy Załatanego Bębna pochylali się nad swoimi drinkami przy ścianach i obserwowali orangutana, który grał w Barbarzyńskich Najeźdźców i wrzeszczał ze złości za każdym razem, kiedy
stracił pensa.
Hibiskus naprawdę chciałby już zamknąć. Z drugiej strony byłoby to jak wysadzenie w powietrze kopalni złota. Ledwie nadążał
z podstawianiem czystych szklaneczek.
– Czy już pan zapomniał? – spytał.
WYDAJE SIĘ, ŻE ZAPOMNIAŁEM TYLKO JEDNO.
– A co takiego? Cha, cha, niemądrze pytam, skoro pan przecież zapomniał...
ZAPOMNIAŁEM, JAK SIĘ UPIĆ.
Barman spojrzał na długie rzędy szkła. Były tam kieliszki od wina. Były szklanki do koktajli. Były kufle po piwie. Były też gliniane
kufle w kształcie wesołych grubasów. Było jedno wiadro.
– Wydaje mi się, że ma pan właściwe podejście – stwierdził.
Obcy chwycił ostatnią szklaneczkę i podszedł do machiny Barbarzyńskich Najeźdźców.
Był to skomplikowany i delikatny mechanizm. Mahoniowe pudło pod planszą gry sugerowało istnienie licznych przekładni zębatych i ślimakowych. Ich jedyna funkcja polegała na zmuszeniu
dość prymitywnie wyrzeźbionych barbarzyńskich najeźdźców, by

podskakiwali i kołysali się na prostokątnej scenie. Gracz, poprzez system dźwigni i wielokrążków, operował niedużą, samoładującą się katapultą przesuwaną poniżej najeźdźców. Wystrzeliwała w górę małe kulki. Równocześnie najeźdźcy (dzięki mechanizmowi zapadkowemu) zrzucali małe żelazne strzałki. Od czasu do czasu rozbrzmiewał dzwonek i najeźdźca na koniu przesuwał się z wahaniem po szczycie planszy, ciskając włóczniami. Cała aparatura bez przerwy grzechotała i trzeszczała, po części z powodu mechanizmu, a po części z powodu orangutana, który szarpał obiema dźwigniami, podskakiwał na pedale ognia i wrzeszczał ile sił w płucach.

– Wyrzuciłbym tę maszynę – powiedział barman. – Ale jest popularna wśród klientów, jak pan widzi.

W KAŻDYM RAZIE JEDNEGO KLIENTA.

– I tak jest lepsza niż maszyna z owocami.

TAK?

– Zjadł wszystkie owoce.

Od strony maszyny rozległ się wściekły pisk.

Barman westchnął.

– Trudno pojąć, jak można robić tyle hałasu z powodu jednego pensa...

Małpa cisnęła na ladę dolarową monetę i odeszła z dwoma garściami drobnych. Jeden pens wrzucony do szczeliny pozwalał szarpnąć za bardzo dużą dźwignię. Barbarzyńscy najeźdźcy w cudowny sposób powstawali z martwych i znowu rozpoczynali swoją chwiejną inwazję.

– Wlał do środka drink – poskarżył się Hibiskus. – Może to tylko wyobraźnia, ale wydaje mi się, że teraz kołyszą się mocniej.

Śmierć przez chwilę przyglądał się grze. Było to jedno z najbardziej przygnębiających zajęć, jakie dotąd widział. Te figurki i tak musiały dotrzeć na sam dół planszy. Po co do nich strzelać?

Dlaczego?

Machnął szklaneczką na zebranych pijaków.

CZY WY. CZY WY. CHODZI O TO, CZY WIECIE, JAK TO JEST, EEE, MIEĆ PAMIĘĆ TAK DOBRĄ, JASNE, TAK DOBRĄ, ŻE SIĘ PAMIĘTA, CO SIĘ JESZCZE NIE WYDARZYŁO? TO JA. TAK JEST. ZGADZA SIĘ. JAKBY. JAKBY. JAKBY NIE BYŁO PRZYSZŁOŚCI... TYLKO PRZESZŁOŚĆ, CO SIĘ JESZCZE NIE ZDARZYŁA. I. I JESZCZE. A I TAK. I TAK TRZEBA ROBIĆ SWOJE. WIECIE, CO SIĘ WYDARZY, ALE MUSICIE ROBIĆ SWOJE.

Rozejrzał się po twarzach słuchaczy. Bywalcy Załatanego Bębna byli przyzwyczajeni do alkoholowych wykładów, jednak nie do takich jak ten.

WIDZICIE. WIDZICIE. WIDZICIE, COŚ WYRASTA JAK GÓRA LODOWA NA KURSIE, ALE NICZEGO NIE WOLNO ZROBIĆ, BO... BO... BO TAKIE PRAWO. NIE WOLNO ŁAMAĆ PRAWA. ...SIBYĆJAKIE-PRAWO.

WIDZICIE TĘ SZKLANKĘ, TAK? WIDZICIE? JEST JAK PAMIĘĆ. BO TO TAK JEST, ŻE JAK SIĘ WIĘCEJ NALEJE, TO WIĘCEJ SIĘ WYLEJE. SOŚTAKIEGO CHRONI LUDZI PRZED SSSZZ... SZSZSZ... OBŁĘDEM. RÓCZ MIE. BIEDACZYSKO ZEMIE. PAMIĘTAM SZYSKO. JAKBY SIĘ ZDARZYŁO JUTRO. SZYSKO.

Przyjrzał się swojemu drinkowi.

ACH, powiedział. ZABAWNE, JAK WSZYSTKO POWRACA, PRAWDA?

To był najbardziej imponujący upadek, jaki widziano w tym barze. Wysoki mroczny przybysz runął na plecy powoli, niby drzewo. Nie było żadnego trzórzliwego ugięcia kolan, żadnego unikania konsekwencji przez odbicie się od stołu po drodze w dół. Zwyczajnie przeszedł z pozycji wertykalnej do horyzontalnej w jednym wspaniałym, geometrycznym łuku.

Kilku bywalców zaczęło bić brawo, gdy uderzył o podłogę. Potem przeszukali mu kieszenie, a przynajmniej spróbowali przeszukać mu kieszenie, jednak żadnej nie znaleźli. A później wrzucili go do rzeki*.

 W ogromnym czarnym gabinecie Śmierci płonie jedna świeca. I nigdy się nie wypala.

Susan gorączkowo kartkowała książki.

Życie nie jest proste – to wiedziała. Ta wiedza przychodziła wraz ze stanowiskiem. Istniało naturalnie proste życie rzeczy żyjących, ale to było... hm, proste.

Istniały też inne rodzaje życia. Miasta miały życie. Mrowiska i roje pszczół miały życie – całość większą niż suma części. Światy

* W każdym razie rzucili go na rzekę.

miały swoje życie. Bogowie mieli życie zbudowane z wiary ich wyznawców.

Wszechświat tańczył w stronę życia. Życie było cechą zadziwiająco powszechną. Zyskiwało ją chyba wszystko, co było dostatecznie złożone – w ten sam sposób, jak coś dostatecznie masywnego otrzymuje szczodrą dawkę grawitacji. Wszechświat zdradzał wyraźną tendencję do świadomości. To z kolei sugerowało pewne subtelne okrucieństwo wplecione w samą osnowę czasoprzestrzeni.

Może nawet muzyka potrafi być żywa, jeśli tylko jest odpowiednio stara. Życie to przyzwyczajenie.

Ludzie mówią: przyczepiła się do mnie ta piekielna melodia...

Nie sam rytm, ale rytm serca...

I wszystko, co żyje, chce się rozmnażać.

G.S.P. Dibbler lubił wstawać o pierwszym brzasku, na wypadek gdyby nadarzyła się okazja sprzedania tego, co bóg daje. Ustawił swoje biurko w kącie warsztatu Kreduły. W zasadzie był przeciwny koncepcji stałego biura. Z jednej strony dzięki temu stawał się łatwiejszy do znalezienia, ale z drugiej stawał się łatwiejszy do znalezienia. Sukces komercyjnej strategii Dibblera zależał od jego umiejętności znalezienia klientów, nie odwrotnie.

Dziś rano jednak znalazła go spora liczba osób. Wiele z nich trzymało gitary.

– No dobrze – rzucił w stronę Asfalta, którego płaską głowę ledwie widział ponad blatem zaimprowizowanego biurka. – Wszystko zrozumiałeś? Potrzebujecie dwóch dni, żeby dotrzeć do Pseudopolis, potem zgłosicie się do pana Klopstocka przy arenie byków. I na wszystko chcę pokwitowania.

– Tak, panie Dibbler.

– Lepiej będzie, żeby na jakiś czas zniknęli z miasta.

– Tak, panie Dibbler.

– Mówiłem już, że na wszystko chcę pokwitowania?

– Tak, panie Dibbler. – Asfalt westchnął ciężko.

– No to ruszajcie. – Dibbler natychmiast zapomniał o trollu i skinął na grupę czekających cierpliwie krasnoludów. – Teraz wy! Podejdźcie. Więc chcecie być gwiazdami muzyki wykrokowej?

– Tak, proszę pana!

– No to wysłuchajcie mnie uważnie...

Asfalt przeliczył pieniądze. Nie było tego wiele, jeśli miało wystarczyć na karmienie czterech ludzi przez kilka dni. Za nim trwało przesłuchanie.

– Jak się nazywacie?

– Ehm... krasnoludy, panie Dibbler – odparł główny krasnolud.

– Krasnoludy?

– Tak, proszę pana.

– Dlaczego?

– Bo nimi jesteśmy, panie Dibbler – tłumaczył cierpliwie główny krasnolud.

– Nie, nie. To się nie nada. Musicie znaleźć nazwę z odrobiną... – Dibbler zamachał rękami. – Z odrobiną muzyki wykrokowej. Nie tak zwyczajnie: Krasnoludy. Musicie być... no, sam nie wiem. Kimś bardziej interesującym.

– Ale na pewno jesteśmy krasnoludami.

– Na pewno krasnoludy – zastanowił się Dibbler. – Tak, to może podziałać. W porządku, zarezerwuję was do Kiści Winogron na czwartek. I na Darmowy Festiwal, naturalnie. Ponieważ jest darmowy, nie możecie oczywiście liczyć na pieniądze.

– Napisaliśmy taką piosenkę – powiedział z nadzieją krasnolud.

– Dobrze, bardzo dobrze – odparł Dibbler, notując coś pilnie.

– Nazywa się „Broda mi drży, gdy cię widzę".

– Dobrze.

– Nie chce pan posłuchać?

– Posłuchać? Niczego bym nie załatwił, gdybym tak sobie słuchał muzyki. Idźcie już. Zobaczymy się w przyszłą środę. Następny! Wszyscy jesteście trollami?

– Tako jest.

W tym przypadku Dibbler postanowił się nie spierać. Trolle są o wiele większe od krasnoludów.

– Może być. Ale trzeba by dodać na końcu Z. Trollz. Tak, wygląda nieźle. Załatany Bęben, piątek. I Darmowy Festiwal. Tak?

– Mamy piosenkę...

– Ładnie z waszej strony. Następny!

– To my, panie Dibbler.

Dibbler przyjrzał się Jimbo, Noddy'emu, Crashowi i Scumowi.

– Macie tupet – stwierdził. – Po wczorajszej nocy...

– Trochę nas poniosło – wyjaśnił Crash. – Pomyśleliśmy, że może da nam pan jeszcze jedną szansę.

– Sam pan mówił, że publiczność była zachwycona – dodał Noddy.

– Zawiedziona. Powiedziałem, że publiczność była zawiedziona. Dwóch z was stale zaglądało do podręcznika gitarowego Blerta Wheedowna.

– Zmieniliśmy nazwę – oznajmił Jimbo. – Pomyśleliśmy, wie pan, że Szaleństwo jest głupie. Nie nadaje się dla grupy, która przesuwa granice muzycznej ekspresji i pewnego dnia bez wątpienia zdobędzie sławę.

– W czwartek. – Noddy pokiwał głową.

– Dlatego od dzisiaj jesteśmy Ssakiem.

Dibbler przyjrzał się im z uwagą. Tresura niedźwiedzi, napastowanie byków, walki psów i nękanie owiec były obecnie w Ankh-Morpork zabronione, choć Patrycjusz zezwalał na nieograniczone ciskanie owocami w każdego podejrzanego o przynależność do ulicznej trupy aktorskiej. Być może, otwiera to pewne możliwości...

– Zgoda – rzekł. – Możecie zagrać na festiwalu. Potem... zobaczymy.

W końcu, pomyślał, istnieje przecież możliwość, że wciąż będą żywi.

Jakaś postać wyszła powoli i niepewnie z Ankh na nabrzeże pod Bezprawnym Mostem. Przez chwilę stała nieruchomo. Błoto ściekało z niej, tworząc kałużę pod deskami. Most był wysoki. Budynki stały na nim po obu stronach, pozostawiając tylko dość wąską drogę pośrodku. Mosty były popularnymi lokalizacjami domów mieszkalnych, dysponowały bowiem sprawnym systemem kanalizacji i dostępem do bieżącej wody.

W ciemności pod mostem płonęło czerwone oko ogniska. Postać ruszyła chwiejnie do światła.

Otaczające ogień ciemne sylwetki odwróciły się i wytężyły wzrok, starając się rozpoznać naturę niespodziewanego gościa.

– To wiejski wóz – stwierdził Buog. – Umiem rozpoznać taki wóz, kiedy go zobaczę. Nawet jeśli go pomalowali na niebiesko. Zresztą jest odrapany.

– Tylko na to was stać – odparł Asfalt. – Poza tym narzuciłem świeżego siana.

– Ja żem myślał, że pojedziemy dyliżansem – odezwał się Klif.

– Pan Dibbler mówi, że artyści waszego kalibru nie mogą podróżować środkami publicznymi. Poza tym mówił, że pewnie wolelibyście uniknąć takich wydatków.

– Co o tym myślisz, Buddy? – spytał Buog.

On i Klif porozumieli się wzrokiem.

– Założę się – rzekł z nadzieją krasnolud – że gdybyś poszedł do Dibblera i zażądał czegoś lepszego, na pewno byś to dostał.

– Ma koła – zauważył Buddy. – Wystarczy.

Wspiął się na wóz i wyciągnął na sianie.

– Pan Dibbler kazał zrobić nowe koszulki – poinformował Asfalt, świadom, że atmosfera nie skrzy się wesołością. – To na tę trasę. Patrzcie, z tyłu jest napisane, gdzie będziecie. Ładne, prawda?

– Tak. Kiedy Gildia Muzykantów wykręci nam głowy w drugą stronę, będziemy mogli przeczytać, gdzie byliśmy – mruknął Buog.

Asfalt strzelił z bata nad końskimi grzbietami. Ruszyły w tempie sugerującym, że mają zamiar utrzymywać je przez cały dzień. I żaden idiota za miękki, żeby właściwie skorzystać z bata, nie zdoła tego zmienić.

 – Demoniszcze, demoniszcze! Paskudny gostek, powiadam. Żółty głaszcz, ot co. Dziesięć tysięcy lat! Demoniszcze! DOPRAWDY?

Śmierć odprężył się.

Wokół ognia siedziało sześciu mężczyzn. Byli gościnni. Podawali sobie butelkę. Właściwie była to połówka puszki i Śmierć nie do końca odgadł, co w niej jest. Ani w kociołku, który bulgotał nad ogniskiem ze starych butów i błota.

Nie pytali, kim jest.

Żaden z nich nie miał imienia, o ile zdołał to stwierdzić. Mieli... etykiety, takie jak Powolny Ken, Kaszlak Henry czy Paskudny

Stary Ron. Etykiety mówiły coś o tym, kim są, ale nic o tym, kim byli.

Puszka dotarła do niego. Możliwie taktownie przekazał ją dalej i wyciągnął się wygodnie.

Ludzie bez imion. Ludzie równie niewidoczni jak on. Ludzie, dla których Śmierć zawsze pozostaje otwartą możliwością.

Może zatrzymać się wśród nich na jakiś czas.

– Darmowa muzyka – warknął pan Clete. – Darmowa! Jaki idiota gra za darmo? Trzeba przynajmniej położyć kapelusz, żeby ludzie rzucili czasem miedziaka. Inaczej jaki to ma sens? Wpatrywał się w rozłożone przed sobą papiery tak długo, że Satchmon chrząknął uprzejmie.

– Myślę – wyjaśnił pan Clete. – Ten przeklęty Vetinari... Powiedział, że egzekwowanie praw gildii należy do samej gildii.

– Słyszałem, że wyjeżdżają z miasta – powiedział Satchmon. – W trasę. Na prowincję. Tam nie działa nasze prawo.

– Prowincja... – powtórzył pan Clete. – Tak. Niebezpieczne miejsce, taka prowincja.

– Zgadza się – przyznał Satchmon. – Na przykład rosną tam rzepy.

Wzrok pana Clete'a padł na księgi obrachunkowe gildii. Nie po raz pierwszy przyszło mu do głowy, że zbyt wielu ludzi pokłada ufność w żelazie i stali, gdy tymczasem jedną z najskuteczniejszych broni jest złoto.

– Czy pan Downey nadal przewodniczy Gildii Skrytobójców? – zapytał.

Pozostali muzycy nagle okazali nerwowość.

– Skrytobójcy? – powtórzył Herbert „Klawesyn" Szurnoog. – Nie wydaje mi się, byśmy kiedykolwiek wzywali na pomoc skrytobójców. To przecież sprawa naszej gildii, prawda? Nie możemy pozwolić, żeby wtrącała się inna gildia.

– Zgadza się – przyznał Satchmon. – Do czego by to doszło, gdyby ludzie się dowiedzieli, że wykorzystujemy skrytobójców?

– Mielibyśmy o wiele więcej członków – odparł rzeczowo pan Clete. – I pewnie moglibyśmy podnieść składkę. Hat. Hat. Hat.

– Jedną chwileczkę – zaprotestował Satchmon. – Nie mam nic przeciwko zajmowaniu się ludźmi, którzy nie chcą wstąpić. To właściwe podejście gildii. Ale skrytobójcy... no cóż...

– Co cóż? – spytał pan Clete.

– Oni... oni zabijają ludzi.

– Chcesz darmowej muzyki?

– Oczywiście, że nie chcę...

– Nie pamiętam takich oporów z twojej strony, kiedy skakałeś w zeszłym miesiącu po palcach ulicznego skrzypka.

– No tak, rzeczywiście, ale to nie było, no, skrytobójstwo. Znaczy, mógł potem odejść. No dobrze, odczołgać się. I nadal mógł zarabiać na życie, chociaż owszem, nie w sposób wymagający użycia rąk, ale zawsze.

– A ten chopak z piszczałką? Ten, który wygrywa nutę za każdym razem, kiedy mu się odbije?

– Tak, ale to nie to sa...

– Znasz Wheedowna, który wyrabia gitary? – zapytał pan Clete.

Ta nagła zmiana tematu rozmowy wytrąciła Satchmona z równowagi.

– Słyszałem, że sprzedaje tyle gitar, jakby świat miał się skończyć w tym tygodniu – wyjaśnił pan Clete. – A nie widzę wzrostu liczby nowych członków. A wy?

– No...

– Kiedy ludzie wbiją sobie do głowy, że mogą słuchać muzyki za darmo, gdzie to się wszystko skończy?

Spojrzał groźnie na dwóch pozostałych.

– Nie wiem, panie Clete – odparł posłusznie Szurnoog.

– Otóż to. A Patrycjusz był ze mną ironiczny. Nie pozwolę na to po raz drugi. Przyszła pora na skrytobójców.

– Sądzę, że nie powinniśmy zabijać ludzi – nie ustępował Satchmon.

– Nie chcę już o tym słyszeć – przerwał mu pan Clete. – To sprawa gildii.

– Ale to nasza gildia...

– No właśnie! A więc zamknij się. Hat. Hat. Hat.

Wóz turkotał między nieskończonymi polami kapusty wiodącymi do Pseudopolis.

– Wiecie, byłem już kiedyś w trasie – oświadczył Buog.
– Kiedy grałem ze Snorim Snoriskuzynem i jego Mosiężnymi Idiotami. Każda noc w innym łóżku. Po jakimś czasie zapomina się nawet, jaki jest dzień tygodnia.

– A jaki jest dzień tygodnia? – zapytał Klif.
– Widzicie? A ruszyliśmy w drogę dopiero... ile to? Trzy godziny temu?

– Gdzie się dziś zatrzymamy? – chciał wiedzieć Klif.
– W Scrote – odparł Asfalt.
– Brzmi jak naprawdę ciekawe miejsce.
– Byłem tam już kiedyś, z cyrkiem. Jednokonne miasteczko.

Buddy wyjrzał przez burtę wozu, ale nie było to warte wysiłku. Żyzne, lessowe równiny Sto były składem warzywnym kontynentu. Ich panorama nie wzbudzała jednak zachwytu, chyba że u człowieka, którego podniecają pięćdziesiąt trzy odmiany kapusty i osiemdziesiąt jeden odmian fasoli.

Mniej więcej co milę wśród szachownicy pól wyrastała wioska, a w jeszcze większych odstępach – miasteczka. Nazywano je miasteczkami, ponieważ były większe od wiosek. Wóz minął ich kilka. Miały po dwie przecinające się ulice, jedną tawernę, jeden sklep z nasionami, jedną kuźnię, jedną stajnię o nazwie w rodzaju STAJNIA JOEGO, parę stodół, trzech staruszków siedzących przed tawerną i trzech młodych ludzi włóczących się przed JOEM i zaklinających się, że już niedługo opuszczą miasteczko i zrobią kariery w wielkim świecie. Naprawdę niedługo. Właściwie lada dzień.

– Przypomina ci dom, co? – Klif szturchnął Buddy'ego.
– Co? Nie. Llamedos to same góry i doliny. I deszcz. I mgła. I choiny.

Buddy westchnął.

– Miał tam żeś pewnie wielki dom – domyślił się troll.
– Zwykłą szopę zbudowaną z ziemi i drewna. Właściwie to z błota i drewna.

Znowu westchnął.

– Tak to wygląda w drodze – wtrącił Asfalt. – Melancholia. Nie ma się do kogo odezwać, jedynie do siebie nawzajem. Znałem ludzi, którzy kompletnie wario...

– Jak długo już jedziemy? – przerwał Klif.
– Trzy godziny i dziesięć minut – odparł Buog.
Buddy westchnął.

To byli ludzie niewidzialni, uświadomił sobie Śmierć. Był przyzwyczajony do niewidzialności. Wynikała ze stanowiska. Ludzie nie widzieli go do chwili, gdy nie mieli już wyboru.

Z drugiej strony jednak był przecież antropomorficzną personifikacją. Paskudny Stary Ron natomiast był człowiekiem, przynajmniej formalnie.

Paskudny Stary Ron zarabiał na skromne życie, podążając za ludźmi, dopóki nie zapłacili mu, żeby przestał. Miał też psa, który dodawał pewne elementy do zapachu Paskudnego Starego Rona. Był to szarobrązowy terier z naderwanym uchem i brzydkimi plamami gołej skóry. Żebrał ze starym kapeluszem w resztkach zębów, a że ludzie często dają zwierzętom to, czego wzbraniają innym ludziom, pies znacząco poprawiał możliwości zarobkowe grupy.

Kaszlak Henry za to zarabiał pieniądze, nie ruszając się z miejsca. Ludzie organizujący ważne imprezy towarzyskie wysyłali mu antyzaproszenia i niewielkie pieniężne prezenty, by upewnić się, że nie przyjdzie. Jeśli bowiem tego zaniedbali, miał zwyczaj wślizgiwania się na przyjęcia ślubne i pokazywania gościom swojej zadziwiającej kolekcji chorób skóry. Kaszlał także, a kaszel ów wydawał się niemal ciałem stałym.

Miał plakat, na którym wypisał kredą: „Za trohe piniendzy nie pujdem za wami do domu. Ehem ehem".

Arnold Boczny nie miał nóg. Ten brak nie plasował się wysoko na liście jego zmartwień. Arnold łapał ludzi za kolana i pytał: „Ma pan rozmienić pensa?", a wynikające z tego mózgowe pomieszanie nieodmiennie przynosiło mu zysk.

Ten, którego nazywali Kaczkomanem, miał na głowie kaczkę. Nikt o niej nie wspominał. Nikt nie zwracał na nią uwagi. Wydawało się, że to jedynie drobna cecha, bez większych konsekwencji, podobnie jak brak nóg Arnolda, niezależny zapach Paskudnego Starego Rona czy wulkaniczne spluwanie Henry'ego.

Ta niewidzialność dręczyła jednak spokojny ostatnio umysł Śmierci. Zastanawiał się, jak zacząć ten temat.

W KOŃCU, myślał, MUSZĄ WIEDZIEĆ, PRAWDA? TO PRZECIEŻ NIE NITKI NA MARYNARCE ANI NIC PODOBNEGO... Zgodnie nazywali Śmierć panem Szczotą. Nie wiedział dlaczego. Znajdował się jednak wśród ludzi, którzy potrafili prowadzić długą dyskusję z drzwiami. Mógł istnieć jakiś logiczny powód.

Żebracy przez cały dzień włóczyli się niewidzialnie po ulicach, gdzie ludzie, którzy ich nie widzieli, starannie ustępowali im z drogi i czasami rzucali monetę. Pan Szczota dopasował się do nich idealnie. Kiedy prosił o pieniądze, ludzie odkrywali, że trudno mu odmówić.

Scrote nie leżało nawet nad rzeką. Powstało tylko dlatego, że można umieścić jedynie ograniczoną ilość pól naraz, nim pojawi się konieczność umieszczenia czegoś innego. Miało dwie przecinające się ulice, jedną tawernę, jeden sklep z nasionami, jedną kuźnię, parę stodół oraz stajnię, w porywie oryginalności nazwaną STAJNIA SETHA.

Panował powszechny bezruch. Nawet muchy spały już mocno. Na ulicy poruszały się tylko długie cienie.

– Wydawało mi się, żeś mówił o jednokonnym masteczku – przypomniał Klif, kiedy mijali rozjeżdżony, pokryty kałużami plac, zapewne niesłusznie gloryfikowany nazwą Miejskiego Rynku.

– Koń musiał zdechnąć – odparł Asfalt.

Buog stanął na wozie i rozłożył ramiona.

– Witaj, Scrote!!! – wrzasnął.

Szyld stajni pożegnał swój ostatni gwóźdź i wylądował w pyle ulicy.

– W życiu na drodze – stwierdził Buog – najbardziej podoba mi się to, że spotykam fascynujących ludzi i oglądam ciekawe miejsca.

– Przypuszczam, że nocą to wszystko ożywa – rzucił Asfalt.

– Tak – mruknął Klif. – Tak, to możliwe. Rzeczywiście. Wygląda to na takie miasteczko, które ożywa w nocy. Jakby całe je trzeba było zakopać na rozstajach z kołkiem wbitym w pierś.

– A skoro już mowa o jedzeniu... – wtrącił Buog.

Wszyscy czterej spojrzeli na tawernę. Popękany i łuszczący się szyld głosił „Pod Wesołą Kapustą".

– Wątpię – stwierdził Asfalt.

W słabo oświetlonej sali siedzieli ludzie pogrążeni w smętnym milczeniu. Podróżnych obsługiwał oberżysta, którego zachowanie sugerowało jasno, iż ma nadzieję, że zginą straszną śmiercią, gdy tylko opuszczą jego lokal.

Skulili się przy stole, świadomi wpatrzonych w nich oczu.

– Słyszałem o takich miejscach – szepnął Buog. – Wjeżdża się do miasteczka o nazwie Friendly albo Amity, a następnego dnia zostają z człowieka żeberka.

– Nie ze mnie – zaznaczył Klif. – Jestem zbyt kamienisty.

– No to trafiasz do skalnego ogródka.

Krasnolud spojrzał na rząd zarośniętych twarzy i teatralnym gestem uniósł kufel.

– Kapusta dobrze rośnie? – zapytał. – Widzę, że pola są pięknie żółte. Dojrzała, co? To dobrze, co?

– To larwa korzeniowa, ot co – odpowiedział mu jakiś głos z mroku.

– Dobrze, doskonale – rzekł Buog. Był krasnoludem. Krasnoludy nie zajmują się uprawą.

– U nas w Scrote nie lubimy cyrków – stwierdził inny głos. Był powolny i niski.

– Nie jesteśmy cyrkiem – zapewnił wesoło Buog. – Jesteśmy muzykami.

– U nas w Scrote nie lubimy muzyków – oznajmił inny głos.

Zdawało się, że w mrocznej sali wciąż przybywa ludzkich postaci.

– Eee... A co lubicie u was w Scrote? – zapytał Asfalt.

– No cóż – odparł barman, teraz zaledwie nieco ciemniejsza sylwetka w zapadającej ciemności. – Jakoś tak o tej porze roku zwykle urządzamy grilla przy skalnym ogródku.

Buddy westchnął.

Był to pierwszy dźwięk, jaki wydał z siebie od przyjazdu do miasteczka.

– Chyba lepiej im pokazać, jak gramy – powiedział. Jego słowa pobrzękiwały jak struny.

Minęło trochę czasu.

Buog popatrzył na klamkę. To była klamka u drzwi. Trzeba ją złapać ręką. Ale co powinno się dziać później?

– Klamka – powiedział w nadziei, że to pomoże.

– Coś powinieneś z nią zrobić – wyjaśnił Klif z okolic podłogi.

Buddy wychylił się zza krasnoluda i trolla, po czym nacisnął klamkę.

– Niesamowite – stwierdził Buog i potykając się, przekroczył próg. Natychmiast ułożył się na podłodze i dopiero wtedy rozejrzał.

– Co to?

– Oberżysta powiedział, że możemy tu zostać za darmo – poinformował Buddy.

– Sraszy bałagan – uznał Buog. – Niech mi ktoś szyniesie miotłę i szotkę do szorowania.

Wtoczył się Asfalt, dźwigając w rękach bagaże, a w zębach worek z kamieniami Klifa.

– To zdumiewające, panie Buddy – powiedział. – Jak pan tak wszedł do tej stodoły i powiedział... Co takiego pan powiedział?

– Odstawimy show tutaj – odparł Buddy i położył się na sienniku.

– Niezwykłe. Musieli się zjeżdżać z całej okolicy.

Buddy spojrzał w sufit i zagrał kilka akordów.

– I ten grill! – Asfalt wciąż promieniał entuzjazmem. – Ten sos!

– To mięso! – westchnął Buog.

– Ten węgiel drzewny! – wymruczał zachwycony troll. Wokół ust miał szeroką czarną obwódkę.

– I kto by pomyślał, że można takie piwo uwarzyć z kalafiorów?

– Uderza do głowy.

– Już myślałem, że będziecie mieli trochę kłopotów, zanim zaczęliście grać. – Asfalt wytrząsał karaluchy z kolejnego posłania. – Nie wierzyłem, że zaczną tańczyć.

– Tak – przyznał Buddy.

– I nawet nam nie zapłacili – narzekał Buog.

Padł na ziemię. Po chwili rozległy się chrapania. Jedno z nich brzmiało nieco metalicznie, a efekt ten dodatkowo wzmacniało odbijające się w hełmie echo.

Kiedy wszyscy już spali, Buddy odłożył gitarę na łóżko, cicho otworzył drzwi i wymknął się na schody. Zbiegł na dół, a potem wyszedł w noc.

Byłoby przyjemnie, gdyby na niebie stał księżyc w pełni albo chociaż jako rogalik. Pełnia byłaby lepsza. Świecił jednak tylko pół-księżyc, jaki nigdy się nie pojawia na obrazach romantycznych ani okultystycznych, mimo że jest to w rzeczywistości najbardziej magiczna z faz.

Unosił się zapach zwietrzałego piwa, umierającej kapusty, zgaszonego niedawno grilla i niewystarczającej liczby sanitariatów.

Buddy oparł się o stajnię Setha; przechyliła się lekko.

Sprawy wglądały wspaniale, dopóki był na scenie albo – jak dzisiaj wieczorem – na podpartych cegłami starych wrotach stodoły. Wszystko nabierało jaskrawych barw. Wyczuwał pędzące w umyśle, rozpalone do białości obrazy. Ciało sprawiało wrażenie, że stoi w ogniu, ale też – i to jest istotne – jakby powinno stać w ogniu. Czuł, że żyje.

Ale zaraz potem czuł się jak trup.

Kolory pozostawały na świecie i wciąż rozpoznawał je jako kolory, choć zdawało się, że widzi je przez przydymione szkła Klifa. Dźwięki dochodziły jak przez warstwę waty. Grill najwyraźniej był smaczny, miał na to słowo Buoga, ale on sam pamiętał tylko fakturę jedzenia i właściwie nic więcej.

Jakiś cień przesunął się przez odstęp między dwoma budynkami...

Z drugiej strony jednak on – Buddy – był najlepszy. Wiedział o tym; nie była to kwestia dumy ani arogancji, ale fakt. Czuł, jak muzyka przepływa od niego do słuchaczy...

– Ten? – zapytał cień ukryty przy stajni, gdy Buddy powlókł się rozświetloną księżycem drogą.

– Tak. Najpierw jego, potem do tawerny po dwóch pozostałych. Nawet tego dużego trolla. Mają taki punkt na karku.

– Ale nie Dibblera?

– To dziwne, ale nie. Nie ma go tutaj.

– Szkoda. Kiedyś kupiłem od niego pasztecika.

– To interesujący pomysł, ale nikt nam nie zapłacił za Dibblera.

Skrytobójcy wyjęli noże o ostrzach przyczernionych, by uniknąć zdradliwych błysków.

– Mogę dać panu dwa pensy, jeśli to w czymś pomoże.

– Kusząca propozycja...

Kroki Buddy'ego rozbrzmiewały coraz głośniej. Starszy skrytobójca przycisnął się do ściany. Zacisnął palce na rękojeści noża trzymanego na wysokości pasa. Nikt, kto zna się choć trochę na nożach, nie użyje słynnego pchnięcia znad ramienia, tak lubianego przez ilustratorów. Byłoby to działanie amatorskie i nieskuteczne. Zawodowiec uderza z dołu – droga do serca prowadzi przez żołądek.

Cofnął rękę i napiął mięśnie...

Ktoś podsunął mu pod nos lekko lśniącą błękitem klepsydrę.

LORD ROBERT SELACHII? – odezwał się głos tuż przy jego uchu. TO JEST TWOJE ŻYCIE.

Wytrzeszczył oczy. Trudno byłoby się pomylić co do wyrytego na szkle imienia. Widział każde najmniejsze ziarnko piasku, przesypujące się w przeszłość.

Obejrzał się, raz tylko objął wzrokiem zakapturzoną postać i rzucił się do ucieczki. Jego uczeń oddalił się już na dobre pięćdziesiąt sążni i ciągle przyspieszał.

– Hej! Kto tam jest?

Susan wcisnęła klepsydrę pod szatę i potrząsnęła włosami. Pojawił się Buddy.

– Ty?

– Tak, ja – potwierdziła Susan.

Buddy zbliżył się o krok.

– Masz zamiar znowu się rozpłynąć? – zapytał.

– Nie. Prawdę mówiąc, właśnie uratowałam ci życie.

Buddy rozejrzał się po pustej drodze.

– Przed czym?

Susan schyliła się i podniosła nóż o czarnym ostrzu.

– Przed tym.

– Wiem, że już cię o to pytałem, ale kim jesteś? Chyba nie moją wróżką chrzestną?

– Sądzę, że one są o wiele starsze. – Susan cofnęła się. – A także o wiele milsze. Naprawdę nie mogę ci więcej powiedzieć. Nie powinieneś nawet mnie widzieć. Nie powinno mnie tu być. Żadne...

– Nie chcesz mnie chyba znowu namawiać, żebym przestał grać? – spytał gniewnie Buddy. – Bo i tak nie przestanę! Jestem muzykiem! Jeśli nie będę grał, to czym się stanę? Równie dobrze mógłbym umrzeć. Rozumiesz to? Muzyka jest moim życiem!

Znów zbliżył się o kilka kroków.

– Dlaczego za mną chodzisz? Asfalt uprzedzał, że pojawią się takie dziewczyny jak ty.

– O co ci chodzi, na miłość bogów? Jakie „dziewczyny jak ja"?

– Podążają za artystami i muzykami, z powodu, no wiesz, blasku i uroku.

– Blask i urok? Cuchnący wóz i karczma śmierdząca cebulą? Buddy uniósł ręce.

– Posłuchaj – rzekł z naciskiem. – Radzę sobie. Pracuję, ludzie mnie słuchają... Nie potrzebuję pomocy, rozumiesz? Mam już dość zmartwień, więc proszę, wynieś się z mojego życia.

Zatupały czyjeś stopy i pojawił się Asfalt, a za nim pozostali członkowie grupy.

– Gitara jęczała – wyjaśnił Asfalt. – Nic ci nie jest?

– Lepiej ją zapytajcie – burknął niechętnie Buddy.

Cała trójka spojrzała wprost na Susan.

– Kogo? – zdziwił się Klif.

– Stoi przecież przed wami!

Buog pomachał krótką ręką, mijając Susan o parę cali.

– To na pewno kapusta – szepnął Klif do Asfalta.

Susan wycofała się cicho.

– Jest przecież tutaj! A teraz odchodzi, nie widzicie?

– Oczywiście, oczywiście... – Buog ujął Buddy'ego za rękę. – Odchodzi teraz, więc szczęśliwej drogi, a ty wracaj...

– Teraz wsiada na wielkiego konia...

– Tak, tak. Wielki czarny koń.

– Jest biały, idioto!

Odciski kopyt na ziemi płonęły przez chwilę czerwienią, po czym rozpłynęły się z wolna.

– Już jej nie ma.

Grupa z Wykrokiem wpatrywała się w noc.

– Tak, teraz widzę, kiedy żeś mi już pokazał – zapewnił Klif.

– To ten koń, którego tam nie ma. Jasne.

– Tak właśnie z całą pewnością wygląda koń, który odjechał – ostrożnie uspokajał Buddy'ego Asfalt.

– Nikt jej nie widział? – nie dowierzał Buddy, kiedy delikatnie sterowali nim przez szarość przedświtu.

– Słyszałem, że za muzykami, ale naprawdę dobrymi muzykami, biegają dookoła takie półnagie kobiety zwane muzami – powiedział Buog.

– Jak Cantaloupe – uzupełnił Klif.

– Nie nazywamy ich muzami. – Asfalt wyszczerzył zęby. – Mówię wam, kiedy pracowałem dla Bertiego Balladzisty i jego Trubadurskich Łobuzów, mogliśmy mieć dowolną liczbę młodych kobiet kręcących się...

– Kiedy się dobrze zastanowić, to aż dziwne, skąd biorą początek legendy – powiedział Buog. – Chodźmy teraz, mój mały.

– Była tu – zaprotestował Buddy. – Naprawdę była!

– Cantaloupe? – spytał Asfalt. – Jesteś pewien, Klif?

– Ja żem czytał to kiedyś w książce. Cantaloupe – potwierdził troll. – Jest żem całkiem pewien. Coś w tym rodzaju.

– Była tu – powtarzał Buddy.

Kruk chrapał łagodnie na swojej czaszce, licząc martwe owce. Śmierć Szczurów wysokim łukiem wskoczył przez okno, odbił się od cieknącej świecy i na czworakach wylądował na stole. Kruk otworzył jedno oko.

– A, to ty...

I zaraz pazur chwycił jego nogę, a Śmierć Szczurów zeskoczył z czaszki w nieskończoną przestrzeń.

Następnego dnia znów widzieli pola kapusty, choć krajobraz zaczął się trochę zmieniać.

– Patrzcie, to ciekawe! – zawołał Buog.

– Co ciekawe? – spytał Klif.

– O tam! Widzę pole fasoli.

Przyglądali mu się, póki nie zniknęło z oczu.

– Ale to miło, że ci ludzie dali nam tyle jedzenia – odezwał się Asfalt. – Kapusty nam nie zabraknie, co?

– Zamknij się – mruknął Buog. Obejrzał się na Buddy'ego, który siedział nieruchomo, opierając brodę na dłoni. – Rozchmurz się, za parę godzin będziemy w Pseudopolis.

– Dobrze – odparł z roztargnieniem Buddy.

Buog przeszedł na przód wozu i skinął na Klifa.

– Zauważyłeś, jak on stale milczy? – szepnął.

– No. Myślisz, że będzie... no wiesz... gotowa, kiedy wrócimy?

– W Ankh-Morpork możesz zrobić wszystko – odparł stanowczo krasnolud. – Pukałem chyba do wszystkich drzwi na tej przeklętej ulicy Chytrych Rzemieślników. Dwadzieścia pięć dolarów!

– Ty narzekasz? Nie twoim zębem mamy płacić.

Obaj spojrzeli niespokojnie na gitarzystę grupy, który wpatrywał się w nieskończone pola.

– Była tam – mruczał.

Pióra opadły spiralą na ziemię.

– Nie musiałeś tego robić – rzekł kruk i podfrunął kawałek. – Wystarczyło poprosić.

PIP.

– Niech będzie, ale lepiej by było przedtem. – Ptak nastroszył pióra i przyjrzał się barwnej okolicy pod ciemnym niebem. – Więc to jest to miejsce? Czy na pewno nie jesteś także Śmiercią Kruków?

PIP.

– Kształt nie jest taki ważny. Zresztą masz spiczasty nos. Czego chciałeś?

Śmierć Szczurów chwycił go za skrzydło i szarpnął.

– Dobrze już, dobrze!

Kruk zerknął jeszcze na ogrodowego krasnoludka łowiącego ryby w ozdobnej sadzawce. Ryby były szkieletami, ale nie przeszkadzało im to cieszyć się życiem, czy czymkolwiek się akurat cieszyły.

Podskakując i podfruwając, ruszył za szczurem.

Gardło Sobie Podrzynam Dibbler cofnął się o krok. Jimbo, Crash, Noddy i Scum patrzyli na niego wyczekująco.

– Po co są te wszystkie skrzynki, panie Dibbler? – zapytał Crash.

– Właśnie – dodał Scum.

Dibbler starannie ustawił na trójnogu dziesiątą muzyczną pułapkę.

– Widzieliście, chłopcy, ikonograf?

– Tak... znaczy się: jasne – odparł Jimbo. – W środku siedzi taki mały demon i maluje obrazki rzeczy, na które się go wyceluje.

– To jest coś podobnego, tylko że dla dźwięku.

Jimbo zajrzał pod otwarte wieko.

– Nie widzę żadnego... znaczy: nie ma demona.

– Bo nie ma go być – wyjaśnił Dibbler.

Jego również to niepokoiło. Czułby się spokojniejszy, gdyby w skrzynce siedział demon, gdyby działała jakaś magia. Coś prostego i zrozumiałego... Nie podobało mu się grzebanie w sprawach naukowych.

– A teraz... Ssak... – zaczął.

– Różowy Fluid – poprawił go Jimbo.

– Co?

– Różowy Fluid – powtórzył uprzejmie Jimbo. – To nasza nowa nazwa.

– Zmieniliście ją? Przecież byliście Ssakiem chyba niecałe dwadzieścia cztery godziny.

– No. Ale uznaliśmy, że ta nazwa nas hamuje.

– Jak może was hamować? – zdziwił się Dibbler. – Przecież się nie ruszacie. – Wzruszył ramionami. – Zresztą jakkolwiek się nazywacie... macie zaśpiewać swoją najlepszą piosenkę, co ja gadam, przed tymi skrzynkami. Jeszcze nie... jeszcze nie... zaczekajcie...

Odbiegł w najdalszy kąt i naciągnął kapelusz na uszy.

– Już, zaczynajcie!

Przez kilka minut patrzył na grupę otulony cudowną głuchotą. Potem ogólne znieruchomienie podpowiedziało mu, że to, co popełniano, już się dokonało.

Sprawdził skrzynki. Druty wibrowały słabo, ale prawie nic nie było słychać.

Różowy Fluid stanął mu za plecami.

– Działa, panie Dibbler? – zapytał Jimbo.

Dibbler pokręcił głową.

– Wy, chłopcy, nie macie w sobie tego, co trzeba.

– A co trzeba mieć, panie Dibbler?

– Tu mnie złapaliście. Coś na pewno macie – zapewnił, widząc ich zasmucone twarze. – Ale niedużo. Czymkolwiek by to było.

– Ale to nie znaczy, że nie pozwoli nam pan zagrać na Darmowym Festiwalu?

Dibbler uśmiechnął się życzliwie.

– Pozwolę.

– Dziękujemy, panie Dibbler.

Różowy Fluid wymaszerował na ulicę.

– Musimy brać się do roboty, jeśli mamy ich porazić – oświadczył Crash.

– Znaczy, chodzi ci... na przykad... żebyśmy się nauczyli grać? – spytał niepewnie Jimbo.

– Nie! Muzyka z wykrokiem po prostu się zdarza. Do niczego nie dojdziemy, jeśli zaczniemy w kółko się uczyć. Nie... – Crash rozejrzał się. – Na przykład lepsze ciuchy. Sprawdziłeś, co z tymi skórzanymi płaszczami, Noddy?

– Mniej więcej.

– Co to znaczy: mniej więcej?

– Mniej więcej skórzane. Byłem w garbarni przy Drodze Fedry i rzeczywiście mieli tam skóry, ale trochę... pachnące.

– Dobrze, zajmiemy się nimi wieczorem. A jak spodnie z leopardziego futra, Scum? Pamiętasz, uznaliśmy, że takie leopardzie spodnie to świetny pomysł.

Wyraz transcendentnego smutku przemknął po twarzy Scuma.

– Tak jakby załatwiłem.

– Albo je masz, albo nie.

– No mam, ale są tak jakby... Wiesz, nie znalazłem ani jednego sklepu, gdzie by o czymś takim słyszeli, ale... tego... wiesz, w zeszłym tygodniu przyjechał cyrk. Pogadałem z tym facetem w cylindrze i rozumiesz, tego... To była okazja, więc...

– Scum – odezwał się cicho Crash. – Co kupiłeś?

– Spójrz na to z innej strony – mówił Scum ze sztucznym entuzjazmem i spoconym czołem. – To przecież coś w rodzaju leopardzich spodni, leopardziej koszuli i leopardziej czapki na dodatek.

– Scum! – Głos Crasha brzmiał nisko, pełen groźby i rezygnacji. – Kupiłeś leoparda, prawda?

– Takiego jakby leopardzika, rzeczywiście.

– Wielcy bogowie!

– Ale za dwadzieścia dolarów! To prawie darmo! Ten facet mówił, że właściwie nic mu nie dolega.

– To dlaczego się go pozbył?

– Jest trochę głuchy. Nie słyszał rozkazów tresera.

– Ale nam niepotrzebny!

– Dlaczego? Twoje spodnie nie muszą słuchać!

DASZ MIEDZIAKA, MŁODY PANICZU?

– Spadaj, dziadku! – odparł bez namysłu Crash.

SZCZĘŚCIA PANICZOWI ŻYCZĘ.

– Ojciec mówi, że ostatnio kręci się za wielu żebraków – stwierdził Crash. – Uważa, że Gildia Żebraków powinna się tym zająć.

– Przecież wszyscy żebracy należą do Gildii Żebraków – zauważył Jimbo.

– No to nie powinni przyjmować tylu ludzi.

– Zawsze to lepsze niż mieszkać na ulicy.

Scum, który z całej grupy wykazywał najmniejszą aktywność mózgową przesłaniającą prawdziwe obserwacje, wlókł się z tyłu. Miał nieprzyjemne uczucie, że właśnie przeszedł po czyimś grobie.

– Ten wydawał się dość chudy – mruknął.

Pozostali, zajęci zwykłym sporem, nie zwracali na niego uwagi.

– Mam już dość Różowego Fluidu – oznajmił Jimbo. – To głupia nazwa.

– Strasznie chudy... – Scum sięgnął do kieszeni.

– No. Najbardziej mi się podobało, jak byliśmy Ktosiem.

– Przecież Ktosiem byliśmy tylko przez pół godziny! – zawołał Crash*. – Wczoraj. Między tym, jak byliśmy Stojącymi Skałami, a tym, jak byliśmy Letnim Balonem.

Scum znalazł dziesięciopensową monetę i zawrócił.

– Przecież musi istnieć jakaś dobra nazwa – stwierdził Jimbo. – Założę się, że jak tylko ją zobaczymy, od razu poznamy.

– No. Musimy znaleźć taką, o którą nie zaczniemy się kłócić po pięciu minutach. Nie pomaga nam w karierze, że ludzie nie wiedzą, kim jesteśmy.

– Pan Dibbler uważa, że bardzo nam pomaga – przypomniał Noddy.

– Tak, ale toczący się kamień mchem nie porasta, jak mawia mój ojciec – rzekł Crash.

– Masz tu, staruszku – powiedział Scum, kawałek za nimi.

DZIĘKUJĘ, odparł wdzięczny Śmierć.

---

* Jednak w bardzo formalnym sensie pięć minut.

Scum pobiegł za kolegami, którzy wrócili do tematu leopardów z problemem słuchu.

– Gdzie go zostawiłeś, Scum? – zapytał Crash.

– No wiesz, w twojej tak jakby sypialni...

– Jak się zabija leoparda? – chciał wiedzieć Noddy.

– Mam pomysł – odparł ponuro Crash. – Pozwolimy, żeby udławił się na śmierć Scumem.

Kruk obejrzał zegar w korytarzu doświadczonym okiem kogoś, kto docenia wartość dobrych rekwizytów.

Jak już zauważyła Susan, zegar nie tyle był mały, ile raczej przestrzennie przemieszczony. Wydawał się mały w taki sam sposób, jak coś bardzo wielkiego widzianego z bardzo daleka. Jak wtedy, kiedy umysł cały czas przypomina oczom, że się mylą. Ale zegar stał także całkiem blisko. Zrobiony był z jakiegoś ciemnego, poczerniałego drewna. Miał wahadło, które kołysało się powoli.

Nie było wskazówek.

– Robi wrażenie – pochwalił kruk. – To ostrze kosy na wahadle. Niezły pomysł. Bardzo gotycki. Patrząc na ten zegar, nic sposób nie pomyśleć...

PIP!

– Dobrze, dobrze. Już lecę. – Kruk podfrunął do rzeźbionej framugi ozdobionej motywem kości i czaszek. – Znakomity gust.

PIP. PIP.

– Chyba każdy potrafiłby zrobić kanalizację. A wiesz, jest taka ciekawostka. Słyszałeś, że wychodek został tak nazwany na pamiątkę wynalazcy, sir Charlesa Wychodka? Niewielu o tym...

PIP.

Śmierć Szczurów pchnął wielkie drzwi prowadzące do kuchni. Otworzyły się ze zgrzytem, choć było w nim coś dziwnego. Słuchacz doznawał wrażenia, że zgrzyt został dodany przez kogoś, kto uznał, że takie drzwi w takim miejscu powinny zgrzytać.

Albert zmywał w kamiennym zlewie, wpatrzony w pustkę.

– Och! – zawołał, odwracając się. – To ty! A co to za zwierzę?

– Jestem krukiem – przedstawił się nerwowo kruk. – Tak się

składa, że to jedne z najinteligentniejszych ptaków. Większość uważa, że najmądrzejsze są szpaki, ale...

PIP!

Kruk nastroszył pióra.

– Przybywam tu jako tłumacz – oznajmił.

– Znalazł go? – spytał Albert.

Śmierć Szczurów popiskiwał długo w odpowiedzi.

– Szukał wszędzie. Ani śladu – rzekł kruk.

– A zatem nie chce być znaleziony – uznał Albert. Starł tłuszcz z talerza ozdobionego motywem kości i czaszek. – To mi się nie podoba.

PIP.

– Szczur uważa, że to jeszcze nie jest najgorsze – przetłumaczył kruk. – Uważa, że powinieneś wiedzieć, co robi wnuczka...

Szczur piszczał. Kruk mówił.

Talerz rozbił się o zlew.

– Wiedziałem! – wrzasnął Albert. – Ratuje go! Ona nie ma pojęcia! Nie! Załatwię tę sprawę! Panu się wydaje, że może tak sobie znikać? Nie staremu Albertowi! Wy dwaj, czekajcie tutaj!

 W Pseudopolis wisiały już plakaty. Wieści rozchodzą się szybko, zwłaszcza kiedy G.S.P. Dibbler płaci za konie...

– Witaj, Pseudopolis...

Musieli wezwać Straż Miejską. Musieli zorganizować od rzeki łańcuch ludzi podających sobie wiadra z wodą. Asfalt musiał stać przed garderobą Buddy'ego z maczugą. Z wbitym gwoździem.

Albert stał przed odłamkiem lustra w swoim pokoju i z wściekłością czesał włosy. Były siwe. W każdym razie dawno temu były siwe. Teraz miały kolor wskazującego palca nałogowego palacza.

– To mój obowiązek i tyle – mamrotał do siebie. – Nie wiem, co by zrobił beze mnie. Może i pamięta przyszłość, ale zawsze coś pokręci. Martwi się o prawdy wieczności, ale kiedy wszystko zostanie już powiedziane i zrobione, kto musi rozplątać sprawy? Uniżony sługa, ot co.

Przyjrzał się swemu odbiciu.

– Dobrze – uznał.

Pod łóżkiem stało pogniecione pudełko po butach. Albert wyjął je bardzo, ale to bardzo ostrożnie i zdjął pokrywkę. Było do połowy napełnione watą. A na wacie leżał życiomierz.

Piasek wewnątrz zastygł, znieruchomiał w locie. W górnej bańce niewiele go już zostało.

W tym miejscu czas nie płynął.

To był element umowy. Pracował dla Śmierci, a czas nie płynął, chyba że kiedy powracał do świata.

Obok szkła leżał skrawek papieru. U góry wypisano liczbę 91, a niżej w słupku kolejne, coraz mniejsze. 73... 68... 37... 19.

Dziewiętnaście!

Chyba całkiem zgłupiał. Pozwolił, by życie uciekało mu godzinami i minutami, a ostatnio było ich sporo. Na przykład ta historia z hydraulikiem. I zakupy. Pan nie lubił robić zakupów. Trudno mu było doczekać się obsługi. Kilka razy Albert wziął też sobie wolne, bo przyjemnie jest zobaczyć słońce, jakiekolwiek słońce, poczuć wiatr i deszcz. Pan starał się, ale nigdy nie potrafił ich należycie odtworzyć. Ani przyzwoitych warzyw – one też jakoś nie wychodziły. Nie smakowały dojrzewaniem.

Dziewiętnaście dni pozostałych dla świata. Ale to i tak więcej niż trzeba.

Albert wsunął życiomierz do kieszeni, wciągnął płaszcz i zbiegł po schodach.

– Ty – rzekł, wskazując Śmierć Szczurów. – Nie wyczułeś żadnego tropu? Musiało coś być. Skup się!

PIP.

– Co powiedział?

– Mówi, że pamięta tylko coś z piaskiem.

– Piasek – powtórzył Abert. – Dobrze. Wiemy, od czego zacząć. Przeszukamy cały piasek.

PIP?

– Gdziekolwiek był pan, na pewno odcisnął ślad.

Klifa zbudziło szuranie. W mroku dostrzegł sylwetkę Buoga z miotłą.

– Co robisz, krasnoludzie?

– Posłałem Asfalta po farbę. Te pokoje to rozpacz.

Klif uniósł się na łokciu i rozejrzał.

– Jak się nazywa ten kolor na drzwiach?

– Eau-de-nil.

– Ładny.

– Dziękuję.

– Zasłony też są niezłe.

Skrzypnęły drzwi, wszedł Asfalt z tacą i zamknął je kopniakiem.

– Oj, przepraszam – powiedział.

– Zamaluję ślad – uspokoił go Buog.

Asfalt postawił tacę. Aż dygotał z podniecenia.

– Wszyscy o was mówią, chłopaki – oznajmił. – I jeszcze że i tak pora była zbudować nowy teatr. Przyniosłem jajecznicę na szynce, jajecznicę na szczurze, jajecznicę na koksie i... Co to było? Aha, kapitan straży powiedział, że jeśli o wschodzie słońca zastanie was jeszcze w mieście, osobiście dopilnuje, żebyście zostali żywcem pogrzebani. Wóz czeka przygotowany przy tylnym wyjściu. Młode kobiety powypisywały na nim szminką różne rzeczy. Przy okazji: ładne zasłony.

Cała trójka spojrzała na Buddy'ego.

– Nawet się nie ruszył. Padł jak kłoda zaraz po koncercie i zasnął.

– W nocy całkiem ostro skakał – przypomniał Klif.

Buddy wciąż cicho pochrapywał.

– Kiedy wrócimy – rzekł Buog – powinniśmy sobie urządzić jakieś miłe wakacje.

– Racja – zgodził się Klif. – Jak wyjdziemy z tego żywi, zarzucę sobie moje kamienie na plecy i pójdę na długi spacer. A gdzie pierwszy raz ktoś zapyta „Co to za rzeczy niesiesz na plecach?", tam się osiedlę.

Asfalt wyjrzał przez okno.

– Możecie się pospieszyć z jedzeniem? – zapytał. – Bo przed hotelem stoi paru ludzi w mundurach. Z łopatami.

W Ankh-Morpork pan Clete był wstrząśnięty.

– Przecież was wynajęliśmy – syknął.

– Właściwy termin to „zaangażowali", nie „wynajęli" – poprawił go lord Downey, przewodniczący Gildii Skrytobójców. Spoglądał na Clete'a z wyrazem niesmaku. – Niestety jednak, nie możemy dłużej zajmować się pańskim kontraktem.

– To muzykanci... Czy aż tak trudno ich zabić?

– Moi współpracownicy odrobinę niechętnie o tym mówią. Jak się zdaje, są przekonani, że nasi klienci są w jakiś sposób chronieni. Oczywiście, zwrócimy honorarium po dokonaniu bilansu.

– Chronieni... – mruczał Clete, kiedy z ulgą minęli bramę Gildii Skrytobójców.

– Mówiłem przecież, jak to było Pod Bębnem, kiedy... – zaczął Satchmon.

– To zabobony – przerwał mu Clete. Zerknął na mur, gdzie trzy afisze Darmowego Festiwalu dumnie prezentowały swe podstawowe barwy. – Głupi byłeś, wierząc, że skrytobójcy poza miastem do czegokolwiek się nadają.

– Ja? Nigdy...

– Wystarczy, że oddalą się na pięć mil od porządnego krawca i lustra, a rozsypują się na proszek – burczał Clete.

Raz jeszcze popatrzył na afisz.

– Darmowy... – mruknął. – Ogłosiłeś, że każdy, kto zagra na tym festiwalu, wylatuje z gildii?

– Tak, proszę pana. Ale oni się chyba nie przejęli. Niektórzy zaczęli się zbierać razem, wie pan? Mówią, że skoro o wiele więcej ludzi chce być muzykami, niż przyjmujemy do gildii, powinniśmy...

– To rządy tłuszczy! Zbierają się w bandy, żeby na bezbronnym mieście wymusić niemożliwe do przyjęcia warunki!

– Kłopot w tym – rzekł Satchmon – że jest ich dużo. Jeśli przyjdzie im do głowy porozmawiać z pałacem... Zna pan przecież Patrycjusza.

Clete smętnie pokiwał głową. Dowolna gildia liczyła się, dopóki w oczywisty sposób reprezentowała swoją grupę zawodową. Wyobraził sobie setki muzyków ruszających do pałacu. Setki muzyków nie należących do gildii...

Patrycjusz był pragmatykiem. Nigdy nie próbował naprawiać tego, co działało. Ale mechanizmy, które nie działały, ulegały likwidacji.

Jedyną nadzieję widział w tym, że tamci będą zbyt zajęci tą swoją muzyką, by dostrzec szerszą perspektywę. Często wykorzystywał ten fakt i nigdy się jeszcze nie zawiódł.

A potem przypomniał sobie, że w całą historię wmieszał się ten przeklęty Dibbler. Spodziewać się, że Dibbler nie pomyśli o czymkolwiek, co może przynieść pieniądze, to tak jak liczyć, że kamienie nie pomyślą o grawitacji.

 – Hej tam! Albercie!

Susan pchnęła kuchenne drzwi. Wielkie pomieszczenie było puste.

– Albercie!

Sprawdziła na górze. Był tam jej pokój, a także korytarz z drzwiami, które nie otwierały się, a prawdopodobnie nie mogły – drzwi i framugi wyglądały na całość uformowaną z jednej bryły. Zapewne Śmierć także miał sypialnię, choć przysłowie mówi, że nigdy nie śpi. Pewnie leżał tam tylko w łóżku z książką.

Sprawdziła kilka klamek, aż znalazła taką, która dała się nacisnąć. Śmierć rzeczywiście miał sypialnię.

Wiele szczegółów odtworzył prawidłowo. Nic dziwnego, widział przecież wiele sypialni. Na środku rozległej podłogi stało łoże z baldachimem – gdy Susan szturchnęła je na próbę, okazało się, że pościel jest twarda i sztywna jak kamień.

Było też duże lustro i szafa. Zajrzała do środka, sądząc, że znajdzie kolekcję czarnych szat, jednak nie zobaczyła niczego prócz kilku starych butów na dnie*.

Na toaletce stała miednica i dzbanek z motywem kości i czaszek, a obok kilka butelek i innych drobiazgów. Susan oglądała je kolejno: płyn po goleniu, pomada do włosów, woda do ust, dwie srebrne szczotki do włosów.

Sprawiało to raczej smutne wrażenie. Śmierć najwyraźniej wyobraził sobie, co każdy dżentelmen powinien mieć na toaletce. Ale nie zadał sobie przy tym jednego czy dwóch kluczowych pytań.

---

* Stare buty zawsze pojawiają się na dnie każdej szafy. Gdyby syrena miała szafę, na jej dnie pojawiłyby się stare buty.

W końcu znalazła inne, węższe schody.

– Albercie?

Prowadziły do zamkniętych drzwi.

– Albercie! Jest tu ktoś?

Nie wchodzę przecież ukradkiem, jeśli najpierw wołałam, powiedziała sobie. Pchnęła drzwi.

Trafiła do małego pokoiku. Bardzo małego. Stało tu kilka prostych mebli i wąskie łóżko. W niewielkiej biblioteczce zauważyła kilka niedużych, nieciekawych z wyglądu książek. Na podłodze leżał kawałek pożółkłego papieru. Kiedy Susan podniosła go, odkryła, że są na nim wypisane liczby, wszystkie przekreślone z wyjątkiem ostatniej – 19.

Jedna z książek nosiła tytuł *Uprawy ogrodowe w trudnych warunkach*. Wróciła do gabinetu. Wiedziała, że nikogo nie ma w domu. Powietrze wydawało się martwe.

To samo wrażenie odniosła w ogrodzie. Śmierć potrafił stworzyć większość rzeczy z wyjątkiem hydrauliki. Nie mógł jednak tworzyć samego życia. Życie trzeba było dodać, jak drożdże do ciasta. Bez niego wszystko było cudownie uporządkowane, poukładane i nudne, nudne, nudne.

Tak to musiało kiedyś wyglądać, pomyślała. A potem, pewnego dnia, adoptował moją mamę. Był ciekaw.

Znowu ruszyła ścieżką przez sad.

Kiedy się urodziłam, myślała, mama i tato byli przerażeni, że czuję się tu jak w domu... Dlatego wychowali mnie na... na Susan. Jakież to imię dla wnuczki Śmierci? Taka dziewczyna powinna mieć ładniejsze kości policzkowe, proste włosy i imię z kilkoma V i X.

I znowu zobaczyła to, co dla niej zrobił. Całkiem sam. Opracował wszystko zasad...

Huśtawka. Zwykła huśtawka.

Żar spływał z nieba na pustynię między Klatchem a Mers-batem.

Powietrze zamigotało i zabrzmiał cichy trzask. Na szczycie wydmy pojawił się Albert. Na horyzoncie wyrastał zbudowany z cegieł fort.

– Klatchiańska Legia Cudzoziemska – mruknął pod nosem Albert, gdy piasek rozpoczął swą niepowstrzymaną wędrówkę do jego butów. Ruszył w stronę fortu, niosąc na ramieniu Śmierć Szczurów. Zastukał do furtki, w której tkwiło kilka strzał. Po chwili otworzyło się małe okienko.

– Czego chcesz, offendi? – odezwał się głos zza okienka.

Albert uniósł kartę.

– Widzieliście tu kogoś, kto tak nie wyglądał? – zapytał.

Odpowiedziało mu milczenie.

– Powiem inaczej: czy widzieliście tu tajemniczego przybysza, kóry nie mówił o swojej przeszłości?

– To Klatchiańska Legia Cudzoziemska, offendi. Ludzie tu nie mówią o swojej przeszłości. Przybywają, by... by...

Kiedy cisza wydłużała się coraz bardziej, Albert zrozumiał, że to na nim spoczywa ciężar podtrzymania rozmowy.

– Zapomnieć?

– Właśnie. Zapomnieć. Tak.

– Czy więc mieliście ostatnio rekrutów, którzy wydawali się nieco... powiedzmy: nieco dziwaczni?

– Całkiem możliwe – odparł po namyśle głos. – Nie pamiętam.

Okienko się zatrzasnęło.

Albert znowu zastukał. Okienko się otworzyło.

– Słucham, o co chodzi?

– Jesteś pewien, że nie pamiętasz?

– Czego nie pamiętam?

Albert nabrał tchu.

– Żądam widzenia z komendantem!

Okienko się zatrzasnęło. I otworzyło.

– Przepraszam, ale chyba ja tu dowodzę. Nie jesteś, offendi, D'regiem ani Mers-batianinem, prawda?

– Nie wiecie, kto dowodzi?

– Ja... jestem pewien, że wiedziałem. Kiedyś. Raz. Wie pan, jak to jest, głowa jak... no, takie coś... z dziurami... płucze się w tym sałatę...

Zadźwięczały odsuwane rygle i w skrzydle bramy otworzyła się wiklinowa furtka.

Możliwy komendant okazał się sierżantem, o ile Albert potrafił rozpoznać klatchiańskie insygnia. Wyglądał na człowieka, który do rzeczy, o jakich nie pamięta, powinien dopisać chwilę, kiedy się dobrze wyspał. O ile nie zapomni.

Wewnątrz murów fortu było jeszcze kilku klatchiańskich żołnierzy. Siedzieli albo – z dużym trudem – stali. Wielu nosiło bandaże. Większa ich liczba – opartych o mury albo leżących na ubitym piasku – już nigdy miała nie potrzebować snu.

– Co się tu stało? – zapytał Albert tonem tak władczym, że sierżant odruchowo zasalutował.

– Zaatakowali nas D'regowie – wyjaśnił, chwiejąc się lekko.

– Setki! Mieli przewagę... no... jaka liczba jest po dziewiątce? Ma jedynkę?

– Dziesięć.

– Dziesięciu na jednego.

– Widzę jednak, że przeżyliście – zauważył Albert.

– Aha... no tak. Właśnie. Tu właśnie wszystko zaczęło się komplikować. Eee... kapralu! To wy... nie wy, ten obok. Ten z dwoma paskami!

– Ja? – zdziwił się niski żołnierz.

– Wy. Opowiedzcie, co się stało.

– Aha. Tak jest. Jasne. No więc ci dranie napakowali nas strzałami, tak? Wyglądało, że już po nas. Potem ktoś zaproponował, żeby poustawiać ciała na murach, razem z ich włóczniami, kuszami i całą resztą, żeby dranie pomyśleli, że ciągle mamy dość ludzi.

– To nie jest nowy pomysł – wtrącił sierżant. – Robiono to już setki razy.

– Właśnie – przyznał zakłopotany kapral. – Oni też musieli tak myśleć. I wtedy... i wtedy... kiedy już zjeżdżali z wydm... kiedy byli już prawie przy nas, śmiali się i w ogóle, powtarzali sobie „znowu ta stara sztuczka"... Wtedy ktoś krzyknął: „Ognia!". I oni strzelili.

– Ci zabici?

– Wstąpiłem do Legii, żeby... no, wiesz, offendi... takie coś z umysłem... – zaciął się kapral.

– Zapomnieć? – podpowiedział Albert.

– O właśnie. Zapomnieć. I całkiem dobrze mi to wychodziło. Ale nie zapomnę mojego towarzysza broni, Nudgera Malika, naszpikowanego strzałami, a wciąż dającego wrogom szkołę. W każdym razie bardzo długo nie zapomnę. Chociaż zamierzam bardzo się starać.

Albert spojrzał na mury. Były puste.

– Ktoś ustawił ich w szyku i odmaszerowali – wyjaśnił kapral.

– Przed chwilą byłem sprawdzić i znalazłem tylko groby. Musieli wykopać je dla siebie nawzajem.

– Powiedzcie, kapralu, kim był ten ktoś, o kim ciągle mówicie.

Żołnierze porozumieli się wzrokiem.

– Właśnie o nim rozmawialiśmy, offendi – powiedział sierżant.

– Próbowaliśmy sobie przypomnieć. Był... w Dziurze, kiedy się zaczęło.

– Wysoki, prawda? – upewnił się Albert.

– Mógł być wysoki, mógł być wysoki – zgodził się kapral. – W każdym razie głos miał bardzo... duży.

Wydawał się zaskoczony słowami, które właśnie wypowiedział.

– A jak wyglądał?

– No, miał... z tym... i jakieś... mniej więcej...

– Czy wyglądał... głośno i głęboko? – spytał Albert.

Kapral uśmiechnął się z ulgą.

– Właśnie tak – potwierdził. – Szeregowiec Beau... Beau... Zapomniałem nazwisko.

– A kiedy przechodził przez... – zaczął sierżant i z irytacją pstryknął palcami. – Takie coś, co się otwiera i zamyka. Z drewna. Ma zawiasy i rygle... Dziękuję panu. Brama. Otóż to. Kiedy przechodził przez bramę, powiedział... co takiego powiedział, kapralu?

– Powiedział: KAŻDY SZCZEGÓŁ, sierżancie.

Albert rozejrzał się.

– A zatem odszedł?

– Kto?

– Ten człowiek, o którym mi opowiadacie.

– Aha. Tak. Tego... nie wiecie przypadkiem, kto to był, offendi? Bo to było zadziwiające. Co tu gadać o morale...

– *Esprit de corpse?* – odparł Albert, który potrafił być złośliwy.

– Pewnie nie mówił, dokąd wyrusza?

– Dokąd kto wyrusza? – Sierżant zmarszczył czoło.

– Zapomnijcie, że pytałem.

Raz jeszcze popatrzył na mały fort. Dla historii świata nie miało prawdopodobnie żadnego znaczenia, czy przetrwa i czy kropkowana linia na mapie przesunie się w jedną albo w drugą stronę. To podobne do pana, że miesza się w sprawy...

Czasami próbuje być człowiekiem, pomyślał Albert. I całkiem mu nie wychodzi.

Legioniści patrzyli, jak znika za grzbietem wydmy. Potem wrócili do sprzątania fortu.

– Jak myślicie, kto to był?

– Kto?

– Ta osoba, o której właśnie wspominaliście.

– Naprawdę?

– Co naprawdę?

Albert wspiął się na wydmę. Z tego miejsca kropkowana linia była ledwie widoczna. Wiła się zdradziecko po piasku.

PIP.

– Ty i ja, obaj – odparł Albert.

Wyjął z kieszeni bardzo brudną chustkę do nosa, zawiązał supły na czterech rogach i naciągnął ją sobie na głowę.

– No dobrze – powiedział, ale w jego głosie pojawił się ślad niepewności. – Wydaje mi się, że nie podchodzimy do tego logicznie.

PIP.

– Chodzi o to, że możemy ścigać go po całym Dysku.

PIP.

– Więc może warto usiąść i się zastanowić.

PIP.

– Pomyśl... Gdybyś był na Dysku, czuł się trochę nieswojo i mógł się udać dokądkolwiek, w absolutnie dowolne miejsce... Dokąd byś poszedł?

PIP?

– Dokąd chcesz. Ale tam, gdzie twoje imię nie jest wybite złotymi literami w ludzkiej pamięci.

Śmierć Szczurów popatrzył na nieskończoną, płaską, a przede wszystkim suchą pustynię.

PIP.

– A wiesz, chyba masz rację.

 Wisiała na jabłoni.

Zbudował mi huśtawkę, przypomniała sobie Susan.

Usiadła i przyglądała się.

Huśtawka była dość skomplikowana. O ile można było odtworzyć proces planowania na podstawie istniejącej konstrukcji, przebiegał tak:

To oczywiste, że huśtawka powinna zawisnąć na najmocniejszej gałęzi.

Więcej – powinna wisieć na dwóch najmocniejszych gałęziach, po jednej linie na każdą.

Okazało się, że te gałęzie rosną po przeciwnych stronach pnia. Nigdy się nie cofać. To element tej samej logiki. Zawsze przeć naprzód, logiczny krok za krokiem.

Zatem... usunął około sześciu stóp pnia, dzięki czemu huśtawka mogła się, no... huśtać.

Drzewo nie umarło. Wciąż było całkiem zdrowe.

Jednakże brak poważnego fragmentu pnia stał się kolejnym problemem. Został rozwiązany dodaniem dwóch mocnych podpór pod każdą z gałęzi, kawałek poza linkami. Utrzymywały koronę drzewa mniej więcej na odpowiedniej wysokości nad ziemią.

Pamiętała, jak głośno się śmiała, nawet wtedy. A on stał obok i nie potrafił zrozumieć, co się nie zgadza.

I wtedy zobaczyła wszystko wyraźnie.

Tak właśnie działał Śmierć. Nigdy nie rozumiał, co właściwie robi. Działał, po czym okazywało się, że to nie tak. Jej matka – nagle miał u siebie dorosłą kobietę i nie wiedział, co dalej. Spróbował więc naprawić sytuację, ale jeszcze bardziej ją pogorszył. Jej ojciec, uczeń Śmierci! A kiedy i to poszło źle, gdyż potencjał błędu był wręcz wbudowany w ten układ, Śmierć zrobił coś jeszcze, by wszystko wyprostować.

Odwrócił klepsydrę.

Potem była to już tylko kwestia matematyki.

I obowiązku.

– Witaj... do licha, Buog, powiedz mi, gdzie jesteśmy... Sto Lat. Jau!

Publiczności było jeszcze więcej. Plakaty wisiały dłużej, dłużej krążyły wieści z Ankh-Morpork. A zespół zauważył, że solidna grupa ludzi przybyła za nimi z Pseudopolis.

W krótkiej przerwie między kolejnymi numerami, przed tym kawałkiem, gdzie ludzie zaczynają skakać po meblach, Klif pochylił się do Buoga.

– Widzisz tę trollicę w pierwszym rzędzie? – zapytał. – Tę, co jej teraz Asfalt skacze po palcach?

– Ta, która wygląda jak stos śmieci?

– Była w Pseudopolis. – Klif rozpromienił się. – Ciągle na mnie patrzy!

– To startuj do niej, chłopie – poradził Buog, wycierając ustnik rogu. – Wchodzisz i tyle.

– Myślisz, że to jedna z tych, co o nich opowiadał Asfalt?

– Możliwe.

Inne wieści także rozchodziły się szybko. Następny świt zastał kolejny przemalowany pokój hotelowy, proklamację królowej Keli, że w ciągu godziny grupa ma się znaleźć poza miastem pod karą tortur, i jeszcze jeden pospieszny odjazd.

Buddy leżał nieruchomo w wozie podskakującym na kamieniach w drodze do Quirmu.

Nie pojawiła się. Przyjrzał się uważnie publiczności na obu koncertach i jej nie znalazł. Wstał nawet w nocy i spacerował po pustych ulicach na wypadek, gdyby go szukała. Teraz zastanawiał się, czy w ogóle istnieje. Zresztą jeśli już o to chodzi, był tylko połowicznie przekonany, że sam istnieje – z wyjątkiem chwil, gdy przebywał na scenie.

Prawie nie słuchał rozmowy pozostałych.

– Asfalt...

– Tak, panie Buog?

– Klif i ja zauważyliśmy coś dziwnego.

– Co takiego, panie Buog?

– Nosisz ze sobą ciężką, skórzaną torbę, Asfalt.

– Rzeczywiście, panie Buog.

– I wydaje mi się, że dziś rano zrobiła się jeszcze cięższa.

– Tak, panie Buog.

– Trzymasz w niej pieniądze?

– To prawda, panie Buog.

– Ile?

– Eee... Pan Dibbler kazał nie martwić was sprawami finansowymi.

253

– Nie przeszkadzają nam – zapewnił Klif.

– Otóż to – dodał Buog. – Chcemy się trochę pomartwić.

– Ehm... – Asfalt oblizał wargi. W postawie Klifa było coś groźnego. – Około dwóch tysięcy dolarów, panie Buog.

Wóz podskakiwał przez chwilę w milczeniu. Krajobraz zmienił się nieco. Widzieli wzgórza, a farmy były mniejsze.

– Dwa tysiące dolarów – powiedział w końcu Buog. – Dwa tysiące dolarów. Dwa tysiące dolarów. Dwa tysiące dolarów.

– Dlaczego stale powtarzasz „dwa tysiące dolarów"? – zdziwił się Klif.

– Nigdy jeszcze nie miałem szansy, by to powiedzieć.

– Ale nie mów tego tak głośno.

– Dwa tysiące dolarów!!!

– Pst! – syknął rozpaczliwie Asfalt, gdy krzyk Buoga odbił się echem od zboczy wzgórz. – To kraina bandytów!

– Mnie to mówisz? – Buog popatrzył znacząco na torbę.

– Nie chodzi o pana Dibblera!

– Jesteśmy na drodze między Sto Lat a Quirmem. To nie jest szlak przez Ramtopy. To cywilizacja. W cywilizacji nie napadają człowieka na drodze. – Spojrzał ponuro na torbę. – Czekają, aż dotrze do miasta. Dlatego nazywają to cywilizacją. Masz pojęcie, kiedy ostatnio ktoś tu został napadnięty?

– W piątek, o ile pamiętam – odpowiedział mu głos zza skały.

– A niech...

Konie stanęły niemal dęba, a później ruszyły cwałem. Trzaśnięcie batem było u Asfalta reakcją niemal instynktowną.

Zwolnili dopiero po kilku milach.

– Nie gadajcie już o pieniądzach, dobrze? – burknął Asfalt.

– Jestem zawodowym muzykiem – odparł Buog. – Oczywiście, że myślę o pieniądzach. Jak daleko jeszcze do Quirmu?

– Teraz już o wiele bliżej. Parę mil.

Za następnym wzgórzem zobaczyli rozłożone nad zatoką miasto. Przed miejską bramą – zamkniętą – czekała grupka ludzi. Hełmy lśniły w słońcu.

– Jak się nazywają te długie kije z siekierami na końcu? – zapytał Asfalt.

– Halabardy – odparł Buddy.

– Dużo ich tam mają – zauważył Buog.

– Chyba nie na nas, co? – zaniepokoił się Klif. – Jesteśmy zwykłymi muzykami.

– Widzę też paru ludzi w długich szatach, ze złotymi łańcuchami i w ogóle – dodał Asfalt.

– Rajcy – uznał Buog.

– Pamiętacie tego jeźdźca, który wyprzedził nas rankiem? – zapytał Asfalt. – Myślę, że to rozchodziły się wieści.

– Tak, ale to przecież nie my żeśmy im zburzyli teatr.

– Wy tylko daliście sześć bisów.

– I nie my żeśmy wywołali te rozruchy na ulicach.

– Ci z halabardami na pewno to zrozumieją.

– Może nie lubią, jak im się przemalowuje hotele. Ja żem mówił, że to zły pomysł, te pomarańczowe zasłony do żółtych tapet.

Wóz zahamował. Tęgi mężczyzna w trójgraniastym kapeluszu i płaszczu obszytym futrem przyglądał im się groźnie spod zmarszczonych brwi.

– Czy jesteście muzykantami znanymi jako Grupa z Wykrokiem? – zapytał.

– Czy to jakiś kłopot, szanowny panie? – dopytywał się Asfalt.

– Jestem burmistrzem Quirmu. Zgodnie z prawem Quirmu, muzyka wykrokowa nie może być grana w naszym mieście. Możecie sprawdzić, tu stoi czarno na białym...

Machnął zwojem pergaminu. Buog pochwycił go.

– Atrament jeszcze wilgotny – stwierdził.

– Muzyka wykrokowa stanowi zakłócenie porządku publicznego; wykazano, iż jest szkodliwa dla zdrowia i moralności oraz powoduje nienaturalne wibracje ciała – oświadczył burmistrz, odbierając krasnoludowi pergamin.

– Chce pan powiedzieć, że nie wolno nam wjechać do Quirmu? – upewnił się Buog.

– Możecie wjechać, jeśli musicie. Ale nie wolno wam grać.

Buddy podniósł się nagle.

– Ale my musimy grać – oświadczył.

Gitara przesunęła się na pasie. Buddy chwycił za gryf i groźnie uniósł dłoń nad strunami.

Buog obejrzał się zrozpaczony. Klif i Asfalt zasłonili uszy rękami.

– Aha – powiedział. – Sądzę, że mamy tu okazję do negocjacji, prawda?

Zeskoczył z wozu.

– Podejrzewam, że wasza burmistrzowska mość nie słyszał jeszcze o podatku muzycznym.

– Jakim podatku muzycznym? – zapytali chórem Asfalt i burmistrz.

– To najnowszy pomysł – wyjaśnił Buog. – Ze względu na popularność muzyki wykrokowej. Podatek muzyczny, pięćdziesiąt pensów od biletu. W Sto Lat wyszło tego, bo ja wiem, ze dwieście pięćdziesiąt dolarów. Oczywiście w Ankh-Morpork ponad dwa razy więcej. Patrycjusz to wymyślił.

– Naprawdę? – zdziwił się burmistrz. – Rzeczywiście, to mi wygląda na pomysł Vetinariego. – Potarł dłonią podbródek. – Powiedziałeś, że w Sto Lat było dwieście pięćdziesiąt dolarów? A przecież to żadne duże miasto.

Strażnik z piórem na hełmie zasalutował.

– Proszę wybaczyć, wasza miłość, ale list ze Sto Lat stwierdzał...

– Chwileczkę – rzucił zirytowany burmistrz. – Myślę.

Klif wychylił się z wozu.

– To jest korupcja? – szepnął do Buoga.

– To są podatki.

Strażnik znów zasalutował.

– Ależ panie, gwardziści w...

– Kapitanie! – zawołał burmistrz, wciąż patrząc z namysłem na Buoga. – Tu chodzi o politykę. Proszę.

– Też? – zdziwił się Klif.

– Aby okazać dobrą wolę – podjął Buog – lepiej będzie, jeśli zapłacimy podatek przed koncertem. Nie sądzi pan?

Burmistrz przyjrzał im się zdumiony, jakby niepewny, czy jego umysł zdoła wchłonąć ideę muzyków z pieniędzmi.

– Wasza miłość, w liście stało...

– Dwieście pięćdziesiąt dolarów – powiedział Buog.

– Wasza miłość...

– Spokojnie, kapitanie – przerwał burmistrz, najwyraźniej podjąwszy decyzję. – Dobrze wiemy, że ci w Sto Lat to trochę dziwacy. W końcu chodzi tylko o muzykę. Mówiłem przecież, że to dziwny list. Muzyka nikomu nie może zaszkodzić. A ci młodzi lu... te młode osoby wyraźnie odnoszą sukcesy.

Ten ostatni argument był chyba dla burmistrza bardzo istotny – jak zresztą bywa dla wielu ludzi. Nikt przecież nie lubi biednych złodziei.

– Tak – mówił dalej. – To podobne do Latczyków, żeby próbować nam wyciąć taki numer. Uważają nas za prostaczków tylko dlatego, że mieszkamy daleko.

– Tak, ale Pseudo...

– Ach, oni. Zarozumiała banda. Komu może zaszkodzić odrobina muzyki? Zwłaszcza... – Burmistrz spojrzał znacząco na Buoga. – Zwłaszcza jeśli to dla dobra publicznego. Wpuśćcie ich, kapitanie.

 Susan osiodłała konia.

Znała to miejsce. Raz nawet je widziała. Wzdłuż drogi postawili teraz nowy płot, ale wciąż było niebezpiecznie. Znała też czas.

Tuż przed tym, nim zaczęli je nazywać Zakrętem Nieboszczyka.

– Witaj, Quirmie!

Buddy szarpnął strunę. Przybrał pozę. Otoczył go słaby, biały blask, niczym migotanie tanich cekinów.

– Uh-huh-huh!

Krzyki zmieniły się w znajomą ścianę dźwięku.

Bałem się, że mogą nas zabić ludzie, którzy nas nie lubią, myślał Buog. Teraz wydaje mi się, że możemy zginąć z rąk tych, którzy nas uwielbiają.

Rozejrzał się uważnie. Pod ścianami rozstawiono strażników – kapitan nie był durniem.

Mam tylko nadzieję, myślał Buog, że Asfalt podstawił konia i wóz przed wyjściem, tak jak go prosiłem.

Zerknął na Buddy'ego, skrzącego się w świetle lamp.

Parę bisów, potem tylnymi schodami i na wóz, powtarzał sobie Buog. Wielka skórzana torba była przykuta łańcuchem do nogi Klifa. Ktokolwiek chciałby ją ukraść, musiałby ciągnąć za sobą tonę perkusisty.

Nie wiem nawet, co zagramy, martwił się Buog. Nigdy nie wiem; po prostu dmucham w róg i... jest. Nikt mi nie wmówi, że to normalne.

Buddy poruszył ręką niby dyskobol i akord spłynął z gitary wprost do uszu publiczności.

Buog podniósł róg do ust. Dźwięk, jaki wydał, był niby czarny aksamit płonący w pokoju bez okien.

Zanim czar muzyki wykrokowej wypełnił jego duszę, pomyślał jeszcze: Umrę. To element muzyki. Umrę niedługo. Czuję to. Codziennie jest o krok bliżej.

Znowu spojrzał na Buddy'ego. Chłopak obserwował publiczność, jakby szukał kogoś wśród rozwrzeszczanego tłumu.

Zagrali „Opary nad jeziorem". Zagrali „Daj mi tę muzykę z wykrokiem". Zagrali „Ścieżkę do raju" (a stu ludzi wśród publiczności obiecało sobie, że zaraz rano kupią gitary).

Grali z sercem, a przede wszystkim z duszą.

Wydostali się po dziewiątym bisie. Tłum wciąż tupał, domagając się czegoś więcej, gdy przecisnęli się przez okno wygódki i zeskoczyli na ziemię.

Asfalt opróżnił sakiewkę do skórzanej torby.

– Kolejne siedemset dolarów – stwierdził, pomagając im wsiąść.

– Właśnie. A my dostajemy po dziesięć na głowę – poskarżył się Buog.

– Powiedzcie panu Dibblerowi.

Konie, stukając kopytami, pędziły w stronę bramy.

– Na pewno powiem.

– To nie ma znaczenia – wtrącił Buddy. – Czasem robi się to dla pieniędzy, a czasem żeby przedstawienie trwało.

– Ha! To będzie dzień, kiedy się na to zgodzę. Historyczny.

Buog sięgnął pod siedzenie. Asfalt ukrył tam dwie skrzynki piwa.

– Jutro mamy Darmowy Festiwal, chłopcy – zahuczał Klif.

Nad nimi przesunął się łuk bramy. Nawet tutaj słyszeli jeszcze tupanie.

– A po nim będziemy mieli nowy kontrakt – zapewnił Buog.

– Z dużą liczbą zer.

– Zera mamy i teraz – przypomniał Klif.

– Tak, ale nie ma żadnych cyfr z przodu. Co, Buddy?

Obejrzeli się. Buddy spał, tuląc do piersi gitarę.

– Zgasł jak świeca...

Przed nimi ciągnęła się droga, prosta i jasna w świetle gwiazd.

– Mówił żeś, że szukasz tylko pracy – zwrócił się do krasnoluda Klif. – Mówił żeś, że wcale nie chcesz być sławny. Jak ci się spodoba, kiedy będziesz musiał się martwić, co zrobić z całym tym złotem, a dziewczyny będą ci rzucać swoje kolczugi?

– Jakoś się z tym pogodzę.

– Chciałbym mieć kamieniołom – stwierdził troll.

– Tak?

– No. W kształcie serca.

Ciemna, burzliwa noc. Kareta, już bez koni, przebija rachityczny, bezużyteczny płotek, i koziołkując spada do wąwozu. Nie zaczepia nawet o wystającą skałę i uderza w wyschnięte koryto rzeki daleko w dole. Rozpada się na kawałki. Potem zapala się oliwa w lampach przy karecie i następuje eksplozja. Z ognia wytacza się – ponieważ pewne konwencje obowiązują nawet w tragedii – płonące koło.

Susan zdziwiła się, że właściwie niczego nie czuje. Potrafiła myśleć smutne myśli, ponieważ w tych okolicznościach musiały być smutne. Wiedziała, kto jechał tą karetą. Ale to już się stało. Nic nie mogła poradzić, by ją zatrzymać, bo gdyby zatrzymała, wypadek by nie nastąpił. A przecież stała tutaj i patrzyła, jak się dzieje. Więc nie zatrzymała. Więc nastąpił. Czuła, jak logika sytuacji opada na miejsce niczym seria ciężkich, ołowianych bloków.

Może istniało miejsce, gdzie to się nie zdarzyło. Może kareta ześliznęła się w drugą stronę, może przytrafiła się dogodnie położona skała, może w ogóle kareta nie jechała tędy, może woźnica pamiętał o zakręcie. Ale tamte możliwości mogą zaistnieć tylko wtedy, kiedy istniała ta.

To wszystko nie należało do jej wiedzy. Płynęło z umysłu o wiele, wiele starszego.

I jeszcze: Czasem jedyne, co można dla kogoś zrobić, to być tam.

Wjechała na Pimpusiu do cienia obok drogi na urwisku i czekała. Po minucie czy dwóch zastukały kopyta na kamieniach i koń z jeźdźcem nadjechali niemal pionową ścieżką z dna wąwozu.

Pimpuś rozszerzył nozdrza. Parapsychologia nie zna określenia na to niepokojące uczucie, kiedy ktoś znajdzie się w obecności samego siebie*.

Susan patrzyła, jak Śmierć zsuwa się z siodła i oparty na kosie spogląda w głąb wąwozu.

Mógłby coś zrobić, pomyślała.

Prawda?

Ciemna postać wyprostowała się, ale nie obejrzała.

TAK. MOGŁEM COŚ ZROBIĆ.

– Jak... Skąd wiedziałeś, że tu jestem?

Śmierć z irytacją machnął ręką.

PAMIĘTAM CIĘ. POSTARAJ SIĘ ZROZUMIEĆ: TWOI RODZICE WIEDZIELI, ŻE PEWNE RZECZY MUSZĄ SIĘ WYDARZYĆ. WSZYSTKO GDZIEŚ MUSI SIĘ WYDARZYĆ. NIE MYŚLISZ CHYBA, ŻE Z NIMI NIE ROZMAWIAŁEM. ALE JA NIE MOGĘ DAWAĆ ŻYCIA. WOLNO MI TYL-KO PRZYZNAĆ KOMUŚ... PRZEDŁUŻENIE. NIEZMIENNOŚĆ. TYLKO LUDZIE POTRAFIĄ DAWAĆ ŻYCIE, A ONI CHCIELI BYĆ LUDŹMI, NIE NIEŚMIERTELNYMI. JEŚLI TO CI POMOŻE, WIEDZ, ŻE ZGINĘLI NA-TYCHMIAST. NATYCHMIAST.

Muszę zapytać, uznała Susan. Muszę to powiedzieć. Inaczej nie będę człowiekiem.

– Mogłabym wrócić i ich ocalić...

Jedynie najlżejsze drżenie głosu sugerowało, że zdanie to jest pytaniem.

OCALIĆ? PO CO? TO ŻYCIE, KTÓRE DOBIEGŁO KOŃCA? PEW-NE RZECZY SIĘ KOŃCZĄ. WIEM O TYM. NIEKIEDY WYDAJE MI SIĘ, ŻE JEST INACZEJ, ALE... KIM BYM BYŁ BEZ OBOWIĄZKU? MUSI IST-NIEĆ PRAWO.

Wskoczył na siodło i – wciąż na nią nie patrząc – spiął Pimpusia i wjechał nad wąwóz.

 Obok stajni przy Drodze Fedry stał stóg siana. Wybrzuszył się na moment i rozległy się stłumione przekleństwa.

---

* Chociaż, ściśle mówiąc, ludzie doświadczają go bez przerwy.

Ułamek sekundy później wybuchł kaszel i zabrzmiało kolejne, o wiele lepsze przekleństwo wewnątrz silosu ziarna w pobliżu targu bydła.

Wkrótce potem eksplodowały w górę przegniłe deski podłogi w sklepie z żywnością przy Krótkiej. Przekleństwo było tak potężne, że odbiło się od worka mąki.

– Durny gryzoń! – huknął Albert, wydłubując z ucha ziarno.

PIP.

– Pewnie że tak. Myślisz, że jaki mam rozmiar?

Strzepnął z ubrania siano i mąkę, po czym zbliżył się do okna.

– Aha! – zawołał. – Ruszajmy zatem Pod Załatany Bęben.

W jego kieszeni piasek podjął swą nieprzerwaną podróż z przyszłości w przeszłość.

Hibiskus Dunelm postanowił na godzinkę zamknąć lokal. Procedura nie była trudna. Najpierw on i jego współpracownicy zbierali wszystkie nierozbite kubki i szklanki. Nie trwało to długo. Potem następowało rutynowe poszukiwanie broni o wartości handlowej, a później szybka kontrola kieszeni, których właściciele nie mogli zaprotestować, ponieważ byli pijani albo martwi, albo jedno i drugie naraz. Kolejno odsuwano meble, a wszystko pozostałe wymiatano przez tylne drzwi na szerokie, brązowe łono rzeki Ankh, gdzie leżało w stosach i tonęło z wolna.

Wreszcie Hibiskus zamknął i zaryglował drzwi frontowe...

Nie chciały się domknąć. Spojrzał w dół. Ktoś wcisnął w nie nogę.

– Nieczynne – poinformował.

– Wcale nie.

Drzwi otworzyły się i do sali wszedł Albert.

– Widziałeś tę osobę? – zapytał, podtykając Hibiskusowi pod nos kartonowy prostokąt.

Było to poważne naruszenie etykiety. Praca Dunelma nie należała do takich, w których mówienie ludziom, że się widziało ludzi, zwiększa szanse przeżycia. Dunelm potrafił przez cały dzień serwować drinki i nikogo nie zobaczyć.

– Nigdy w życiu go nie widziałem – zapewnił odruchowo, nie patrząc nawet na kartę.

– Musisz mi pomóc – oświadczył Albert. – Inaczej stanie się coś strasznego.

– Wynocha!

Albert kopniakiem zamknął drzwi.

– Tylko nie mów, że cię nie ostrzegałem – rzekł.

Śmierć Szczurów na jego ramieniu podejrzliwie obwąchiwał powietrze.

W chwilę później Hibiskus przyciskał podbródek do blatu jednego ze stołów.

– Wiem, że tutaj przyszedł – oświadczył Albert, który nawet się nie zasapał. – Prędzej czy później każdy przychodzi. Przyjrzyj się jeszcze raz.

– To karta do caroca – stwierdził niewyraźnie Hibiskus. – To Śmierć!

– Zgadza się. Ten na białym koniu. Trudno go nie zauważyć. Tylko że tutaj wyglądał chyba inaczej.

– Czy dobrze zrozumiałem? – upewnił się oberżysta, rozpaczliwie usiłując się wyrwać z żelaznego uścisku. – Mam powiedzieć, czy widziałem kogoś, kto tak nie wygląda?

– Na pewno był dziwny. Dziwniejszy niż większość. – Albert zastanowił się. – I pewnie dużo pił, jak go znam. Zawsze to robi.

– Wie pan, jesteśmy w Ankh-Morpork...

– Nie bądź bezczelny, bo się rozgniewam.

– Znaczy, teraz się pan nie gniewa?

– Jestem tylko niecierpliwy. Jeśli masz ochotę, możemy spróbować gniewu.

– Był tu taki... ktoś... parę dni temu. Nie pamiętam dokładnie, jak wyglądał.

– Aha. To na pewno on.

– Wypił wszystko do sucha, skarżył się na grę w Barbarzyńskich Najeźdźców, padł w końcu, a potem...

– Co?

– Nie pamiętam. Pewnie go wyrzuciliśmy.

– Tylnymi drzwiami?

– Tak.

– Przecież tam jest tylko rzeka.

– Ale większość dochodzi do siebie, zanim utoną.

PIP, wtrącił Śmierć Szczurów.

– Mówił coś? – spytał Albert, zbyt zajęty, by zwrócić na to uwagę.

– Zdaje się, że coś o pamiętaniu wszystkiego. Powiedział... że pijaństwo nie pozwala mu zapomnieć. Gadał stale o klamkach do drzwi i... włochatym świetle.

– Włochatym świetle?

– Coś takiego.

I nagle ucisk na rękę Hibiskusa zelżał. Oberżysta odczekał jeszcze sekundę czy dwie, po czym ostrożnie odwrócił głowę.

Za nim nie było nikogo.

Hibiskus pochylił się wolno, by zajrzcć pod stoły.

Albert wyszedł w mrok przedświtu, pogrzebał w płaszczu i wyjął pudełko. Otworzył je i spojrzał na swój życiomierz, potem zamknął pokrywkę.

– No dobrzc – rzekł. – Co dalej?

PIP!

– Co?

I wtedy ktoś uderzył go w głowę.

Nie był to zabójczy cios. Timo Laziman z Gildii Złodziei wiedział, co się dzieje ze złodziejami, którzy zabijają ludzi: pojawia się Gildia Skrytobójców i przeprowadza z nimi krótką rozmowę. Bardzo krótką. Właściwie to mówią jedno słowo: „Żegnam".

Timo chciał tylko powalić staruszka, żeby przeszukać mu kieszenie.

Nie oczekiwał dźwięku, z jakim ciało uderzyło o bruk. Przypominał brzęk tłuczonego szkła, ale o nieprzyjemnej barwie. Rozbrzmiewał w uszach Tima jeszcze długo po tym, kiedy powinien przestać.

Coś skoczyło z ciała i rzuciło mu się do twarzy. Dwa szkieletowe pazurki złapały go za uszy, a kościsty nos szarpnął się do przodu i uderzył go mocno w czoło. Timo wrzasnął i rzucił się do ucieczki.

Śmierć Szczurów spadł na ziemię i natychmiast podbiegł do Alberta. Poklepał go po twarzy, gorączkowo kopnął kilka razy, po czym zrozpaczony ugryzł w nos.

W końcu chwycił Alberta za kołnierz i spróbował wywlec go z rynsztoka, ale wtedy ostrzegawczo brzęknęło szkło.

Oczodoły skierowały się w stronę zamkniętych drzwi Załatanego Bębna. Nastroszyły się skostniałe wąsiki.

Po chwili Hibiskus uchylił drzwi, choćby po to, żeby przerwać to przeraźliwe stukanie.

– Mówiłem, że...

Coś przemknęło mu między nogami, przystając tylko na moment, żeby go ugryźć w kostkę. Z nosem przy ziemi pomknęło do tylnego wyjścia.

Nazwano go Rajd Parkiem nie z powodu organizowanych tu rajdów, ale dlatego że rajdem nazywano kiedyś (z pewną dozą złośliwości) miarę gruntu, który może zaorać jeden człowiek z zaprzęgiem trzech i pół wołu w deszczowy czwartek. Park zajmował dokładnie taką powierzchnię, a mieszkańcy Ankh-Morpork trzymali się tradycji, a czasem też innych rzeczy.

Rosły tu drzewa i trawa, było też jezioro z prawdziwymi rybami. Wskutek jednego z zawirowań historii rozwoju społeczeństw, Rajd Park stał się jednym z bezpieczniejszych miejsc w mieście. Rzadko kiedy kogoś tu napadano. Napastnicy, jak każdy, także potrzebowali spokojnego miejsca, żeby się poopalać. Park okazał się więc terenem neutralnym.

W tej chwili wypełniał się powoli, choć na razie nie było na co patrzeć – chyba że na robotników zbijających dużą drewnianą scenę nad jeziorkiem. Za nią otoczono teren workową tkaniną przybitą do słupków. Od czasu do czasu podekscytowani ludzie starali się wedrzeć do środka i byli wrzucani do wody przez trolle Chryzopraza.

Wśród przygotowujących się muzyków rzucała się w oczy grupa Crasha. Po części dlatego, że Crash zdjął koszulę, by Jimbo mógł smarować mu rany jodyną.

– Myślałem, że żartujesz – burknął.

– Uprzedzałem przecież, że jest w twojej sypialni – przypomniał Scum.

– Jak w takim stanie mam grać na gitarze?

– Przecież i tak nie umiesz grać – wtrącił Noddy.

– Popatrz lepiej na moją rękę. No, popatrz tylko!

Popatrzyli. Po opatrzeniu ran matka Jimba wsadziła ją w rękawiczkę. Rany zresztą nie były głębokie, gdyż nawet głupi leopard nie będzie zbyt długo przebywał w pobliżu kogoś, kto chce mu zdjąć spodnie.

– Rękawiczka – oświadczył strasznym głosem Crash. – Kto słyszał o poważnym muzyku w rękawiczce? Jak mam w tej rękawiczce grać na gitarze?

– A jak ty w ogóle grasz na gitarze?

– Sam nie wiem, po co się męczę z waszą trójką – narzekał Crash. – Hamujecie mój rozwój artystyczny. Zastanawiam się, czy nie odejść i nie założyć nowego zespołu.

– Nie zrobisz tego – stwierdził Jimbo. – Bo nie znajdziesz nikogo innego, nawet gorszego od nas. Powiedzmy sobie szczerze, jesteśmy śmieciami.

Wyraził w ten sposób dręczącą wszystkich myśl. Otaczający ich muzycy byli rzeczywiście raczej marni. Ale nic więcej. Niektórzy posiadali jakiś niewielki talent muzyczny, inni po prostu nie umieli grać. Nie mieli jednak w zespołach perkusistów, którzy nie potrafią trafić w bębny, ani gitarzysty basowego z takim wyczuciem rytmu jak wypadek drogowy. Poza tym na ogół trzymali się swoich nazw, choćby i były mało pomysłowe, jak „Wielki Troll i Paru Innych Trolli" albo „Rosnące Krasnoludy", ale przynajmniej wiedzieli, kim są.

– A co powiecie na „Jesteśmy Grupą Śmieci"? – zaproponował Noddy, wbijając ręce w kieszenie.

– Może i jesteśmy śmieciami – burknął Crash – ale jesteśmy śmieciami muzyki wykrokowej.

– Jak się wszystko układa?! – zawołał Dibbler, przeciskając się między zasłonami. – Już niedługo... A co wy tutaj robicie?

– Jesteśmy w programie, panie Dibbler – odpowiedział pokornie Crash.

– Jak możecie być w programie, jeśli nie wiem, jak się nazywacie? – Dibbler z irytacją wskazał jeden z plakatów. – Tutaj jesteście wypisani? Gdzie?

– Jesteśmy chyba tam, gdzie napisali „i inne zespoły" – odparł Noddy.

– Co ci się stało w rękę? – spytał Dibbler.

– Spodnie mnie ugryzły. – Crash zerknął groźnie na Scuma. – Ale poważnie, panie Dibbler: może nam pan dać jeszcze jedną szansę?

– Zobaczymy – mruknął Dibbler, odchodząc.

Był w zbyt dobrym humorze, żeby się kłócić. Kiełbaski w bułce sprzedawały się błyskawicznie, ale pokrywały tylko drobne wydatki. Istniały takie sposoby zarabiania pieniędzy na muzyce wykrokowej, o których nigdy by nie pomyślał... A przecież G.S.P. Dibbler myślał o pieniądzach bez przerwy.

Na przykład koszulki. Były uszyte z bawełny tak taniej i cienkiej, że praktycznie niewidzialnej w dobrym oświetleniu i rozpuszczającej się w praniu. A sprzedał ich już ponad sześćset, po pięć dolarów sztuka. Kupował je po dziesięć za dolara w Hurtowni Klatchiańskiej i płacił Kredule pół dolara za każdą, żeby zrobił nadruki.

A Kreduła, z całkiem nietrollową inicjatywą, wydrukował nawet własne koszulki. Napis głosił:

U Kreduły
Szory 12
Żeczy załatwiamy

I ludzie je kupowali – płacili pieniądze, żeby reklamować warsztat Kreduły. Dibblerowi nawet się nie śniło, że świat może w taki sposób funkcjonować. Miał wrażenie, że patrzy, jak owce same się strzygą. Cokolwiek spowodowało to odwrócenie uniwersalnych praw komercji, chciał tego jak najwięcej.

Sprzedał już ten pomysł Pluggerowi, szewcowi z Nowych Manatek*, i sto koszulek wyszło sobie z warsztatu – to więcej, niż na ogół szło towarów Pluggera. Ludzie kupowali ubrania tylko dlatego, że miały na sobie napis.

Zarabiał pieniądze. Tysiące dolarów dziennie! A jeszcze pod sceną czekały ukryte setki muzycznych pułapek, gotowe do pochwycenia głosu Buddy'ego. Jeśli pieniądze nadal będą spływać w tym tempie, to już za kilka miliardów lat Dibbler stanie się bogatszy ponad swe najbardziej szalone marzenia.

Niech żyje muzyka wykrokowa!

* PLUGGERY
Podeszwy mają
NIE UWIERAJĄ!

Nad tym cudownym krajobrazem unosiła się jedna chmurka. Festiwal miał się rozpocząć w południe. Dibbler planował, że na początek wyśle sporo niewielkich i fatalnych zespołów. Inaczej mówiąc: wszystkie. Natomiast zakończy występem Grupy. Nie było więc powodu, by się martwić, że nie ma ich jeszcze w tej chwili.

Ale nie było ich jeszcze w tej chwili. I Dibbler się martwił.

Maleńka czarna postać przemierzała brzegi Ankh. Poruszała się tak szybko, że wyglądała jak rozmazana smuga. Zygzakowała desperacko tam i z powrotem, obwąchując wszystko.

Przechodnie jej nie dostrzegali. Widzieli za to szczury: czarne, brunatne i szare opuszczały nadrzeczne zejścia i pomosty. Uciekały, tłocząc się i depcząc sobie po grzbietach w rozpaczliwej próbie znalezienia się jak najdalej stąd.

Stóg siana zafalował i zrodził Buoga. Krasnolud stoczył się na ziemię i jęknął. Drobna mżawka spływała na okoliczny pejzaż. Buog wstał chwiejnie, spojrzał na rozfalowane pola i na moment zniknął za żywopłotem.

Wrócił po kilku sekundach, przeszukał stóg, znalazł fragment bardziej kanciasty od innych i zaczął go kopać swym okutym butem.

– Au!

– Ces – stwierdził. – Dzień dobry, Klif. Witaj, świecie! Wiesz, chyba nie wytrzymam dłużej tego tempa: kapusty, podłe piwo, wszystkie te szczury, co ciągle nas męczą...

Klif wyczołgał się z siana.

– Musiałżem wczoraj napić się jakiegoś podłego salmiaku – stwierdził. – Czy mam jeszcze ciągle czubek głowy?

– Tak.

– Szkoda.

Wyciągnęli Asfalta za buty i obudzili go, tłukąc rytmicznie.

– Jesteś organizatorem trasy – rzekł Buog. – Powinieneś dbać, żeby nie stała się nam krzywda.

– Przecież to robię, prawda? – mruknął Asfalt. – Nie staram się pana uderzyć, panie Buog. Gdzie Buddy?

Cała trójka okrążyła stóg, szturchając wszystkie wypukłości, które jednak okazywały się mokrym sianem.

Znaleźli go na niewielkim wzniesieniu w pobliżu. Rosło tam parę niezabudek i kilka ostrokrzewów wyrzeźbionych wiatrem w niezwykłe linie. Buddy siedział pod jednym z nich, trzymał na kolanach gitarę, a mokre włosy lepiły mu się do czoła.

Spał i był całkiem przemoczony.

Gitara grała kroplami deszczu.

– Dziwny jest – stwierdził Asfalt.

– Nie – sprostował Buog. – Pędzi go jakiś niezwykły przymus prowadzący przez mroczne ścieżki.

– Właśnie mówię: dziwny.

Deszcz ustawał z wolna. Klif spojrzał na niebo.

– Słońce już wysoko – zauważył.

– No nie! – zawołał Asfalt. – Jak długo spaliście?

– Od zaśnięcia do obudzenia. Ale zaśnięcie żem zapomniał.

– Już prawie południe. Gdzie zostawiłem konie? Ktoś widział wóz? Obudźcie go!

Kilka minut później byli już w drodze.

– Wiecie co? – odezwał się Klif. – Tak szybko żeśmy odjechali, że nawet nie wiem, czy się pojawiła.

– Jak ma na imię? – zainteresował się Buog.

– Nie wiem.

– Oto prawdziwa miłość – zadrwił krasnolud.

– Nie masz w duszy ani odrobiny romantyzmu? – spytał troll.

– Oczy spotykające się w zatłoczonej sali... Nie, raczej nie.

Buddy rozepchnął ich na boki.

– Zamknijcie się – rzekł. Głos miał niski, bez śladu humoru.

– Żartowaliśmy tylko – zapewnił Buog.

– To przestańcie.

Asfalt skupił się na obserwacji drogi, świadom nagłego zaniku uprzejmości.

– Na pewno nie możecie się już doczekać festiwalu – zagaił po chwili.

Nikt mu nie odpowiedział.

– Spodziewam się tłumów – dodał.

Zapadła cisza, tylko stukały podkowy i trzeszczał wóz. Jechali teraz przez góry, gdzie droga wiła się wzdłuż wąwozu. W dole nie płynęła nawet rzeka – no, może czasami, w okresie największych deszczów. Panował smętny nastrój. Asfalt miał wrażenie, że coraz smętniejszy.

– Spodziewam się, że będziecie mieć niezłą zabawę – odezwał się w końcu.

– Asfalt... – rzucił Buog.

– Słucham, panie Buog.

– Uważaj na drogę, dobrze?

Idąc, nadrektor przecierał swoją laskę. Wybrał szczególnie udaną, długą na sześć stóp i całkiem magiczną. Nie znaczy to, że często używał magii. Doświadczenie mówiło mu, że jeśli czegoś nie można się pozbyć paroma uderzeniami sześciu stóp solidnego dębu, to jest pewnie i tak odporne na czary.

– Czy nie wydaje się panu, że powinniśmy zabrać ze sobą starszych magów? – zapytał Myślak, z trudem dotrzymując mu kroku.

– Obawiam się, że zabieranie ich w obecnym stanie umysłu doprowadziłoby tylko do tego, że cokolwiek się stanie... – Ridcully poszukał odpowiedniego sformułowania, po czym zadowolił się prostym: – ...stanie się bardziej. Nalegałem, by zostali na uczelni.

– A może Drongo i pozostali? – zaproponował z nadzieją Myślak.

– Przydadzą się na coś w przypadku thaumaturgicznego rozdarcia wymiarów w gigantycznej skali? Pamiętam nieszczęsnego pana Honga. W jednej chwili nakładał na talerze podwójnego dorsza z groszkiem, w następnej...

– Łubudu?

– Łubudu? – powtórzył Ridcully, przeciskając się przez zatłoczoną ulicę. – Nie to słyszałem. Podobno było to raczej coś w rodzaju „aaaaerrrwrzask-chrzęst-chrzęst-chrzęst-trzask" i deszcz smażonych potraw. Wielki Szalony Adrian i jego koledzy poradzą sobie, kiedy spadną frytki?

– Eee... raczej nie, nadrektorze.

– Właśnie. Ludzie krzyczą wtedy i biegają w kółko. To nigdy nie pomaga. Kieszeń pełna solidnych zaklęć i dobrze naładowana laska wyciągnie człowieka z kłopotów w dziewięciu przypadkach na dziesięć.

– Dziewięć przypadków na dziesięć?

– Zgadza się.

– Ile razy musiał już pan z nich korzystać?

– Zaraz... był pan Hong... sprawa z tym Czymś w szafie kwestora... ten smok, pamięta pan... – Wargi Ridcully'ego poruszały się bezgłośnie, gdy liczył na palcach. – Jak dotąd dziewięć razy.

– Działało za każdym?

– Absolutnie. Dlatego nie ma się o co martwić. Przejście! Mag idzie!

Bramy miasta stały otworem. Kiedy wóz je mijał, Buog pochylił się do przodu.

– Nie jedź prosto do parku – polecił.

– Ale jesteśmy spóźnieni – przypomniał Asfalt.

– To nie potrwa długo. Zajedź najpierw na ulicę Chytrych Rzemieślników.

– Na drugą stronę rzeki?!

– To ważne. Musimy tam coś odebrać.

Tłum ludzi ciągnął ulicą. Nie byłoby w tym nic dziwnego, gdyby nie to, że prawie wszyscy szli w jedną stronę.

– A ty połóż się z tyłu na wozie – poradził Buddy'emu Buog. – Nie chcemy przecież, żeby młode kobiety zdarły z ciebie ubranie, co, Buddy...?

Obejrzał się. Buddy znowu zasnął.

– Jeśli o mnie chodzi... – zaczął Klif.

– Ty masz tylko przepaskę biodrową.

– Ale mogłyby ją łapać, prawda?

Wóz kluczył po ulicach, aż wreszcie skręcił w Chytrych Rzemieślników.

Była zabudowana małymi warsztatami. Tu można było zlecić wykonanie, naprawę, budowę, kopiowanie albo podrobienie czegokolwiek. Wytwórcy skomplikowanych mechanicznych jajek pracowali obok płatnerzy, stolarze w sąsiedztwie ludzi, którzy rzeźbili kość słoniową w kształty tak delikatne, że jako pił musieli używać oprawnych

270

w brąz nóżek koników polnych. Co najmniej jeden z każdych czterech rzemieślników produkował narzędzia do użytku pozostałej trójki. Warsztaty nie tylko stykały się ze sobą, ale przecinały się i łączyły. Kiedy stolarz miał wykonać duży stół, musiał polegać na dobrej woli sąsiadów i wierzyć, że zrobią mu miejsce. Gdy pracował nad jednym końcem, dwaj jubilerzy i garncarz rozkładali swe narzędzia na drugim. Były tu miejsca, gdzie rano można zjawić się do miary, a po południu odebrać pełną zbroję z dodatkową parą spodni.

Wóz zatrzymał się przed jednym z warsztatów. Buog zeskoczył i zniknął we wnętrzu.

Asfalt słyszał rozmowę.

– Gotowe?

– Proszę bardzo, szanowny panie. Jak nowa, lśniąca jak deszcz.

– A zagra? Wiesz, mówiłem przecież, że trzeba spędzić dwa tygodnie za wodospadem, owinięty bawolą skórą.

– Posłuchaj pan! Za takie pieniądze wlazłem na pięć minut pod prysznic, z kawałkiem koziej skóry na głowie. Proszę tylko nie tłumaczyć, że nie wystarczy do muzyki ludowej.

Zabrzmiał miły dźwięk, który na moment zawisł w powietrzu, nim rozpłynął się w ulicznym gwarze.

– Mówiliście, że dwadzieścia dolarów, tak?

– Nie. To wy mówiliście. Ja mówiłem, że dwadzieścia pięć.

– No to chwileczkę.

Buog wyszedł i skinął na Klifa.

– Dawaj.

Klif burknął coś niechętnie, ale wsadził sobie palec do ust. Usłyszeli, jak chytry rzemieślnik pyta:

– A cóż to jest?

– Trzonowy. Wart co najmniej...

– Wystarczy.

Buog wyszedł z workiem, który wcisnął pod kozioł.

– Załatwione – stwierdził. – Jedziemy do parku.

 Wjechali przez jedną z bram na tyłach. A przynajmniej spróbowali, gdyż drogę zastąpiły im dwa trolle. Miały na sobie szklistą, marmurową patynę typowych bandytów

271

z gangu Chryzopraza. Chryzopraz nie miał popleczników – większość trolli była zbyt głupia, żeby stawiać ich sobie za plecami.

– Tu tylko grupy – powiedział jeden.

– Właśnie – potwierdził drugi.

– Jesteśmy grupą – wyjaśnił Asfalt.

– Która? – spytał troll. – Ja tu mieć lista.

– Właśnie.

– Jesteśmy Grupą z Wykrokiem – przedstawił siebie i kolegów Buog.

– Ha, wy nie oni! Ja ich widzieć! Być tam taki z taki blask dookoła, a kiedy grać gitara, robić...

Uauauauaummmmm-iiii-gngngn!

– Właśnie.

Akord okrążył wóz.

Buddy stał z gitarą w pogotowiu.

– Ojoj! Niesamowite! – zawołał pierwszy troll. Pogrzebał w fałdach opaski i wyjął pomiętą kartkę papieru. – Móc ty napisać to swoje imię? Mój chłopak, Glin, nie uwierzyć, że ja spotkać...

– Dobrze, dobrze – przerwał znużonym głosem Buddy. – Daj tę kartkę.

– Tylko że to nie dla mnie, ale dla mój chłopak Glin. – Troll z podniecenia przeskakiwał z nogi na nogę.

– Jak to się pisze?

– Nieważne, on i tak nie umieć czytać.

– Słuchajcie – odezwał się Buog, kiedy wóz wtoczył się za scenę. – Ktoś już gra. Mówiłem, że to my...

Podbiegł Dibbler.

– Co tak późno! – krzyknął. – Niedługo wchodzicie! Zaraz po... Leśnych Chłopakach. Jak poszło? Asfalt, chodź tutaj. – Pociągnął małego trolla w mrok za scenę. – Przywiozłeś mi pieniądze? – zapytał.

– Około trzech tysięcy...

– Nie tak głośno!

– Ja tylko szeptałem, panie Dibbler.

Dibbler rozejrzał się czujnie. W Ankh-Morpork nie istnieje coś takiego jak szept, zwłaszcza jeśli suma, o jakiej mowa, zawiera gdzieś słowo „tysiąc". W Ankh-Morpork ludzie słyszą, nawet kiedy ktoś tylko myśli o takich pieniądzach.

– Miej na nie oko, dobrze? Zanim minie ten dzień, będzie więcej. Oddam Chryzoprazowi jego siedemset dolarów, a reszta to czysty... – Dostrzegł spojrzenie paciorkowatych oczu Asfalta i opamiętał się. – Oczywiście, dochodzi jeszcze zużycie... koszty stałe... reklama... badania rynku... bułki... musztarda... i cała reszta. Właściwie to będę miał szczęście, jeśli nic na tym nie stracę. Praktycznie gardło sobie podrzynam tym interesem.

– Tak, panie Dibbler.

Asfalt zajrzał na scenę.

– Kto to gra, panie Dibbler.

– I ty.

– Słucham, panie Dibbler?

– Tylko że piszą się „&U". – Dibbler uspokoił się trochę i sięgnął po cygaro. – Nie pytaj dlaczego. Odpowiednia nazwa dla muzykantów to na przykład Blondie i jego Weseli Trubadurzy. Dobrzy są?

– Nie wie pan, panie Dibbler?

– Czegoś takiego nie uważam za muzykę. Kiedy byłem dzieckiem, mieli jeszcze odpowiednią muzykę z prawdziwymi słowami... „Już miesiąc zaszedł, psy się upiły" czy coś podobnego.

Asfalt raz jeszcze przyjrzał się &U.

– Więc... czują rytm i można przy nich tańczyć, ale nie są bardzo dobrzy. Znaczy, ludzie zwyczajnie ich słuchają. A kiedy gra Grupa z Wykrokiem, nie tylko słuchają.

– Masz rację – zgodził się Dibbler.

Popatrzył na front sceny, gdzie między świecami stał rząd pułapek muzycznych.

– Lepiej idź do nich i powiedz, żeby się szykowali. Mam wrażenie, że tym tutaj kończą się pomysły.

– Ehm... Buddy?

Uniósł głowę znad gitary. Kilku innych muzyków stroiło swoje, on jednak odkrył, że nigdy nie musi tego robić. Zresztą i tak by nie mógł – kołki były nieruchome.

– O co chodzi?

– Eee... – odpowiedział Buog. Skinął w stronę Klifa, który z niepewnym uśmiechem wyjął zza pleców worek. – To jest... bo wiesz, pomyśleliśmy... w każdym razie widzieliśmy ją, rozumiesz, a ty mówiłeś, że nic się nie da zrobić, ale w tym mieście potrafią zrobić prawie wszystko, no to popytaliśmy trochę, a wiedzieliśmy, jakie to dla ciebie ważne, więc znaleźliśmy takiego jednego na ulicy Chytrych Rzemieślników, stwierdził, że może to zrobić, a Klif zapłacił swoim drugim zębem, więc tu ją masz, bo rzeczywiście, jak mówiłeś, dotarliśmy na szczyt muzycznego biznesu, i to tylko dzięki tobie, a że wiemy, jaka jest dla ciebie ważna, więc potraktuj to jako rodzaj prezentu dziękczynnego, no dalej, podaj mu ją...

Klif, który opuszczał rękę, w miarę jak wydłużało się zdanie Buoga, podał worek zdumionemu Buddy'emu.

Asfalt wysunął głowę zza zasłony.

– Chłopaki, na scenę! – zawołał. – Szybko!

Buddy odłożył gitarę. Otworzył worek i zaczął wyciągać lniane opakowanie wewnętrzne.

– Jest nastrojona i w ogóle – zapewnił Klif.

Harfa zabłysła w słońcu, kiedy opadły z niej skrawki tkaniny.

– Niezwykłe rzeczy tu robią z drewna i kleju – zapewnił Buog.

– Mówiłeś, wiem, że w Llamedos nie ma już nikogo, kto by potrafił ją naprawić. Ale to jest Ankh-Morpork. Tutaj umiemy naprawiać prawie wszystko.

– Błagam! – zawołał Asfalt, znowu wysuwając głowę. – Pan Dibbler mówi, że musicie zaraz wystąpić, zanim zaczną rzucać przedmiotami!

– Nie znam się specjalnie na strunach – mówił dalej Buog. – Ale trochę ją wypróbowałem. Brzmiała... całkiem ładnie.

– Ja... tego... nie wiem, co powiedzieć – szepnął Buddy.

Skandowanie tłumu uderzało niczym młot.

– Wygrałem ją – odezwał się Buddy z głębi dalekiego, własnego świata – piosenką „Sioni Bod Da!". Pracowałem nad nią przez całą zimę. Ona jest... o domu, rozumiecie. I odchodzeniu. O drzewach i różnych takich. Sędziowie byllli... bardzo zadowollleni. Powiedziellli, że za pięćdziesiąt llat może naprawdę zrozumiem muzykę.

Przytulił harfę do piersi.

 Dibbler przeciskał się przez zbieraninę muzyków za sceną. W końcu znalazł Asfalta.

– I co? – zapytał groźnie. – Gdzie oni są?

– Siedzą w kółko i rozmawiają, panie Dibbler.

– Posłuchaj tylko – rzekł Dibbler. – Słyszysz te tłumy? Oni chcą muzyki z wykrokiem. Jeśli jej nie dostaną, to... Lepiej, żeby dostali. Oczywiście, można w ten sposób budować napięcie, ale... Chcę ich natychmiast mieć na scenie!

 Buddy przyjrzał się własnym palcom. Potem uniósł bladą twarz i popatrzył na stłoczone wokół inne grupy.

– Ty... z gitarą – rzucił chrapliwie.

– Ja, proszę pana?

– Daj mi ją!

Każdy początkujący zespół z Ankh-Morpork żywił nabożny szacunek dla Grupy z Wykrokiem. Gitarzysta wręczył mu instrument z wyrazem twarzy człowieka, który przekazuje świętą relikwię, by została pobłogosławiona.

Buddy obejrzał ją. Była jednym z najlepszych dzieł Wheedowna.

Szarpnął strunę.

Dźwięk zabrzmiał tak, jak zabrzmiałby ołów, gdyby udało się z niego zrobić struny.

– Co jest, chłopaki? W czym problem? – zapytał Dibbler, podchodząc szybkim krokiem. – Sześć tysięcy uszu czeka tam, by wypełnić się muzyką, a wy ciągle tu siedzicie?

Buddy oddał gitarę właścicielowi i przesunął na pasie własną. Zagrał kilka akordów, które zdawały się iskrzyć w powietrzu.

– Ale na tym potrafię grać – stwierdził. – O tak.

– To świetnie – ucieszył się Dibbler. – Więc idź tam i graj.

– Niech jeszcze ktoś da mi gitarę!

Muzycy potykali się o siebie, by przekazać mu swoje instrumenty. Gorączkowo wypróbował kilka. Ich brzmienie nie było zwyczajnie głuche. Określenie „głuche" stanowiło w tym wypadku niezasłużony komplement.

Kontyngent Gildii Muzykantów zdołał zająć dla siebie teren w pobliżu sceny. Dokonali tego prostą metodą bardzo mocnego uderzania każdego, kto naruszył jego granice.

Pan Clete spod zmarszczonych brwi obserwował scenę.

– Nie rozumiem – stwierdził. – Przecież to chłam. Stale to samo. Tylko hałas. Co oni w tym słyszą?

Satchmon już dwa razy musiał się powstrzymywać od wybijania nogą rytmu.

– Nie było jeszcze głównego zespołu – odpowiedział. – Eee... czy na pewno chce pan...?

– To nasze prawo – oznajmił Clete. Rozejrzał się wśród publiczności. – Widzę tam sprzedawcę hot dogów. Jeszcze ktoś ma ochotę na hot doga? Hot doga? – Przedstawiciele gildii skinęli głowami. – Hot doga? Dobrze. To razem będą trzy hot dogi...

Publiczność krzyknęła z radości i zaczęła klaskać – nie tak jak zwykle, gdy oklaski zaczynają się w jednym punkcie i rozbiegają coraz dalej. Tym razem wybuchły wszędzie jednocześnie, a wszystkie usta otworzyły się w tej samej chwili.

Klif wyszedł na scenę. Usiadł za swoimi kamieniami i rozpaczliwie spoglądał za kulisy.

Przywlókł się Buog, mrugając niepewnie w ostrym świetle.

I na tym się skończyło. Krasnolud odwrócił się i powiedział coś niesłyszalnego w ogólnym hałasie. Potem stanął zakłopotany. Oklaski i krzyki cichły z wolna.

Wszedł Buddy, zataczając się lekko, jakby ktoś go wepchnął.

Do tej pory pan Clete uważał, że tłum krzyczy. I zdał sobie sprawę, że był to zaledwie pomruk aprobaty w porównaniu z tym, co zaczęło się teraz.

Zaczęło się i trwało, a chłopak stał ze spuszczoną głową.

– Przecież on nic nie robi! – wrzasnął Clete wprost do ucha Satchmona. – Dlaczego oklaskują to, że nic nie robi?

– Nie mam pojęcia – odparł Satchmon.

Popatrzył na błyszczące od potu i... wygłodniałe twarze. Czuł się jak ateista, który trafił na Komunię Świętą.

Oklaski nie cichły. Stały się jeszcze głośniejsze, kiedy Buddy powoli uniósł ręce do gitary.

– On nic nie robi! – ryczał Clete.

– To nas załatwił, proszę pana – huknął Satchmon. – Jeśli nie gra, nie można mu zarzucić grania bez przynależności do gildii!

Buddy uniósł głowę.

Patrzył na publiczność w takim skupieniu, że Clete wyciągnął szyję, żeby zobaczyć, na co ten przeklęty chłopak się gapi.

To było... nic. Zajmowało kawałek miejsca tuż przed sceną. Wszędzie ludzie tłoczyli się blisko siebie, ale tam pozostał krąg niezdeptanej trawy. Zdawało się, że przyciąga uwagę Buddy'ego.

– Uch-uch-uch...

Clete zatkał sobie uszy palcami, ale moc krzyku docierała do jego głowy jak echo.

A potem, stopniowo, po trochu, krzyki ucichły. Zastąpił je odgłos tysięcy ludzi stojących w milczeniu. Ten dźwięk, uznał Satchmon, z nieznanej przyczyny wydawał się o wiele bardziej groźny.

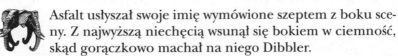

Buog zerknął na Klifa, który wymownie się skrzywił.

Buddy wciąż stał, wpatrując się w widownię.

Jeśli nie zacznie grać, pomyślał Buog, to po nas.

Skinął na Asfalta, który podszedł z boku.

– Czy wóz gotowy?

– Tak, panie Buog.

– Dałeś koniom obroku?

– Jak pan kazał, panie Buog.

– Dobrze.

Cisza była jak aksamit. Miała też pewne własności ssania, występujące także w gabinecie Patrycjusza, w świętych miejscach i głębokich kanionach, w jakich ludzie chcą krzyczeć, śpiewać albo wywrzaskiwać swoje imię. To była cisza żądająca: wypełnij mnie.

W ciemności ktoś zakaszlał.

Asfalt usłyszał swoje imię wymówione szeptem z boku sceny. Z najwyższą niechęcią wsunął się bokiem w ciemność, skąd gorączkowo machał na niego Dibbler.

– Wiesz, gdzie torba? – zapytał.

– Tak, panie Dibbler. Zostawiłem ją...

Dibbler wręczył mu dwa niewielkie, ale bardzo ciężkie woreczki.

– Dosyp to do środka i przygotuj wszystko, żebyśmy mogli szybko odjechać.

– Zgadza się, panie Dibbler, bo Buog właśnie mówił...

– Rusz się!

 Buog rozejrzał się nerwowo. Jeśli rzucę róg, hełm i tę kolczugę, pomyślał, może uda mi się ujść stąd z życiem. Co on wyprawia?

Buddy odłożył gitarę i zniknął za sceną. Wrócił, zanim widzowie zdali sobie sprawę z tego, co się dzieje. Teraz trzymał harfę.

Znów stanął przed publicznością.

Buog, który był najbliżej, słyszał, jak mruczy:

– Tylllko raz? No... jeszcze tylllko ten raz. Potem zrobię, co zechcesz, rozumiesz. Zapłacę za to.

Gitara wydała z siebie kilka cichych akordów.

– Mówię poważnie – zapewnił Buddy.

Kolejny akord.

– Tyllko raz.

Buddy uśmiechnął się do pustego miejsca w tłumie i zaczął grać.

 Każda nuta była wyraźna jak dźwięk dzwonu i czysta jak słoneczny promień, a w pryzmacie mózgu rozszczepiała się, połyskując milionem kolorów.

Buog rozdziawił usta. A wtedy muzyka rozwinęła się w jego głowie. To nie była muzyka wykrokowa, choć używała do wejścia tej samej bramy. Opadające nuty przywołały wspomnienie kopalni, gdzie przyszedł na świat, krasnoludziego chleba – takiego, jaki wykuwała na kowadle mama... I chwilę, kiedy pierwszy raz uświadomił sobie, że jest zakochany*. Przypomniał sobie życie w jaskiniach pod Mie-

---

* Wciąż zachował gdzieś jeden samorodek.

dzianką, zanim miasto wezwało go do siebie. Bardziej niż czegokolwiek na świecie zapragnął teraz być w domu. Nigdy nie zdawał sobie sprawy, że ludzie potrafią wyśpiewać podziemne groty.

Klif odłożył młotki. Te same dźwięki przeciskały się przez jego spękane uszy, ale w umyśle stawały się kamieniołomami i wrzosowiskami. Powiedział sobie – gdy emocje wypełniły mu głowę niby dym – że zaraz po festiwalu wraca sprawdzić, jak się czuje jego stara matka. I że nigdy już jej nie opuści.

Dibbler odkrył, że i w jego umyśle rodzą się dziwne, niepokojące myśli. Dotyczyły rzeczy, jakich nie można sprzedać i za jakie nie powinno się płacić...

Wykładowca run współczesnych uderzył pięścią w kryształową kulę.

– Dźwięk jest trochę metaliczny – uznał.

– Odsuń się, nic nie widzę – skarcił go dziekan.

Wykładowca usiadł na miejscu.

Wpatrywali się w niewielki obraz.

– Nie brzmi to jak muzyka z wykrokiem – stwierdził kwestor.

– Cicho siedź – burknął dziekan i głośno wytarł nos.

Była to smutna muzyka – ale powiewała tym smutkiem niby sztandarem bojowym. Mówiła, że wszechświat zrobił wszystko, co mógł, ale my ciągle żyjemy.

Dziekan, który był tak podatny na wpływy, jak gruda ciepłego wosku, zastanawiał się, czy zdoła opanować grę na harmonijce.

Ostatnia nuta umilkła.

Nie było oklasków. Publiczność posmutniała odrobinę; każdy z obecnych wynurzał się z refleksyjnego kącika, jaki zajął. Jeden czy dwóch ludzi wymruczało coś w stylu: „Tak, tak to już jest" albo „Ty i ja razem, bracie". Sporo ludzi wydmuchało nosy, czasami na innych ludzi.

A potem rzeczywistość wkradła się z powrotem, jak to zawsze czyni.

Buog usłyszał, jak Buddy bardzo cicho mówi:
– Dziękuję ci.
Krasnolud pochylił się do niego.
– Co to było? – zapytał samym kącikiem ust.
Miał wrażenie, że Buddy otrząsnął się nagle, jakby ze snu.
– Co? Ach... nazywa się „Sioni Bod Da". Co o tym myślisz?
– Ma... klimat. Stanowczo ma klimat.
Klif kiwnął głową. Kiedy jesteś bardzo daleko od rodzinnej kopalni czy góry, kiedy zagubiłeś się wśród obcych, kiedy masz wewnątrz tylko wielką, bolesną pustkę, dopiero wtedy możesz wyśpiewać prawdziwy klimat.
– Obserwuje nas – szepnął Buddy.
– Niewidzialna dziewczyna? – domyślił się Buog, spoglądając na pusty kawałek murawy.
– Tak.
– Rzeczywiście. Z całą pewnością jej nie widzę. Zgadza się. A teraz, jeśli tym razem nie zagrasz muzyki wykrokowej, to już po nas.
Buddy sięgnął po gitarę. Struny zadrżały mu pod palcami. Był rozradowany. Pozwolono mu zagrać... to... przed publicznością. Nic więcej się nie liczyło. Cokolwiek mogło się teraz zdarzyć, nie miało znaczenia.
– Jeszcze niczego nie słyszeliście – rzekł.
Tupnął nogą.
– Raz, dwa... raz, dwa, trzy, cztery...
Buog miał jeszcze czas, by rozpoznać melodię, zanim ogarnęła go muzyka. Wcześniej słyszał ją przez zaledwie kilka sekund. Teraz zakołysała nim.

 Myślak zajrzał do swojej skrzynki.
– Chyba ją chwytamy, nadrektorze – powiedział. – Ale nie wiem, czym jest.
Ridcully skinął głową i rozejrzał się po widowni. Słuchali z otwartymi ustami. Harfa wydarła im dusze, a teraz gitara lała żar w kręgosłupy.
A pod sceną był pusty kawałek murawy.

Ridcully zasłonił dłonią jedno oko, drugim zaś wpatrywał się tak intensywnie, że zaczęło łzawić. Potem się uśmiechnął.

Obejrzał się na Gildię Muzykantów i ku swemu przerażeniu zobaczył, że Satchmon podnosi do ramienia kuszę. Zdawało się, że robi to niechętnie, ponaglany przez pana Clete'a.

Ridcully wystawił palec, jak gdyby chciał się podrapać w nos.

Ponad dźwiękami muzyki usłyszał brzęk pękającej cięciwy oraz, ku swej skrywanej radości, jęk pana Clete'a, kiedy jej koniec strzelił go w ucho. Sam by na to nie wpadł.

– Jestem zwyczajnie sentymentalny, w tym cały problem – mruknął do siebie. – Hat. Hat. Hat.

– Wiecie, to był świetny pomysł – pochwalił kwestor, patrząc na poruszające się w kryształowej kuli maleńkie obrazki. – Wspaniały sposób oglądania wydarzeń. Moglibyśmy zajrzeć do Opery?

– A może do Klubu Skunksa przy Browarnej? – zaproponował pierwszy prymus.

– Dlaczego? – zdziwił się kwestor.

– Tak tylko pomyślałem – zapewnił szybko pierwszy prymus. – Rozumiecie chyba, że nigdy tam nie byłem, w żaden sposób.

– Chyba nie powinniśmy tego robić – odezwał się wykładowca run współczesnych. – To nie jest właściwe zastosowanie dla magicznego kryształu.

– Nie znam lepszego zastosowania dla magicznego kryształu – odpowiedział dziekan – niż oglądanie ludzi grających muzykę wykrokową.

Kaczkoman, Kaszlak Henry, Arnold Boczny, Paskudny Stary Ron, zapach Paskudnego Starego Rona i pies Paskudnego Starego Rona kręcili się wokół zgromadzonych tłumów. Zdobycz była wyjątkowo obfita – jak zawsze, kiedy sprzedawano hot dogi Dibblera. Istniały rzeczy, których ludzie nie chcieli zjeść nawet pod wpływem muzyki wykrokowej. Istniały rzeczy, których nawet musztarda nie mogła zamaskować.

Arnold zbierał resztki i wrzucał je do swojego koszyka na wózku. Dziś wieczorem pod mostem przyrządzą z tego królewską pierwotną zupę.

Muzyka przelewała się nad nimi. Nie zwracali na nią uwagi. Muzyka wykrokowa należała do snów i marzeń, a pod mostem nie istniały żadne marzenia.

I nagle znieruchomieli zasłuchani, gdy w parku zabrzmiała inna muzyka, kiedy ta muzyka ujęła za rękę każdego mężczyznę, kobietę i stwora, by wskazać im drogę do domu.

Żebracy słuchali z otwartymi ustami. Ktoś patrzący na twarze publiczności, gdyby zauważył niewidzialnych żebraków, musiałby się odwrócić...

Z wyjątkiem pana Szczoty. Od niego nie można się było odwrócić.

Kiedy zespół znów zagrał muzykę wykrokową, żebracy wrócili do przyziemnych zajęć.

Z wyjątkiem pana Szczoty. On nadal stał i patrzył.

 Zabrzmiała ostatnia nuta.

A kiedy przetoczyło się tsunami oklasków, Grupa wybiegła w ciemność.

Dibbler obserwował ich z zadowoleniem z przeciwnej strony sceny. Przez chwilę się niepokoił, ale zaraz wszystko wróciło na właściwe tory.

Ktoś pociągnął go za rękaw.

– Co oni robią, panie Dibbler?

Obejrzał się.

– Jesteś Scum, prawda?

– Nie. Crash, panie Dibbler.

– Robią tyle, Scum, że nie dają publiczności tego, czego żąda – wyjaśnił Dibbler. – Znakomita praktyka biznesowa. Czekaj, aż zaczną o to krzyczeć, a potem im to zabierz. Odczekaj. Zanim tłum zacznie tupać, wbiegną z powrotem. Idealne wyczucie czasu. Kiedy opanujesz tę sztuczkę, Scum...

– Jestem Crash, panie Dibbler.

– ...wtedy może zrozumiesz, jak się gra muzykę wykrokową. Muzyka wykrokowa, Scum...

– ...Crash...

– ...to nie jest tylko muzyka – tłumaczył Dibbler, wyciągając z uszu watę. – To wiele rzeczy. Nie pytaj mnie, jakim cudem to możliwe.

Zapalił cygaro. Płomyk zapałki migotał od hałasu.

– Już lada minuta – powiedział. – Zobaczysz.

Płonęło ognisko ze starych butów i błota. Szary kształt krążył wokół i węszył z podnieceniem.

– Szybciej, szybciej, szybciej!

– Panu Dibblerowi się to nie spodoba – jęczał Asfalt.

– To ma pecha twój pan Dibbler – odparł Buog, gdy wciągali Buddy'ego na wóz. – A teraz chcę widzieć iskry spod tych podków. Zrozumiano?

– Jedźmy do Quirmu – powiedział Buddy, kiedy wóz szarpnął i ruszył z miejsca.

Nie wiedział dlaczego. Po prostu wydawało mu się to właściwym kierunkiem.

– Nie najlepszy pomysł – stwierdził Buog. – Ludzie będą chcieli zadać mi kilka pytań w sprawie tego powozu, który wyciągnąłem z basenu.

– Jedźmy do Quirmu!

– Panu Dibblerowi naprawdę się to nie spodoba – powtórzył Asfalt, gdy wóz skręcił na drogę.

– Teraz... już... lada... moment – uznał Dibbler.

– Mam nadzieję – zgodził się Crash. – Bo chyba zaczynają tupać.

Rzeczywiście, mimo burzy oklasków słyszeli już tupanie.
– Zaczekaj – odparł Dibbler. – Wbiegną w ostatniej chwili. Bez problemów. Auu!
– Cygaro powinno się wkładać do ust drugim końcem, panie Dibbler – zauważył grzecznie Crash.

 Rosnący księżyc oświetlał krajobraz, gdy przetoczyli się przez bramę i ruszyli traktem w stronę Quirmu.
– Skąd wiedziałeś, że kazałem przygotować wóz? – zapytał Buog, kiedy wylądowali po krótkim locie.
– Nie wiedziałem – odparł Buddy.
– Ale uciekałeś!
– Tak.
– Dlaczego?
– Bo nadszedł... właściwy czas.
– A czemu chcesz do Quirmu? – wtrącił Klif.
– Ja... znajdę tam statek do domu, prawda? Właśnie. Statek do domu.
Buog zerknął na gitarę. Coś się nie zgadzało. To wszystko nie może przecież tak się nagle skończyć, a oni zwyczajnie się rozejść...
Pokręcił głową. Co teraz mogłoby się nie udać?
– Panu Dibblerowi naprawdę się to nie spodoba – jęknął znowu Asfalt.
– Zamknij się – zaproponował Buog. – Nie wiem, co takiego może mu się nie spodobać.
– Przede wszystkim – odpowiedział Asfalt – i to jest najważniejsze... to coś, co nie spodoba mu się najbardziej... bo my, tego... my mamy... eee... pieniądze...
Klif sięgnął pod kozioł. Zabrzmiał głuchy brzęk z rodzaju tych, jakie wydaje dużo złota zachowującego spokój i dyskrecję.

Scena dygotała od rytmicznego tupania. Rozlegały się pierwsze gniewne krzyki.
Dibbler z przerażającym uśmiechem odwrócił się do Crasha.

– Właśnie wpadłem na znakomity pomysł.

 Maleńka sylwetka pędziła drogą od strony rzeki. Przed nią lśniły w mroku światła sceny.

 Nadrektor szturchnął Myślaka i znacząco machnął laską.
– Teraz – powiedział. – Jeśli nastąpi gwałtowne rozerwanie rzeczywistości i przejdą straszliwe, wyjące stwory, naszym zadaniem jest... – Poskrobał się po głowie. – Jak to mówi dziekan? Skopać przodka jakiegoś napuszonego osła?
– Tyłek, nadrektorze – poprawił go Stibbons. – Skopać tyłek jakiemuś napuszonemu osłu.
Ridcully spojrzał na pustą scenę.
– Żadnego nie widzę.

Czterech członków Grupy wpatrywało się nieruchomo w zalaną księżycowym blaskiem równinę.
Wreszcie Klif przerwał milczenie.
– Ile?
– Prawie pięć tysięcy dolarów...
– PIĘĆ TYSIĘCY DOL...?
Klif potężną dłonią zatkał Buogowi usta.
– Czemu? – zapytał, przytrzymując wyrywającego się krasnoluda.
– Trochę mi się wszystko pomieszało – wyznał Asfalt. – Przepraszam.
– Nigdy nie uciekniemy dość daleko. Wiesz? Nawet kiedy umrzemy.
– Próbowałem wam powiedzieć – jęknął Asfalt. – A może... Może odwieziemy je z powrotem?
– Mmf mmf mmf?!
– Jak możemy?

– Mmf mmf mmf?!

– Buog – powiedział Klif uspokajającym tonem. – Zabiorę rękę. A ty masz nie krzyczeć. Jasne?

– Mmf.

– Dobra.

– Odwieźć z powrotem?! Pięć tysięcy dol... Mmfmmfmmf...

– Trochę z tego jest chyba nasze – stwierdził Klif, wzmacniając uchwyt.

– Mmf!

– Ja nie dostawałem żadnej wypłaty – zgodził się Asfalt.

– Jedźmy do Quirmu – nalegał Buddy. – Możemy wziąć... to, co nasze, a resztę mu odesłać.

Klif wolną ręką pogładził brodę.

– Część należy do Chryzopraza – przypomniał Asfalt. – Pan Dibbler pożyczył od niego trochę pieniędzy, kiedy organizował Darmowy Festiwal.

– Od niego nie uciekniemy – stwierdził Klif. – Chyba że pojedziemy aż na Krawędź i rzucimy się przez nią. A i wtedy nie na pewno.

– Możemy się wytłumaczyć... prawda?

Przed ich oczami uformowała się wizja lśniącej, marmurowej głowy Chryzopraza.

– Mmf.

– Nie.

– A więc Quirm – powtórzył Buddy.

Diamentowe zęby Klifa błysnęły w promieniach księżyca.

– Zdawało mi się – powiedział – żem chyba coś słyszał. Tak jakby brzęk uprzęży...

 Niewidzialni żebracy opuścili park. Zapach Paskudnego Starego Rona został jeszcze chwilę, bo podobała mu się muzyka. A pan Szczota wciąż stał nieruchomo.

– Mamy prawie dwadzieścia kiełbasek – poinformował Arnold Boczny.

Kaszel Kaszlaka Henry'ego miał w sobie kości.

– Niech ich demoniszcze – rzekł Paskudny Stary Ron. – Mówiłem, żeby nie szpiegowali mnie promieniami!

Coś przemknęło po wydeptanej murawie w stronę pana Szczoty, wbiegło na jego szatę i obiema łapkami chwyciło kaptur.

Zabrzmiał głuchy stuk dwóch zderzających się czaszek.

Pan Szczota zatoczył się do tyłu.

PIP!

Pan Szczota zamrugał i nagle usiadł na trawie.

Żebracy przyglądali się, jak mała figurka podskakuje na kamieniach. Sami z natury niewidzialni, potrafili bez trudu zobaczyć rzeczy niewidoczne dla innych ludzi, czy też – w przypadku Paskudnego Starego Rona – dla żadnych znanych naturze oczu.

– To szczur – stwierdził Kaczkoman.

– Demoniszcze – mruknął Paskudny Stary Ron.

Szczur biegał w kółko na tylnych łapach i popiskiwał głośno. Pan Szczota znów zamrugał... i powstał Śmierć.

MUSZĘ IŚĆ, oznajmił.

PIP!

Śmierć odszedł kawałek, zatrzymał się i zawrócił. Kościstym palcem wskazał Kaczkomana.

DLACZEGO CHODZISZ WSZĘDZIE Z TĄ KACZKĄ?

– Jaką kaczką?

AHA. PRZEPRASZAM.

– Suchajcie, przecież to musi się udać. – Crash wymachiwał gorączkowo rękami. – Musi. Wszyscy wiedzą, że kiedy dostajesz swoją wielką szansę, bo wielka gwiazda zachoruje albo co, publiczność szaleje za tobą. Za każdym razem. Mam rację?

Jimbo, Noddy i Scum spojrzeli za kurtynę, na rozpętane tam pandemonium. Niepewnie pokiwali głowami.

Oczywiście, zawsze wszystko się świetnie układało, kiedy człowiek dostał już swoją wielką szansę...

– Możemy zagrać „Anarchię w Ankh-Morpork" – zaproponował Jimbo z pewnym powątpiewaniem.

– Jeszcze tego nie dopracowaliśmy – przypomniał Noddy.

– Tak, ale nie ma w tym nic nowego.

– Chyba moglibyśmy spróbować.

– Doskonale! – zawołał Crash. Wyzywająco uniósł gitarę. – Dokonamy tego! Dla seksu, prochów i muzyki wykrokowej!

Dostrzegł niedowierzające spojrzenia kolegów.

– Nie mówiłeś, że brałeś jakieś prochy – rzekł oskarżycielskim tonem Jimbo.

– Jeśli już o to chodzi – dodał Noddy – to nie przypominam sobie, żebyś kiedykolwiek...

– Jeden na trzy to całkiem nieźle – stwierdził Crash.

– Owszem, źle. To tylko trzydzieści trzy pro...

– Zamknij się!

 Tłum tupał nogami i klaskał szyderczo. Ridcully spojrzał wzdłuż swej laski.

– Żył kiedyś taki błogosławiony święty Bobby – przypomniał sobie. – On chyba był wyjątkowo napuszonym osłem, jeśli się dobrze zastanowić.

– Słucham? – Myślak nie zrozumiał.

– Był osłem – wyjaśnił Ridcully. – Setki lat temu. Został biskupem Kościoła omniańskiego, bo nosił na grzbiecie jakiegoś ich świętego męża, o ile sobie przypominam. Musiał być solidnie napuszony. Wystarczy teraz znaleźć jego przodków... znaczy się tyłków. To potomkowie, prawda?

– Nie, nie, nie, nadrektorze – zaprotestował Myślak. – To tylko takie powiedzenie. Oznacza kogoś niemądrego, a dokładniej jego... no... siedzenie.

– Ciekawe, jak zgadniemy, który to kawałek – mruknął Ridcully. – Kreatury z Piekielnych Wymiarów mają nogi i inne rzeczy na całym ciele.

– Nie mam pojęcia, nadrektorze – przyznał ze znużeniem Myślak.

– No to lepiej skopiemy wszystko, na wszelki wypadek.

Śmierć dogonił szczura w pobliżu Mosiężnego Mostu. Nikt nie niepokoił Alberta. Ponieważ leżał w rynsztoku, stał się niemal tak niewidzialny jak Kaszlak Henry.

Śmierć podwinął rękaw. Jego dłoń przesuwała się przez tkaninę płaszcza Alberta, jakby to była mgła.

STARY DUREŃ ZAWSZE GO ZE SOBĄ ZABIERAŁ, mruczał do siebie. MYŚLAŁ, ŻE CO Z NIM ZROBIĘ?

Dłoń wysunęła się, trzymając odłamek wygiętego szkła. Połyskiwała w nim szczypta piasku.

TRZYDZIEŚCI CZTERY SEKUNDY, stwierdził Śmierć. Wręczył szkło szczurowi. POSZUKAJ CZEGOŚ, ŻEBY TO PRZESYPAĆ. TYLKO NIE UPUŚĆ.

Wyprostował się i rozejrzał po świecie.

Śmierć Szczurów pobiegł do Załatanego Bębna. Kiedy wrócił, towarzyszyło mu głośne „brzdęk, brzdęk, brzdęk" skaczącej po bruku pustej butelki po piwie. Wewnątrz orbitowały mgliście trzydzieści cztery sekundy piasku.

Śmierć postawił sługę na nogi. Czas dla Alberta nie płynął. Jego zegar biologiczny poruszał się na martwym biegu. Albert oczy miał zaszklone, zwisał z ramienia swego pana jak źle skrojony garnitur.

Śmierć wyrwał szczurowi butelkę i przechylił ją lekko. Popłynęła odrobina życia.

GDZIE JEST MOJA WNUCZKA? MUSISZ MI TO ZDRADZIĆ. INACZEJ NIE BĘDĘ WIEDZIAŁ.

Albert otworzył oczy.

– Ona chce ocalić chłopaka, panie – oznajmił. – Nie zna znaczenia słowa Obowiązek.

Śmierć ustawił butelkę prosto. Albert zamarł w pół zdania.

ALE MY ZNAMY, PRAWDA? – rzucił Śmierć z goryczą. TY I JA.

Skinął na Śmierć Szczurów.

PRZYPILNUJ GO, polecił.

Pstryknął palcami.

Nic się nie stało, jeśli nie liczyć stuknięcia kości.

EHM. TO DOŚĆ KRĘPUJĄCE. ONA DYSPONUJE CZĘŚCIĄ MOJEJ MOCY. WYDAJE SIĘ, ŻE CHWILOWO JESTEM NIEZDOLNY DO... NO...

Śmierć Szczurów zapiszczał uprzejmie.

NIE. TY MASZ UWAŻAĆ NA ALBERTA. WIEM, DOKĄD ZMIERZAJĄ. HISTORIA LUBI ZATACZAĆ KRĘGI.

Śmierć spojrzał na wieże Niewidocznego Uniwersytetu wyrastające ponad dachy budynków.

ALE GDZIEŚ W TYM MIEŚCIE JEST WIERZCHOWIEC, KTÓREGO MOGĘ DOSIĄŚĆ.

 – Czekaj, coś nadchodzi... – Ridcully spojrzał na scenę.
– Co to za jedni?
Myślak popatrzył.
– Myślę, że to ludzie, nadrektorze.

Tłum przestał tupać swymi zbiorowymi nogami i obserwował nowo przybyłych w posępnym milczeniu, oznaczającym „lepiej, żeby byli dobrzy".

Crash wystąpił naprzód z szerokim, obłąkanym, przyklejonym do twarzy uśmiechem.

– Niby tak, ale lada chwila mogą rozedrzeć się na połowy i wyjdą z nich upiorne kreatury – stwierdził Ridcully z nadzieją w głosie.

Crash mocniej chwycił gitarę i zagrał pierwszy akord.

– Coś podobnego! – zawołał Ridcully.

– Słucham?

– To brzmiało dokładnie jak kot, który z zaszytym zadkiem wychodzi do toalety.

Myślak był wstrząśnięty.

– Nadrektorze, chyba nie chce pan powiedzieć, że próbował pan...

– Nie, ale tak by to brzmiało. Z pewnością. Właśnie tak.

Tłum znieruchomiał wyczekująco, nie wiedząc, co myśleć o sytuacji.

– Witaj, Ankh-Morpork! – zawołał Crash.

Dał znak Scumowi, który przy drugiej próbie trafił w bębny.

I Inne Zespoły zaczął grać swój pierwszy i – jak się miało okazać – ostatni numer. A właściwie trzy ostatnie numery. Crash próbował „Anarchię w Ankh-Morpork", Jimbo wpadł w panikę, gdyż nie widział siebie w lustrze, więc grał jedyną stronicę, jaką zapamiętał z książki Blerta Wheedowna, to znaczy indeks, a palce Noddy'ego zaplątały się w strunach.

Jeśli chodzi o Scuma, to jego zdaniem tytuły utworów przytrafiały się wyłącznie innym. Skupił się na rytmie. Dla większości ludzi nie jest to konieczne, ale dla Scuma nawet klaskanie w ręce było ćwiczeniem koncentracji. Dlatego grał we własnym niewielkim, trudnym świecie. Nawet nie zauważył, że publiczność wzbiera niczym nieświeża kolacja i falą uderza w scenę.

 Sierżant Colon i kapral Nobby pełnili wartę przy bramie Opak. Po przyjacielsku dzielili się papierosem i nasłuchiwali dalekiego szumu Darmowego Festiwalu.

– Brzmi to jak wielka impreza – ocenił sierżant Colon.

– Zgadza się, sierżancie.

– Brzmi jak poważne kłopoty.

– Mamy szczęście, ze jesteśmy daleko.

Koń nadjechał, stukając kopytami. Jeździec z trudem utrzymywał się w siodle. Kiedy się zbliżył, rozpoznali wykrzywioną twarz G.S.P. Dibblera jadącego ze swobodą worka ziemniaków.

– Czy jakiś wóz przejeżdżał tędy niedawno? – zapytał.

– O który ci chodzi, Gardło? – upewnił się Colon.

– Jak to: o który?

– Bo były dwa. Jeden z parą trolli, a po nim drugi, z panem Clete'em. No wiesz, z Gildii Muzykantów...

– O, nie!

Dibbler ponaglił konia piętami i odjechał w mrok.

– Czemu się tak spieszy? – zdziwił się Nobby.

– Pewnie ktoś jest mu winien pensa – uznał sierżant, opierając się na halabardzie.

Zastukały kopyta następnego konia. Strażnicy przylgnęli do muru, kiedy cwałował przez bramę.

Był wielki i biały. Czarny płaszcz powiewał za jeźdźcem, podobnie jak włosy. Przemknęli i w podmuchu wiatru zniknęli na równinie.

Nobby spoglądał za nimi.

– To była ona – oświadczył.

– Kto?

– Susan Śmierć.

Światło w krysztale zamigotało i zgasło.
– Poszła trzydniowa dawka magii. Już jej nie zobaczę – poskarżył się pierwszy prymus.

– Warte było każdego thauma – stwierdził kierownik studiów nieokreślonych.

– Chociaż lepiej by było zobaczyć ich na żywo – uznał wykładowca run współczesnych. – Jest coś w tym, jak kapie na ciebie pot...

– Moim zdaniem skończyło się akurat w chwili, kiedy zaczynało być dobre – oświadczył kierownik studiów nieokreślonych. – Moim zdaniem...

Magowie zesztywnieli, gdyż w budynku rozległo się przerażające wycie. Było odrobinę zwierzęce, ale też roślinne, mineralne i ostre jak piła.

Po chwili odezwał się wykładowca run współczesnych:

– Oczywiście, prosty fakt, że usłyszeliśmy budzący dreszcz, ścinający krew w żyłach krzyk z rodzaju tych, które zamrażają sam szpik w kościach, nie oznacza jeszcze, że dzieje się coś niedobrego.

Magowie wyjrzeli na korytarz.

– Krzyk dochodził gdzieś z dołu – stwierdził kierownik studiów nieokreślonych, ruszając w kierunku schodów.

– To dlaczego idziesz na górę?

– Bo nie jestem durniem!

– Ale to może być jakaś straszna emanacja!

– Co ty powiesz? – Kierownik studiów nieokreślonych ciągle przyspieszał.

– Dobrze, rób, co chcesz. Wyżej jest piętro studentów.

– Ach. Eee...

Kierownik studiów nieokreślonych zszedł powoli, od czasu do czasu z lękiem spoglądając w górę.

– Posłuchaj, przecież nic nie może się tu dostać – uspokajał go pierwszy prymus. – To miejsce jest chronione przez potężne zaklęcia.

– Zgadza się – przyznał wykładowca run współczesnych.

– I jestem pewien, że wszyscy wzmacnialiśmy je okresowo, co jest przecież naszym obowiązkiem – dodał pierwszy prymus.

– Ehm... Tak. Tak, oczywiście – zapewnił wykładowca run współczesnych.

Dźwięk nadbiegł ponownie. Wśród ryku dał się słyszeć powolny, pulsujący rytm.

– Chyba biblioteka – stwierdził pierwszy prymus.

– Ktoś ostatnio widział bibliotekarza?

– Kiedy go spotykam, zawsze coś niesie. Nie myślicie chyba, że planuje coś okultystycznego?

– To przecież magiczny uniwersytet.

– Chodzi mi o coś bardziej okultystycznego.

– Trzymajmy się razem, dobrze?

– Jestem razem.

– Gdyż kiedy razem jesteśmy, cóż nas skrzywdzić zdoła?

– No, na przykład 1) wielkie, ogromne...

– Przestań!

Dziekan uchylił drzwi biblioteki. Panowało tu ciepło i aksamitna cisza. Z rzadka tylko któraś z ksiąg zaszeleściła kartkami czy brzęknęła łańcuchem.

Srebrzyste lśnienie rozjaśniało schody do piwnicy. Dobiegały też stamtąd ciche „uuk".

– Nie wydaje się bardzo rozzłoszczony – zauważył kwestor.

Magowie na palcach zeszli po schodach. Trudno było nie zauważyć właściwych drzwi – wylewało się spod nich światło.

Magowie weszli do piwnicy.

Wstrzymali oddech.

To stało na podwyższeniu na samym środku pomieszczenia, otoczone świecami.

To była prawdziwa muzyka wykrokowa.

 Wysoka, mroczna sylwetka z poślizgiem pokonała zakręt, wpadając na plac Sator, po czym przebiegła przez bramę Niewidocznego Uniwersytetu.

Widział ją jedynie Modo, krasnoludzi ogrodnik, kiedy radośnie popychał w mroku taczkę z nawozem. Miał za sobą dobry dzień. Zresztą większość dni jest dobra, jak mu podpowiadało życiowe doświadczenie.

Nie słyszał o Darmowym Festiwalu. Nie słyszał o muzyce wykrokowej. Modo nie słyszał zresztą o większości rzeczy, ponieważ nie słuchał. Lubił kompost. Zaraz po kompoście lubił róże, ponieważ to dla nich właśnie należy kompost kompostować.

Z natury był krasnoludem zadowolonym z życia, który z marszu radzi sobie ze wszystkimi dodatkowymi problemami ogrodnictwa w środowisku wysoce magicznym, takimi jak mszyce, mączliki i zaczajone potwory z mackami. Właściwe utrzymanie trawników okazywało się prawdziwym problemem, gdy próbowały po nich pełzać stwory z innych wymiarów.

Ktoś przebiegł po trawie i zniknął w drzwiach biblioteki.

Modo przyjrzał się śladom.

– Ojejej – powiedział.

Magowie z wolna zaczynali oddychać.

– O żeż... – szepnął wykładowca run współczesnych.

– Ale odjazd – stwierdził pierwszy prymus.

– To właśnie nazywam muzyką wykrokową. – Dziekan westchnął z zachwytem. Podszedł bliżej ze skupioną miną nędzarza w kopalni złota.

Światło świec migotało na czerni i srebrze. Jednego i drugiego było pod dostatkiem.

– O żeż... – powtórzył wykładowca run współczesnych niczym jakąś inkantację.

– Zaraz, czy to nie moje lusterko do wyrywania włosów z nosa? – zdziwił się kwestor. – To moje lusterko, jestem pewien...

Zauważyli, że chociaż to, co czarne, było rzeczywiście czarne, to srebrne nie do końca było srebrne. Składało się z rozmaitych lusterek, kawałków błyszczącej cyny i lamety oraz drutu, które bibliotekarz zdobył i potrafił nagiąć do właściwego kształtu.

– ...poznaję tę srebrną ramkę... Skąd się wzięło na tym dwukołowym wózku? Dwa koła, jedno za drugim? To śmieszne. Przewróci się, nie ma wątpliwości. A gdzie się zaprzęga konia, jeśli wolno spytać?

Pierwszy prymus delikatnie klepnął go w ramię.

– Kwestorze, przyjacielska rada, od maga dla maga.

– Tak? O co chodzi?

– Myślę, że jeśli w tej chwili nie przestaniesz gadać, dziekan cię zamorduje.

Obiekt miał dwa koła zdjęte z niedużego wózka, ustawione jedno za drugim, a między nimi siodełko. Z przodu bibliotekarz umieścił rurę wygiętą w skomplikowany podwójny łuk, żeby osoba siedząca na siodełku mogła ją wygodnie chwycić.

Resztę tworzyły śmieci: kości, gałęzie, świecidełka. Nad przednim kołem tkwiła przywiązana końska czaszka, a zewsząd zwisały pióra i paciorki.

Owszem, były to śmieci, ale kiedy całość stała w ledwie rozświetlonym półmroku, miała w sobie pewną organiczną jakość – nie dokładnie życie, ale coś dynamicznego, niepokojącego, sprężonego i potężnego, co sprawiało, że dziekan aż wibrował z podniecenia. Emanowała czymś, co sugerowało, że samym swym istnieniem i wyglądem łamie co najmniej dziewięć praw i dwadzieścia trzy wskazówki.

– Zakochał się czy co? – spytał kwestor.

– Niech pojedzie – zażądał dziekan. – Musi pojechać! Został stworzony do jazdy!

– Tak, ale co to jest? – dopytywał się kierownik studiów nieokreślonych.

– To arcydzieło – odparł dziekan. – Tryumf.

– Uuk?

– Może trzeba się na nim odpychać nogami? – szepnął pierwszy prymus.

Dziekan w zamyśleniu potrząsnął głową.

– Jesteśmy przecież magami, prawda – rzekł w końcu. – Możemy chyba sprawić, by pojechał.

Ruszył dookoła. Powiew jego nabijanej ćwiekami skórzanej szaty poruszył płomykami świec; cienie niezwykłego obiektu zatańczyły na ścianach.

Pierwszy prymus przygryzł wargę.

– Nie byłbym taki pewny – stwierdził. – Wygląda, że i tak ma już w sobie aż za dużo magii. Czy on... tego... Czy on oddycha, czy tylko mi się wydaje?

Odwrócił się nagle i pogroził palcem bibliotekarzowi.

– Ty to zbudowałeś?

Orangutan pokręcił głową.

– Uuk.

– Co powiedział?

– Że nie zbudował tego, tylko poskładał razem – przetłumaczył dziekan, nie oglądając się nawet.

– Uuk.

– Zamierzam na tym usiąść – oznajmił dziekan.

Pozostali magowie poczuli, że coś odpływa im z duszy, a na to miejsce pojawia się niepewność.

– Na twoim miejscu bym tego nie robił, drogi kolego – przekonywał pierwszy prymus. – Nie wiadomo, dokąd to może cię zabrać.

– Nie dbam o to. – Dziekan wciąż nie odrywał wzroku od obiektu swego zachwytu.

– Chodzi o to, że jest rzeczą nie z tego świata.

– Przez ponad siedemdziesiąt lat byłem z tego świata i jest to wyjątkowo nudne.

Dziekan wszedł w krąg świec i położył dłoń na siodełku. Zadrżało.

PRZEPRASZAM BARDZO.

Ciemna postać stanęła nagle w drzwiach piwnicy i po kilku krokach znalazła się wewnątrz kręgu. Szkieletowa dłoń opadła dziekanowi na ramię i łagodnie, choć stanowczo odsunęła go na bok.

DZIĘKUJĘ.

Wskoczyła na siodełko i sięgnęła do uchwytów. Potem dopiero spojrzała na to, czego dosiadła.

Pewne sytuacje należy rozegrać z absolutną precyzją...

Kościsty palec wskazał dziekana.

POTRZEBNE MI TWOJE UBRANIE.

Dziekan cofnął się.

– Co?

DAJ MI SWÓJ PŁASZCZ.

Dziekan z wyraźną niechęcią zdjął z siebie skórzaną szatę i wręczył mrocznemu jeźdźcowi.

Śmierć wciągnął ją na siebie. Tak już lepiej...

ZARAZ, POPATRZMY...

Błękitne lśnienie zamigotało mu pod palcami, rozlało się niebieskimi zygzakami i uformowało świetlną koronę na końcu każdego pióra i wokół każdego paciorka.

– Jesteśmy w piwnicy! – przypomniał dziekan. – Czy to przeszkadza?

Śmierć rzucił mu przelotne spojrzenie.

NIE.

Modo wyprostował się, by podziwiać swój klomb z różami. Rosły tu absolutnie czarne kwiaty, najpiękniejsze, jakie udało mu się wyhodować. Wysoce magiczne środowisko miało niekiedy swoje zalety. Zapach róż zawisł w atmosferze wieczoru niczym słowo otuchy.

I nagle klomb eksplodował.

Modo doznał ulotnej wizji płomieni i czegoś wzbijającego się w niebo. Potem wizję tę przesłonił grad paciorków, piór i miękkich czarnych płatków.

Pokręcił głową i ruszył po łopatę.

– Sierżancie?

– Tak, Nobby?

– Zna pan swoje zęby?

– Jakie zęby?

– Te zęby, co je pan ma w ustach.

– Ach, te. Tak. Co z nimi?

– Jak to się dzieje, że z tyłu do siebie pasują?

Nastąpiła chwila milczenia, gdy sierżant Colon badał językiem zakamarki własnej jamy ustnej.

– One uch... oj... – zaczął i rozwinął się trochę. – Interesująca uwaga, Nobby.

Nobby dokończył zwijanie papierosa.

– Może zamkniemy bramę, sierżancie?

– Właściwie można.

Z dokładnie obliczonym minimum wysiłku zatrzasnęli ciężkie wrota. Nie był to przesadnie skuteczny środek ostrożności. Klucze zagubiono już bardzo dawno temu i nawet napis „Dziękujemy za nieatakowanie naszego Miasta" był już ledwie widoczny.

– Powinniśmy chyba... – zaczął Colon i nagle spojrzał w głąb ulicy. – Co to za światło? – zdziwił się. – I co tak hałasuje?

Błękitny blask migotał na ścianach budynków.

– Brzmi jak jakieś dzikie zwierzę – ocenił Nobby.

Blask wzmógł się i zmienił w dwie jaskrawe, błękitne lance.

Colon przysłonił oczy.

– Wygląda trochę jak... niby koń albo coś takiego.

– I pędzi wprost na bramę!

Udręczony ryk odbijał się echem od ścian.

– Uważam, Nobby, że powinien się zatrzymać.

Kapral Nobbs skoczył pod mur. Colon, bardziej świadomy łączącej się z rangą odpowiedzialności, zamachał rękami do zbliżającego się światła.

– Nie! Nie rób tego!

Po czym podniósł się z błota.

Wokół niego opadały wolno płatki róż, pióra i iskry.

Przed nim otwór w bramie jarzył się na brzegach błękitem.

– To przecież stary dąb – powiedział zdumiony. – Mam tylko nadzieję, że nie każą nam za to płacić z własnych pieniędzy. Zauważyłeś, kto to był, Nobby? Nobby!

Nobby przesunął się ostrożnie wzdłuż muru.

– On... miał w zębach różę, sierżancie.

– Tak, ale czy go rozpoznasz, gdybyś go znowu zobaczył?

Nobby głośno przełknął ślinę.

– Gdyby nie, sierżancie – odparł – to miałbym piekielne kłopoty z tożsamością.

– Nie podoba mi się to, panie Buog! Wcale mi się nie podoba!

– Zamknij się i kieruj!

– Ale to nie jest droga, po której można szybko jeździć.

– Wszystko jedno! I tak nie widzisz, dokąd jedziemy.

Wóz pokonał zakręt na dwóch kołach. Zaczął padać śnieg – małe, wilgotne płatki, które topniały, gdy tylko dotknęły gruntu.

– Przecież jesteśmy już w górach! Obok jest przepaść! Spadniemy!

– Chcesz, żeby Chryzopraz nas dogonił?

– Hejta! Wio!

Buddy i Klif ściskali w ciemności burty rozkołysanego wozu.

– Ciągle jadą za nami? – krzyknął Buog.

– Nic nie widzę! – odpowiedział Klif. – Gdybyś zatrzymał wóz, może bym coś usłyszał!

– Tak, ale wtedy moglibyśmy to coś usłyszeć całkiem blisko!

– Hejta! Wio!

– Dobrze, więc może wyrzucimy pieniądze?

– Pięć tysięcy dolarów?!!

Buddy wyjrzał z wozu na zewnątrz. Ciemność posiadająca wyraźne cechy głębi i zdradzająca pewną sugestię parowu rozpoczynała się o kilka stóp od traktu.

Gitara pobrzękiwała delikatnie w rytm stukotu kół. Chwycił ją jedną ręką. To dziwne, ale nigdy naprawdę nie milkła. Nie dało się jej uciszyć, nawet przyciskając mocno struny obiema rękami; próbował.

Obok leżała harfa. Jej struny zachowywały absolutne milczenie.

– To bez sensu! – wrzasnął Buog z kozła. – Zwolnij! O mało co byśmy wypadli z trasy!

Asfalt ściągnął lejce. Po chwili wóz wyhamował do tempa marszu.

– Tak już lepiej...

Gitara jęknęła. Nuta była tak wysoka, że zakłuła w uszy niczym igła. Konie szarpnęły się przerażone i znowu pognały galopem.

– Trzymaj je!

– Trzymam!

Buog obejrzał się, ściskając oparcie.

– Wyrzuć to coś!

Buddy mocniej chwycił gitarę i wstał. Zamachnął się, by cisnąć ją do wąwozu.

Zawahał się.

– Wyrzuć ją!

Klif wstał i spróbował odebrać mu instrument.

– Nie!

Buddy zakręcił gitarą nad głową i uderzył trolla w podbródek. Klif poleciał do tyłu.

– Nie!

– Buog, zwolnij...

Wyprzedził ich biały koń. Sylwetka w kapturze pochyliła się i chwyciła lejce.

Wóz podskoczył na kamieniu i przefrunął kawałek, zanim z hukiem znów opadł na drogę. Asfalt usłyszał trzask pękających słupków, gdy koła z całą siłą uderzyły w płotek; dostrzegł zerwaną uprząż, poczuł, jak wóz ślizga się ukosem...

...i staje.

Później wydarzyło się tak wiele, że Buog nikomu nie wspomniał o wrażeniu, jakiego doznał w owej chwili. Miał uczucie, że chociaż wóz wyraźnie zaklinował się dość niepewnie na skraju urwiska, to równocześnie runął w dół i wirując, spadał na skały...

Otworzył oczy. Wizja przeraziła go jak zły sen. Podczas hamowania rzuciło nim do tyłu; opierał głowę o deskę siedzenia.

Patrzył prosto w otchłań. Z tyłu zatrzeszczało drewno.

Ktoś trzymał go za nogę.

– Kto to? – szepnął jakby w obawie, że głośniejsze słowa przechylą wóz.

– To ja, Asfalt. Kto trzyma moją nogę?

– Ja – odezwał się Klif. – A co ty trzymasz, Buog?

– Tylko... coś, co przypadkiem złapała moja szukająca oparcia ręka – odparł krasnolud.

Wóz znowu zatrzeszczał.

– To złoto, prawda? – domyślił się Asfalt. – Trzymasz złoto.

– Durny krasnolud! – wrzasnął Klif. – Puść je, bo wszyscy zginiemy!

– Wypuścić pięć tysięcy dolarów, to zginąć – oświadczył Buog.

– Głupiec! Przecież ich ze sobą nie zabierzesz!

Asfalt próbował mocniej chwycić się desek. Wóz się zakołysał.

– Lada chwila nastąpi coś odwrotnego – mruknął.

– A kto – zapytał Klif, gdy wóz osunął się jeszcze o cal – trzyma Buddy'ego?

Cała trójka zamilkła na chwilę, nerwowo przeliczając swoje kończyny i to, co na nich wisiało.

– Tego... myślę... boję się, że on wypadł – powiedział Buog.

Zabrzmiały cztery akordy.

Buddy zawisł na tylnym kole, ze stopami nad pustką. Szarpnął się, gdy muzyka zagrała riff na jego duszy.

...Nigdy się nie zestarzeć. Nigdy nie umrzeć. Żyć wiecznie w tym ostatnim, rozpalonym do białości momencie, kiedy wrzeszczy tłum. Kiedy każda nuta jest uderzeniem serca. Płonąć na niebie.

Nigdy nie będziesz stary. Nigdy nie powiedzą, że umarłeś.

Taka jest umowa. Będziesz największym muzykiem świata.

Żyj szybko. Umieraj młodo...

Muzyka szarpała jego duszę.

Stopy Buddy'ego uniosły się powoli i dotknęły skały urwiska. Wsparł się na nich z zamkniętymi oczami i pociągnął za koło.

Czyjaś dłoń dotknęła jego ramienia.

– Nie!

Otworzył oczy.

Odwrócił głowę i spojrzał w twarz Susan, a potem w górę, na wóz.

– Co... – wymamrotał zaszokowany.

Uwolnił jedną rękę, niezgrabnie sięgnął po pas gitary i zsunął ją z ramienia. Struny wyły, kiedy chwycił za gryf i cisnął instrument w ciemność.

Druga ręka ześliznęła się z zamarzającego koła i Buddy runął w przepaść.

Przemknęła biała smuga. Wylądował ciężko na czymś aksamitnie miękkim i pachnącym końskim potem.

Susan przytrzymała go jedną ręką. Drugą skierowała Pimpusia przez padający śnieg w górę. Koń wylądował na drodze i Buddy zjechał w błoto. Uniósł się na łokciach.

– Ty?

– Ja – potwierdziła Susan.

Sięgnęła do olstra po kosę. Wyskoczyło ostrze; spływające na nie płatki śniegu łagodnie rozpadały się na dwie części, nie zwalniając ani odrobinę.

– Wyciągnijmy twoich przyjaciół, co?

 Powietrze stało się gęściejsze, jakby skupiała się uwaga świata. Śmierć zajrzał w przyszłość.

A NIECH TO!

Konstrukcja się rozpadała. Bibliotekarz zrobił co mógł, ale zwykłe kości i drewno nie mogły wytrzymać takich obciążeń. Pióra i paciorki odrywały się bez przerwy i dymiąc, lądowały na drodze. Koło pożegnało się z osią i odtoczyło, gubiąc szprychy, gdy maszyna weszła w zakręt, wychylona niemal do poziomu.

Nie miało to właściwie znaczenia. Coś jakby dusza migotało w powietrzu w miejscach, gdzie kiedyś były brakujące części.

Jeśli weźmie się lśniącą maszynę i oświetli jasno, tak że jarzy się i błyszczy, a potem zabierze maszynę, ale zostawi światło...

Pozostała jedynie końska czaszka. Ona i tylne koło, wirujące teraz na widelcach już tylko z migotliwego światła. I dymiące.

Maszyna przemknęła obok Dibblera. Przerażony koń zrzucił jeźdźca do rowu i uciekł.

Śmierć był przyzwyczajony do szybkiej jazdy. W teorii przebywał wszędzie równocześnie. Najszybszy sposób podróży to być już u celu. Nigdy jednak nie pędził tak prędko, przemieszczając się tak wolno. Często widział, jak teren zmienia się w rozmazaną plamę, nigdy jednak, kiedy ów teren na zakręcie znajduje się o cztery cale od jego kolana.

 Wóz znowu się przesunął. Teraz nawet Klif spoglądał prosto w ciemność.

Coś dotknęło jego ramienia.

ZŁAP SIĘ TEGO. ALE NIE DOTYKAJ OSTRZA.

Buddy wychylił się za krawędź.

– Buog, jeślli puścisz ten worek, mógłbym...

– Nawet o tym nie myśl.

– W całunie nie ma kieszeni, Buog.

– Bo chodzisz do marnego krawca.

W końcu Buddy chwycił za wolną nogę i pociągnął. Pojedynczo, wspinając się jeden po drugim, cała Grupa w końcu stanęła na drodze. I popatrzyła na Susan.

– Biały koń – stwierdził Asfalt. – Czarny płaszcz. Kosa. Hm.

– Też ją widzicie? – zdziwił się Buddy.

– Mam nadzieję, że nie będziemy tego żałować – mruknął Klif. Susan wyjęła życiomierz i przyjrzała mu się krytycznie.

– Przypuszczam, że już za późno, żeby się jakoś dogadać? – zmartwił się Buog.

– Chciałam tylko sprawdzić, czy zginęliście, czy nie – wyjaśniła Susan.

– Wydaje mi się, że żyję – oświadczył Buog.

– I tego się trzymaj.

Obejrzeli się, słysząc trzeszczenie. Wóz przesunął się do przodu i runął w przepaść. Rozległ się trzask, gdy zaczepił o wystającą skałę w połowie drogi, potem odległy huk, gdy rozbił się na dnie wąwozu. Potem błysnęły pomarańczowe płomienie, gdy eksplodowała oliwa w lampach.

Z wraku, ciągnąc za sobą strugę iskier, wytoczyło się płonące koło.

– My byśmy tam siedzieli – odezwał się po chwili Klif.

– Wydaje ci się, że teraz sytuacja jest lepsza? – zapytał Buog.

– Tak – potwierdził krótko Klif. – Bo nie umieramy w płonącym wraku wozu.

– Racja. Ale ona wygląda trochę... okultystycznie.

– Mi to nie przeszkadza. Zawsze wolę okultyzm od opiekania.

Za nimi Buddy podszedł do Susan.

– Wiesz... Chyba zrozumiałam – powiedziała. – Muzyka... wykrzywiła historię. To wszystko nie powinno się zdarzyć w naszym świecie. Pamiętasz, skąd ją wziąłeś?

Buddy patrzył nieruchomo. Kiedy człowiek zostaje ocalony od nieuchronnej zguby przez atrakcyjną dziewczynę na białym koniu, nie spodziewa się quizu z zakupów.

– Ze sklepu w Ankh-Morpork – wtrącił Klif.

– Tajemniczego starego sklepiku?

– Tajemniczego jak nie wiem. Były...

– Wróciliście tam? Znaleźliście go jeszcze? W tym samym miejscu?

– Tak – powiedział Klif.

– Nie – powiedział Buog.

– Dużo ciekawych towarów, które chcielibyście obejrzeć i dowiedzieć się o nich czegoś więcej?

– Tak – przyznali Klif i Buog chórem.

– Aha – mruknęła Susan. – Więc to taki sklep.

– Wiedziałem, że to nie jego miejsce! – zawołał krasnolud. – Nie mówiłem, że jest jakiś dziwny? Mówiłem, że jest dziwny. I że jest nieziemski.

– Myślałem, że to znaczy drewniany – wyznał Asfalt.

Klif uniósł rękę.

– Śnieg przestał padać.

– Rzuciłem tę gitarę do wąwozu – oświadczył Buddy. – Ja... Nie była mi już potrzebna. Musiała się roztrzaskać.

– Nie – zaprotestowała Susan. – To nie takie...

– Chmury... – Buog uniósł głowę. – Wyglądają nieziemsko.

– Jak to? Drewniane? – zdziwił się Asfalt.

Wszyscy to poczuli: wrażenie, że nagle zostały usunięte mury otaczające świat. Powietrze zabrzęczało.

– Co się teraz dzieje? – zapytał Asfalt, kiedy wszyscy instynktownie zbili się w ciasną grupkę.

– Powinieneś wiedzieć – zauważył Buog. – Przecież byłeś wszędzie i widziałeś wszystko.

Białe światło rozbłysło w powietrzu.

A potem samo powietrze stało się światłem, białym jak księżycowe, ale jaskrawym jak słoneczne. Zabrzmiał także dźwięk, niczym ryk milionów głosów.

Powiedział: *Pokażę wam, kim jestem. Jestem muzyką.*

 Satchmon zapalił lampy powozu.

– Spiesz się, człowieku! – huknął Clete. – Przecież chcemy ich dogonić, nie? Hat. Hat. Hat.

– Nie wydaje mi się, żeby to miało znaczenie, nawet jeśli uciekną – mruczał Satchmon, wspinając się do wnętrza. Clete popędził konie. – Znaczy, przecież odjechali. Tylko to się liczy.

– Nie! Widziałeś ich przecież. Oni są... duszą wszystkich kłopotów. Nie możemy na to pozwolić.

Satchmon zerknął na boki. Nie po raz pierwszy pojawiła się u niego myśl, że pan Clete nie gra pełną orkiestrą, że należy do tych ludzi, którzy swe własne, rozpalone szaleństwo budują z całkiem normalnych, chłodnych elementów. Satchmon w żadnym razie nie był przeciwnikiem palcowego fokstrota i czaszkowego fandango, ale nigdy nikogo nie zamordował, przynajmniej nie celowo. Uświadomiono mu kiedyś, że posiada duszę, i chociaż była trochę dziurawa i trochę wystrzępiona na brzegach, chciał wierzyć, że pewnego dnia bóg Reg znajdzie mu miejsce w niebiańskiej orkiestrze. Ktoś, kto był mordercą, nie dostaje najlepszych numerów. Pewnie musi grać na altówce.

– A może damy już temu spokój? – zaproponował. – Nie wrócą przecież...

– Zamknij się.

– To nie ma sensu...

Konie stanęły dęba. Powóz się zakołysał. Coś przemknęło obok jasną smugą i zniknęło w ciemności. Pozostawiło za sobą błękitne płomienie, które jarzyły się przez chwilę i zgasły.

Śmierć zdawał sobie sprawę, że w pewnej chwili będzie musiał się zatrzymać. Zaczynał sobie jednak uświadamiać, że niezależnie od tego, w jakim mrocznym słowniku opisana została ta widmowa machina, słowo „zwolnić" było w nim równie niewyobrażalne, jak pojęcie bezpiecznej jazdy.

Nie leżało w naturze tej machiny, by zmniejszać szybkość w dowolnych okolicznościach, z wyjątkiem dramatycznie katastrofalnych pod koniec trzeciej zwrotki.

Na tym polegał problem z muzyką wykrokową. Lubiła załatwiać sprawy we własnym stylu.

Bardzo powoli, ciągle wirując, przednie koło oderwało się od ziemi.

Absolutna ciemność wypełniła wszechświat.

Głos przemówił:

– Czy to ty, Klif?

– Tak.

– Dobrze. A to ja, Buog.

– Tak. Brzmisz jak ty.

– Asfalt?

– To ja.

– Buddy?

– Buog?

– A... no... dama w czerni?

– Słucham?

– Czy wiesz, gdzie jesteśmy, panienko?

Pod nogami nie mieli gruntu. Ale Susan nie miała wrażenia lotu. Po prostu stała. Fakt, że stała na niczym, nie miał większego znaczenia. Nie spadała, bo nie miała gdzie spadać. Ani skąd.

Nigdy nie interesowała się geografią. Miała jednak niezwykle silne przeczucie, że miejsce to nie figuruje w żadnym atlasie.

– Nie wiem, gdzie są nasze ciała – odpowiedziała ostrożnie.

– To świetnie – mruknął głos Buoga. – Naprawdę? Jestem tutaj, ale nie wiemy, gdzie jest moje ciało? A co z moimi pieniędzmi?

Daleko w mroku rozległ się odgłos kroków. Zbliżały się powoli, ale stanowczo. I zatrzymały się.

Głos powiedział: Raz. Raz. Raz, dwa. Raz, dwa.
I kroki oddaliły się znowu.
Po chwili odezwał się inny głos: Raz, dwa, trzy, cztery...
I zaistniał wszechświat.
Błędem było nazywanie tego wielkim wybuchem. Wybuch powoduje jedynie hałas i zgiełk, a cały ten zgiełk może wywołać tylko większy zgiełk oraz kosmos pełen przypadkowych cząstek.
Materia eksplodowała w istnienie z pozoru jako chaos, ale w rzeczywistości jako akord. Ostateczny akord mocy. Wszystko razem pomknęło odśrodkowo w jednym potężnym pchnięciu, które zawierało w sobie, niczym odwrotne skamieliny, wszystko, co miało być.
Wśród tego, zygzakując w rozszerzającej się chmurze, ożywiona, pędziła tamta pierwsza, dzika i żywa muzyka.
Miała kształt. Miała ruch. Miała harmonię. Miała rytm i dało się przy niej tańczyć.
Wszystko tańczyło.
Głos zabrzmiał bezpośrednio w głowie Susan: *I nigdy nie umrę.*
Odpowiedziała głośno:
– Część ciebie jest we wszystkim, co żyje.
Tak. Jestem rytmem serca. Rytmem rdzenia.
Wciąż nie widziała pozostałych. Światło mknęło strumieniami obok niej.
– Przecież wyrzucił gitarę.
Chciałam, żeby żył dla mnie.
– Chciałaś, żeby umarł dla ciebie! We wraku tego wozu!
Co za różnica? I tak by przecież umarł. Ale umrzeć w muzyce... Ludzie zawsze będą pamiętać piosenki, których nie miał szansy zaśpiewać. I będą to najwspanialsze piosenki ze wszystkich.
Przeżyj swoje życie w jednej chwili.
Żyj szybko, umrzyj młodo. Nie odchodź.
– Odeślij nas z powrotem!
Nigdzie nie odeszliście.
Susan mrugnęła. Wciąż stali na drodze. Powietrze migotało, trzaskało i było pełne mokrego śniegu.
Obejrzała się i zobaczyła przerażoną twarz Buddy'ego.
– Musimy stąd...
Podniosła rękę. Była przezroczysta.

Klif już prawie zniknął. Buog usiłował złapać uchwyt torby z pieniędzmi, ale palce przenikały przez rzemień. Jego twarz wyrażała zgrozę i strach przed śmiercią, a może i przed ubóstwem.
– On cię wyrzucił! – krzyknęła Susan. – To nieuczciwe!

 Ostre błękitne światło zbliżało się po szlaku. Żaden powóz nie mógłby jechać tak szybko. Słychać było ryk przypominający wrzask wielbłąda, który właśnie zobaczył dwie cegły. Światło dotarło do zakrętu, ześliznęło się, trafiło na kamień i wyskoczyło w przestrzeń nad wąwozem.

Miało jeszcze dość czasu, by głuchy głos zawołał: O ŻEŻ...

...nim trafiło w przeciwległą ścianę jednym wielkim, rozlewającym się kręgiem ognia.

Kości rozsypały się i potoczyły po wyschniętym korycie. I znieruchomiały.

Susan odwróciła się, wznosząc kosę. Ale muzyka była w powietrzu. Nie miała duszy, w którą można by wymierzyć.

Można powiedzieć wszechświatowi: To nieuczciwe. A wszechświat odpowie zapewne: Nie? A to przepraszam.

Można ratować ludzi. Można dotrzeć na miejsce w jednej chwili. Ale coś może pstryknąć palcami i powiedzieć: Nie, to musi się odbyć w ten sposób. Powiem ci, co musi się wydarzyć. Taka powstanie legenda...

Susan wyciągnęła rękę i spróbowała pochwycić dłoń Buddy'ego. Czuła ją, ale tylko jako chłód.

– Słyszysz mnie? – zawołała, przekrzykując tryumfalne akordy.

Kiwnął głową.

– To jest... jak legenda! Musi się wydarzyć! A ja nie mogę tego powstrzymać! Jak mam zabić coś takiego jak muzyka?

Podbiegła do skraju przepaści. Wóz płonął na dnie. Oni się tam nie pojawią. Oni już tam są.

– Nie odwrócę tego! To nieuczciwe!

Uderzyła powietrze zaciśniętymi pięściami.
– Dziadku!!!

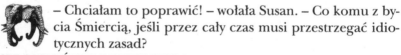 Błękitne płomyki migotały niepewnie na kamieniach w wyschniętym korycie.

Maleńka kość palca potoczyła się po skale, aż trafiła na inną, nieco większą kość.

Trzecia kość sturlała się z głazu i dołączyła do nich.

W półmroku wśród kamieni rozległ się grzechot; garść białych plamek toczyła się, podskakując między skałami. Po chwili wśród nocy uniosła się dłoń z wyciągniętym ku niebu palcem wskazującym.

Potem zabrzmiały głośniejsze, bardziej głuche dźwięki, kiedy dłuższe, większe obiekty przewracały się z końca na koniec, coraz bliżej.

– Chciałam to poprawić! – wołała Susan. – Co komu z bycia Śmiercią, jeśli przez cały czas musi przestrzegać idiotycznych zasad?

SPROWADŹ ICH Z POWROTEM.

Susan obejrzała się. Kość stopy przeskoczyła po błocie i wsunęła się na miejsce pod czarną szatą.

Śmierć podszedł i wyrwał kosę z rąk Susan. Jednym płynnym ruchem wzniósł ją nad głową i uderzył w skałę. Ostrze rozpadło się na kawałki.

Schylił się i podniósł niewielki odłamek. Lśnił w jego palcach niby maleńka gwiazdka z błękitnego lodu.

TO NIE BYŁA PROŚBA.

Kiedy przemówiła muzyka, padający śnieg zatańczył.

Nie możesz mnie zabić.

Śmierć sięgnął pod szatę i wydobył gitarę. Kilka kawałków odłamało się, ale nie miało to znaczenia; kształt instrumentu lśnił w powietrzu; jarzyły się struny.

Śmierć przyjął pozycję, dla osiągnięcia której Crash oddałby życie. Uniósł rękę. W dłoni roziskrzył się odprysk kosy. Gdyby światło mogło wydawać dźwięk, błysnąłby „ting!".

*Chciał być największym muzykiem na świecie. Obowiązuje prawo. Prze-
znaczenie musi się wypełnić.*

Ten jeden raz Śmierć nie wyglądał, jakby się uśmiechał.

Opuścił dłoń na struny.

Nie zabrzmiał żaden dźwięk.

Zamiast tego nastąpił zanik dźwięku, koniec brzmienia, które
Susan – teraz to sobie uświadomiła – słyszała od dawna. Bez przerwy.
Całe życie. Dźwięk, jakiego się nie zauważa, dopóki nie ucichnie...
Struny trwały w bezruchu.

Istnieją miliony akordów. Istnieją miliony liczb. I wszyscy zapominają o tej, która jest zercm. Jednak bez zera liczby są tylko aryt-
metyką. Bez pustego akordu muzyka jest tylko hałasem.

Śmierć zagrał pusty akord.

Rytm zwolnił. I zaczął słabnąć. Wszechświat kręcił się nadal, cały, co do atomu. Ale wkrótce wirowanie się skończy, tancerze zaczną się rozglądać i zastanawiać, co robić dalej.

Nie czas na to! Zagraj coś innego!

NIE POTRAFIĘ.

Śmierć skinął na Buddy'ego.

ALE ON POTRAFI.

Rzucił chłopcu gitarę. Przeniknęła przez niego.

Susan podbiegła, chwyciła ją i podała Buddy'emu.

– Musisz ją wziąć! Musisz zagrać! Musisz na nowo zacząć muzykę!

Gorączkowo szarpała struny. Buddy skrzywił się.

– Proszę! – wołała. – Nie odchodź!

Muzyka jęczała jej w głowie.

Buddy zdołał jakoś chwycić gitarę, ale patrzył, jakby zobaczył
ją pierwszy raz w życiu.

– Co się stanie, jeśli nie zagra? – spytał Buog.

– Wszyscy zginiecie w katastrofie!

A POTEM, dodał Śmierć, UMRZE MUZYKA. I TANIEC DOBIEG-
NIE KOŃCA. CAŁY TANIEC.

Widmowy krasnolud odchrząknął.

– Płacą nam za ten numer, tak? – upewnił się.

DOSTANIECIE WSZECHŚWIAT.

– I darmowe piwo?

Buddy przycisnął do siebie gitarę. Spojrzał w oczy Susan.

Uniósł rękę i zagrał.

Pojedynczy akord zadźwięczał w wąwozie i powrócił echem pełnym niezwykłych harmonik.

DZIĘKUJĘ, powiedział Śmierć. Podszedł i odebrał gitarę.

Wykonał nagły wykrok i z rozmachu uderzył instrumentem o skałę. Struny rozdzieliły się i coś wyleciało spomiędzy nich w stronę śniegu i gwiazd.

Śmierć z satysfakcją popatrzył na odłamki.

TERAZ TO PRAWDZIWA MUZYKA Z WYKROKIEM.

Pstryknął palcami.

Księżyc wstał nad Ankh-Morpork.

Park był pusty. Srebrzyste światło sączyło się na szczątki sceny, na błoto i niedojedzone kiełbaski wyznaczające teren, gdzie stała publiczność. Tu i tam połyskiwało na strzaskanych pułapkach dźwiękowych.

Po chwili kawał błota usiadł i wypluł z siebie więcej błota.

– Crash! Jimbo! Scum! – zawołał.

– To ty, Noddy? – odpowiedział mu smętny kształt zwisający z jednej z nielicznych ocalałych podpór sceny.

Błoto wydłubało jeszcze trochę błota z uszu.

– To ja. Gdzie Scum?

– Chyba wrzucili go do jeziora.

– Crash żyje?

Spod stosu odłamków odpowiedział mu cichy jęk.

– Szkoda – mruknął z żalem Noddy.

Jakaś postać wynurzyła się z ciemności. Chlupała.

Crash na wpół wyczołgał się, na wpół spadł z gruzów.

– Muficie szyznać – wybełkotał, ponieważ na którymś etapie występu gitara trafiła go w zęby – że to fyła frafwzifa mufyka wykrokowa...

– Niech będzie. – Jimbo zsunął się z belki. – Ale następnym razem ja dziękuję. Spróbuję raczej seksu i prochów.

– Tata powiedział, że mnie zabije, jeśli spróbuję prochów – oświadczył Noddy.

– Bo twój mózg na prochach... – zaczął Jimbo.

– Nie, to twój mózg, Scum. Na tej bryle, o tam.

– O rany... Dzięki.

– Z prochów najbardziej przydałyby mi się teraz jakieś przeciwbólowe – stwierdził Jimbo.

Trochę bliżej jeziorka stos workowej tkaniny zsunął się na bok.

– Nadrektorze...

– Tak, panie Stibbons?

– Chyba ktoś nadepnął mi na kapelusz.

– Co z tego?

– Wciąż mam go na głowie.

Ridcully usiadł, rozprostowując obolałe kości.

– Chodźmy, chłopcze – powiedział. – Wracamy do domu. Nie jestem pewien, czy aż tak interesuje mnie muzyka. To świat hertzów.

Powóz dudnił na krętej górskiej drodze. Pan Clete stał na koźle i batem popędzał konie.

Satchmon podniósł się niepewnie. Krawędź przepaści była tak blisko, że mógł spojrzeć prosto w ciemność.

– Mam już tego serdecznie dosyć i po uszy! – krzyknął i spróbował chwycić bat.

– Przestań! Bo nigdy ich nie dogonimy! – wrzasnął Clete.

– Co z tego? Komu to przeszkadza? Podobała mi się ich muzyka! Clete odwrócił się. Jego twarz była straszna.

– Zdrajca!

Satchmon, trafiony drzewcem bata w żołądek, zatoczył się do tyłu, chwycił burtę powozu i wypadł.

Wyciągniętą ręką złapał w ciemności coś, co wydawało się cienką gałązką. Kołysał się rozpaczliwie nad urwiskiem, aż butami znalazł oparcie na skale, a drugą ręką pochwycił słupek ogrodzenia.

Zdążył jeszcze zobaczyć, jak powóz mknie naprzód – w przeciwieństwie do drogi, która skręcała ostro.

Satchmon zacisnął powieki i trzymał je zamknięte, dopóki nie ucichły ostatnie krzyki, trzaski i huki. Kiedy otworzył oczy, zauważył jeszcze toczące się wąwozem płonące koło.

– Niech to licho – powiedział. – Miałem szczęście, że trafiłem na tę... to... coś...

Uniósł wzrok wyżej. I wyżej.

RZECZYWIŚCIE. SZCZĘŚLIWY TRAF.

Pan Clete usiadł wśród szczątków powozu. Płonęły. Miałem szczęście, powiedział sobie, że przeżyłem ten upadek. Postać w czarnej szacie przeszła przez ogień. Pan Clete przyjrzał się jej. Nigdy nie wierzył w takie rzeczy. Nigdy w ogóle w nic nie wierzył. Ale gdyby wierzył, to chyba raczej w kogoś... większego.

Spojrzał w dół na to, co brał za swoje ciało. Odkrył, że widzi przez nie. I że się rozpływa.

– Ojej – powiedział. – Hat. Hat. Hat.

Postać uśmiechnęła się i zamachnęła maleńką kosą.

SNH, SNH, SNH.

 Dużo później ludzie zeszli do wąwozu i oddzielili szczątki pana Clete'a od wszystkich innych. Nie pozostało ich wiele.

Sugerowano, że był jakimś muzykiem... Muzykiem, który uciekł z miasta czy co... Prawda? Czy może chodziło o coś innego? W każdym razie teraz był już martwy. Prawda?

Nikt nie zwrócił uwagi na inne znaleziska. Różne rzeczy zbierały się zwykle w wyschniętym korycie na dnie wąwozu. Była tu końska czaszka, trochę piór i paciorków. I kilka kawałków gitary, rozbitej na kawałki jak skorupka jaja. Trudno jednak byłoby ocenić, co tu zaszło.

 Susan otworzyła oczy. Czuła wiatr na twarzy. Widziała czyjeś ręce z obu stron. Podtrzymywały ją, a jednocześnie ściskały wodze białego konia.

Daleko w dole przesuwały się szybko chmury.

– No dobrze – powiedziała. – Co się teraz stanie?

Śmierć milczał przez chwilę.

HISTORIA MA TENDENCJĘ DO POWROTU NA WŁAŚCIWE TORY, rzekł w końcu. ZAWSZE JĄ JAKOŚ ZAŁATAJĄ. ZWYKLE POZOSTAJĄ TYLKO JAKIEŚ ZAPOMNIANE DROBIAZGI... MOIM ZDANIEM PEWNI LUDZIE ZACHOWAJĄ MGLISTE WSPOMNIENIA O SWEGO

RODZAJU KONCERCIE W PARKU. ALE CO Z TEGO? BĘDĄ PAMIĘTAĆ RZECZY, KTÓRE SIĘ NIE WYDARZYŁY.

– Przecież się wydarzyły!

TAKŻE.

Susan spoglądała w dół, na mroczny pejzaż. Tu i tam dostrzegała światła pojedynczych domostw i małych wiosek, gdzie ludzie radzili sobie z życiem, nie myśląc nawet, co ich mija wysoko nad głowami. Zazdrościła im.

– No to... – zaczęła. – To tylko przykład, rozumiesz... Co się stanie z Grupą?

OCH, MOGĄ SIĘ ZNALEŹĆ WSZĘDZIE. Śmierć spojrzał na tył głowy Susan. WEŹMY NA PRZYKŁAD TEGO CHŁOPAKA. MOŻE PORZUCIŁ WIELKIE MIASTO. MOŻE DOTARŁ GDZIE INDZIEJ. ZNALAZŁ PRACĘ, ŻEBY JAKOŚ ZWIĄZAĆ KONIEC Z KOŃCEM. NIE SPIESZYŁ SIĘ. ZAŁATWIAŁ TO PO SWOJEMU.

– Ale miał zginąć tamtej nocy Pod Bębnem!

NIE, JEŚLI TAM NIE POSZEDŁ.

– Możesz to zrobić? Jego życie miało się zakończyć! Mówiłeś, że nie możesz dawać życia!

JA NIE. TY MOŻESZ.

– Co to znaczy?

ŻYCIEM MOŻNA SIĘ PODZIELIĆ.

– Ale on... zniknął. Pewnie nigdy już go nie spotkam.

WIESZ, ŻE TAK.

– Skąd jesteś taki pewny?

ZAWSZE WIEDZIAŁAŚ. PAMIĘTASZ WSZYSTKO. JA RÓWNIEŻ. ALE TY JESTEŚ CZŁOWIEKIEM, WIĘC TWÓJ UMYSŁ SIĘ BUNTUJE – DLA TWOJEGO WŁASNEGO DOBRA. COŚ JEDNAK SIĘ PRZEBIJA. MOŻE SNY. PRZECZUCIA. WRAŻENIA. NIEKTÓRE CIENIE SĄ TAK DŁUGIE, ŻE PRZYBYWAJĄ PRZED ŚWIATŁEM.

– Nie wydaje mi się, żebym coś z tego zrozumiała.

NO CÓŻ, MAMY ZA SOBĄ CIĘŻKI DZIEŃ.

W dole przesuwało się coraz więcej chmur.

– Dziadku?

TAK?

– Wróciłeś?

CHYBA TAK. STRASZNIE DUŻO PRACY.

– Czyli mogę przestać? Chyba nie radziłam sobie za dobrze.

TAK.
– Tylko że... złamałeś właśnie mnóstwo zasad...
MOŻE CZASAMI SĄ TO TYLKO WSKAZÓWKI.
– Ale moi rodzice jednak zginęli.
NIE MOGŁEM IM DAĆ DŁUŻSZEGO ŻYCIA. MOGŁEM TYLKO OFIAROWAĆ IM NIEŚMIERTELNOŚĆ. UZNALI, ŻE NIE JEST TO WARTE TAKIEJ CENY.
– Ja... chyba wiem, o co im chodziło.
OCZYWIŚCIE, ZAWSZE MOŻESZ MNIE ODWIEDZAĆ.
– Dziękuję.
ZAWSZE BĘDZIESZ TAM MIAŁA DOM. JEŚLI ZECHCESZ.
– Naprawdę?
ZACHOWAM TWÓJ POKÓJ DOKŁADNIE W TAKIM STANIE, W JAKIM GO ZOSTAWIŁAŚ.
– Dziękuję.
POTWORNY BAŁAGAN.
– Przepraszam.
PODŁOGI PRAWIE W OGÓLE NIE WIDAĆ. NAPRAWDĘ MOGŁAŚ TROCHĘ POSPRZĄTAĆ.
– Przepraszam.
W dole zajaśniały światła Quirmu. Pimpuś wylądował delikatnie. Susan spojrzała na ciemne budynki pensji.
– Czyli ja... też... przez cały czas byłam tutaj?
TAK. HISTORIA OSTATNICH KILKU DNI BYŁA... ODMIENNA. DOBRZE SOBIE PORADZIŁAŚ NA EGZAMINACH.
– Naprawdę? A kto je pisał?
TY.
– Aha. – Susan wzruszyła ramionami. – Co dostałam z logiki?
BARDZO DOBRY.
– No nie! Zawsze dostawałam bardzo dobry z plusem.
POWINNAŚ SOLIDNIEJ POWTÓRZYĆ MATERIAŁ.
Śmierć wskoczył na siodło.
– Jeszcze jedno... – zatrzymała go Susan. Wiedziała, że musi to powiedzieć.
TAK?
– Co się stało z tym... no wiesz... „zmienić los jednego człowieka to zmienić świat"?
CZASAMI ŚWIAT WYMAGA ZMIANY.

– Aha. Hm. Dziadku...

TAK?

– Ta... huśtawka. Wiesz, ta w sadzie. Jest bardzo dobra. Świetna huśtawka.

NAPRAWDĘ?

– Byłam wtedy za mała, żeby ją docenić.

NAPRAWDĘ CI SIĘ PODOBAŁA?

– Miała... styl. Nie wierzę, żeby jeszcze ktoś miał taką.

DZIĘKUJĘ CI.

– Ale... to niczego nie zmienia, wiesz? Świat nadal jest pełen głupich ludzi. Nie korzystają ze swych mózgów. Jakby im nie zależało, żeby logicznie myśleć.

W PRZECIWIEŃSTWIE DO CIEBIE?

– Ja przynajmniej się staram. Na przykład, jeśli byłam tu przez ostatnie kilka dni, to kto leży teraz w moim łóżku?

MYŚLĘ, ŻE WYSZŁAŚ NA PRZECHADZKĘ PRZY KSIĘŻYCU.

– Aha. Czyli wszystko w porządku.

Śmierć odchrząknął.

SĄDZĘ...

– Słucham?

WIEM, ŻE TO WŁAŚCIWIE ŚMIESZNE...

– Co takiego?

NIE ZNAJDZIESZ PRZYPADKIEM CAŁUSA DLA SWOJEGO STAREGO DZIADUNIA?

Susan popatrzyła na niego.

Błękitny blask w oczach Śmierci stopniowo przygasał, a znikające światło wsysało jej spojrzenie, wciągało je w oczodoły i leżącą za nimi ciemność...

...która trwała i trwała bez końca. Nie było dla niej imienia. Nawet „wieczność" jest ludzkim pojęciem. Nadanie jej nazwy daje jej także długość, choć istotnie wyjątkowo wielką. Ale owa ciemność była tym, co pozostaje, kiedy nawet wieczność się podda. Tam właśnie mieszkał Śmierć. Samotnie.

Przyciągnęła do siebie jego głowę i pocałowała w sam czubek. Czaszka była gładka i biała jak kość, jak kula bilardowa.

Susan odwróciła się i spojrzała na budynki, próbując ukryć zakłopotanie.

– Mam tylko nadzieję, że pamiętałam o zostawieniu otwartego

okna. – Zresztą to na nic. Musi się dowiedzieć, choćby potem miała być na siebie zła, że spytała. – Posłuchaj... Czy, eee... ludzie, których poznałam... Nie wiesz, czy znowu zobaczę...
Kiedy się odwróciła, za nią nie było już niczego. Tylko dwa odciski kopyt gasnące z wolna na bruku.
Okno było zamknięte. Musiała iść dookoła, przez drzwi, a potem w ciemności wspiąć się na schody.
– Susan!
Poczuła, że na wszelki wypadek znika, z przyzwyczajenia. Powstrzymała to. Nie było potrzeby. Nigdy nie było takiej potrzeby.
Na końcu korytarza w świetle latarni stała kobieta.
– Słucham, panno Butts?
Dyrektorka przyglądała się jej, jakby czekała, aż Susan coś zrobi.
– Dobrze się pani czuje, panno Butts?
Nauczycielka wybuchnęła gniewem.
– Czy wiesz, że jest już po północy?! Jak ci nie wstyd? Dlaczego nie leżysz w łóżku? I to z całą pewnością nie jest szkolny mundurek!
Susan spojrzała na siebie. Trudno jest pamiętać o wszystkich szczegółach... Wciąż miała na sobie czarną suknię z koronką.
– Tak – przyznała. – To prawda. – I obdarzyła pannę Butts promiennym, przyjaznym uśmiechem.
– W szkole obowiązują przecież pewne zasady – powiedziała panna Butts, choć z pewnym wahaniem.
Susan poklepała ją po ramieniu.
– Myślę, że to chyba raczej wskazówki. Nie sądzisz, Eulalio?
Panna Butts otworzyła usta i natychmiast je zamknęła. Susan zaś zdała sobie sprawę, że nauczycielka jest w rzeczywistości dość niska. Wysoko nosiła głowę, mówiła wysokim głosem, prezentowała najwyższej klasy maniery – była wysoka w każdym aspekcie prócz wzrostu. Zadziwiające, ale najwyraźniej potrafiła urzymać to w sekrecie.
– Lepiej się już położę – oświadczyła Susan. Jej umysł tańczył na adrenalinie. – I pani także. Jest o wiele za późno, żeby w pani wieku spacerować po korytarzach. Tu są przeciągi. W dodatku jutro ostatni dzień zajęć. Nie chce pani chyba wyglądać na zmęczoną, kiedy zjawią się rodzice.
– Eee... tak. Tak. Dziękuję ci, Susan.

316

Susan rzuciła załamanej nauczycielce kolejny ciepły uśmiech. Poszła do sypialni, rozebrała się po ciemku i wśliznęła pod kołdrę.

W pokoju panowała cisza, jeśli nie liczyć spokojnych oddechów dziewięciu śpiących dziewcząt i rytmicznego, stłumionego odgłosu lawiny, jaki wydawała śpiąca księżniczka Nefryta.

Po chwili dołączył do nich szloch kogoś, kto stara się nie być słyszany. Trwał długo. Ktoś miał wiele do nadrobienia.

Wysoko ponad światem Śmierć pokiwał głową. Można wybrać nieśmiertelność albo można wybrać człowieczeństwo.

Każdy sam musi podjąć decyzję.

Ostatni dzień nauki był jak zawsze odrobinę chaotyczny. Niektóre dziewczęta wyjeżdżały wcześniej, przez pensję sunął strumień rodziców różnych ras i nikt nawet nie myślał o lekcjach. Powszechnie godzono się z faktem, że zasady są złagodzone.

Susan, Gloria i księżniczka Nefryta poszły spacerem do kwiatowego zegara. Była za kwadrans stokrotkowa.

Susan czuła się pusta, ale też naprężona jak struna. Dziwiła się, że iskry nie strzelają jej z palców.

W sklepie przy alei Trzech Róż Gloria kupiła torebkę smażonych ryb. Zapach gorącego octu i solidnego cholesterolu unosił się nad papierem, pozbawiony jednak aromatu smażonej pleśni, który zwykle nadawał zakupom ich znajomy posmak.

– Ojciec mówi, że muszę wrócić do domu i wyjść za jakiegoś trolla – oświadczyła Nefryta. – Wiesz, jak znajdziesz tam jakieś porządne rybie ości, chętnie je zjem.

– Poznałaś go? – zainteresowała się Susan.

– Nie. Ale ojciec mówi, że ma wielką, wysoką górę.

– Na twoim miejscu bym się nie zgodziła – stwierdziła Gloria z ustami pełnymi ryby. – Mamy przecież Wiek Nietoperza. Tupnęłabym nogą i powiedziała: Nie! Jak myślisz, Susan?

– Słucham? – spytała Susan, która myślała o czymś innym. Kiedy powtórzono jej wszystko, odparła: – Nie. Najpierw bym sprawdziła, jaki on jest. Może się okazać całkiem miły. Wtedy ta góra będzie dodatkowym atutem.

– Tak – przyznała Gloria. – To logiczne. Czy ojciec przysłał ci jakiś portret?

– O tak.

– I co?

– No... – zastanowiła się Nefryta. – Ma sporo ciekawych szczelin. I lodowiec. Tato mówi, że nie topnieje nawet latem.

Gloria z aprobatą kiwnęła głową.

– Wydaje się miłym chłopcem.

– Ale ja zawsze lubiłam takiego z sąsiedniej doliny. Ma na imię Grań, ciężko pracuje i oszczędza. Odłożył już prawie tyle, że wystarczy na własny most.

Gloria westchnęła.

– Ciężko jest być kobietą... – Szturchnęła Susan. – Chcesz kawałek ryby?

– Dziękuję, nie jestem głodna.

– Naprawdę dobra. Nie taka zjełczała jak zwykle.

– Nie, dziękuję.

Gloria szturchnęła ją znowu.

– To może sama kupisz sobie porcyjkę? – zaproponowała, uśmiechając się znacząco pod osłoną brody.

– Ale czemu?

– Sporo dziewcząt już tam dzisiaj było – wyjaśniła krasnoludka. – Przyjęli nowego chłopaka. Przysięgłabym, że jest elfi.

Coś wewnątrz Susan szarpnęło się i brzęknęło.

Wstała.

– Więc o to mu chodziło! Rzeczy, które się jeszcze nie wydarzyły!

– Co? Komu? – zdziwiła się Gloria.

– Sklep jest w alei Trzech Róż?

– Zgadza się.

 Drzwi do mieszkania maga stały otworem. Sam mag drzemał na słońcu w ustawionym przed wejściem fotelu na biegunach.

Kruk siedział mu na kapeluszu. Susan zatrzymała się i spojrzała na ptaka groźnie.

– Czyżbyś chciał wygłosić jakieś komentarze?

– Kra, kra – odparł kruk i nastroszył pióra.

– To dobrze.

Poszła dalej, czując na twarzy rumieniec. Jakiś głos za nią powiedział:

– Ha!

Udała, że nie słyszy.

Coś poruszyło się między śmieciami w rynsztoku.

SNH, SNH, SNH, powiedziało, ukryte za opakowaniem po rybie.

– Rzeczywiście, bardzo zabawne – rzuciła Susan.

Poszła dalej.

Po chwili ruszyła biegiem.

 Śmierć uśmiechnął się, odłożył szkło powiększające i odwrócił się od modelu Dysku. Zobaczył obserwującego go Alberta.

TYLKO SPRAWDZAŁEM, wyjaśnił.

– Oczywiście, panie – odparł Albert. – Osiodłałem Pimpusia.

ROZUMIESZ, ŻE TYLKO SPRAWDZAŁEM?

– Jak najbardziej, panie.

JAK SIĘ CZUJESZ?

– Doskonale, panie.

MASZ SWOJĄ BUTELKĘ?

– Tak, panie. – Stała na półce w pokoju Alberta.

Podążył za Śmiercią do stajni, pomógł mu wspiąć się na siodło i podał kosę.

TERAZ MUSZĘ WYJECHAĆ, rzekł Śmierć.

– To twój bilet, panie.

WIĘC PRZESTAŃ TAK SIĘ UŚMIECHAĆ.

– Tak, panie.

Śmierć ruszył. Po chwili zauważył, że mimowolnie kieruje się na ścieżkę do sadu.

Zatrzymał się przed pewnym szczególnym drzewem. Przyglądał mu się przez dłuższą chwilę.

DLA MNIE WYGLĄDA CAŁKOWICIE LOGICZNIE, stwierdził w końcu.

Pimpuś zawrócił posłusznie i pokłusował do świata.

Otwierały się przed nim krainy i miasta Dysku. Na ostrzu kosy tańczył błękitny płomień.

Śmierć poczuł skierowaną na siebie uwagę. Spojrzał na wszechświat, który obserwował go z zaciekawieniem.

Głos, który tylko on mógł słyszeć, zapytał: Więc mały Śmierć jest buntownikiem, tak? A przeciw czemu się buntujesz?

Śmierć zastanowił się. Jeśli istniała jakaś błyskotliwa odpowiedź, nie wpadł na nią.

Dlatego zignorował pytanie i ruszył ku żywotom ludzi.

Potrzebowali go.

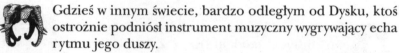

 Gdzieś w innym świecie, bardzo odległym od Dysku, ktoś ostrożnie podniósł instrument muzyczny wygrywający echa rytmu jego duszy.

Nigdy nie umrze.

Zostanie tu już na zawsze.